一笑

古龍 著

盛期之風貌

與

臥龍生作品　帶動武俠風潮

《飛燕驚龍》開一代武俠新風

《飛燕驚龍》(1958)爲臥龍生成名作，共48回，約120萬言。此書承《風塵俠隱》之餘烈，首倡「武林九大門派」及「江湖大一統」之說，更早於香港武俠巨匠金庸撰《笑傲江湖》(1967)所稱「千秋萬世，一統」達九年以上。流風所及，臺、港武俠作家無不效尤；而所謂「武林盟主」、「江湖霸業」等新提法，竟成爲社會大眾耳熟能詳的流行術語了。

《飛燕》一書可讀性高，格局甚大。主要是寫江湖群雄爲覬覦傳說中的武林奇書《歸元秘笈》而引起一連串的明爭暗鬥；再以一部假秘笈和萬年火龜爲餌，交插敘述武林九大門派（代表正派）彼此之間的爾虞我詐，以及天龍幫（代表反方）網羅天下奇人異士而與九大門派的對立衝突。其中崑崙派弟子楊夢寰偕師妹沈霞琳行道江湖，卻如夢似幻地成爲巾幗奇人朱若蘭、趙小蝶之絕世武功技驚天龍幫，而海天一叟李滄瀾復接連敗於沈霞琳、楊夢寰之手；致令其爭霸江湖之雄心盡泯，始化解了一場武林浩劫云。

在故事佈局上，本書以「懷璧其罪」（與真、假《歸元秘笈》有關）的楊夢寰屢遭險難，卻每獲武林紅妝垂青爲書膽（明），又以金環二郎陶玉之嫉才害能，專與楊夢寰作對(暗)爲反派人物總代表。由是一明一暗交織成章，一波未平，一波又起，極盡波譎雲詭之能事。最後天龍幫冰消瓦解，陶玉帶著偷搶來的《歸元秘笈》跳下萬丈懸崖，生死不明，卻予人留下無窮想像空間。三年後，作者再續寫《風雨燕歸來》以交代陶玉重出江湖，爲惡世間，則力不從心，當屬狗尾續貂之作。

在人物塑造方面，臥龍生寫男主角楊夢寰中看不中用，固然乏善可陳，徹底失敗；但寫其他三名女主角如「天使的化身」沈霞琳聖潔無瑕，至情至性，處處惹人憐愛；「正義的女神」朱若蘭氣質高華，冷若冰霜，凜然不可犯；「無影女」李瑤紅則刁蠻任性，甘爲情死等等，均各擅勝場。乃至寫次要人物如「賓中之主」海天一叟李滄瀾之雄才大略，豪邁氣派；玉簫仙子之放蕩不羈，爲愛痴狂；以及八臂神翁聞公泰之老奸巨猾，天龍幫軍師王寒湘之冷傲自負等，亦多有可觀。

摘自 葉洪生、林保淳著
《台灣武俠小說發展史》

武俠小說

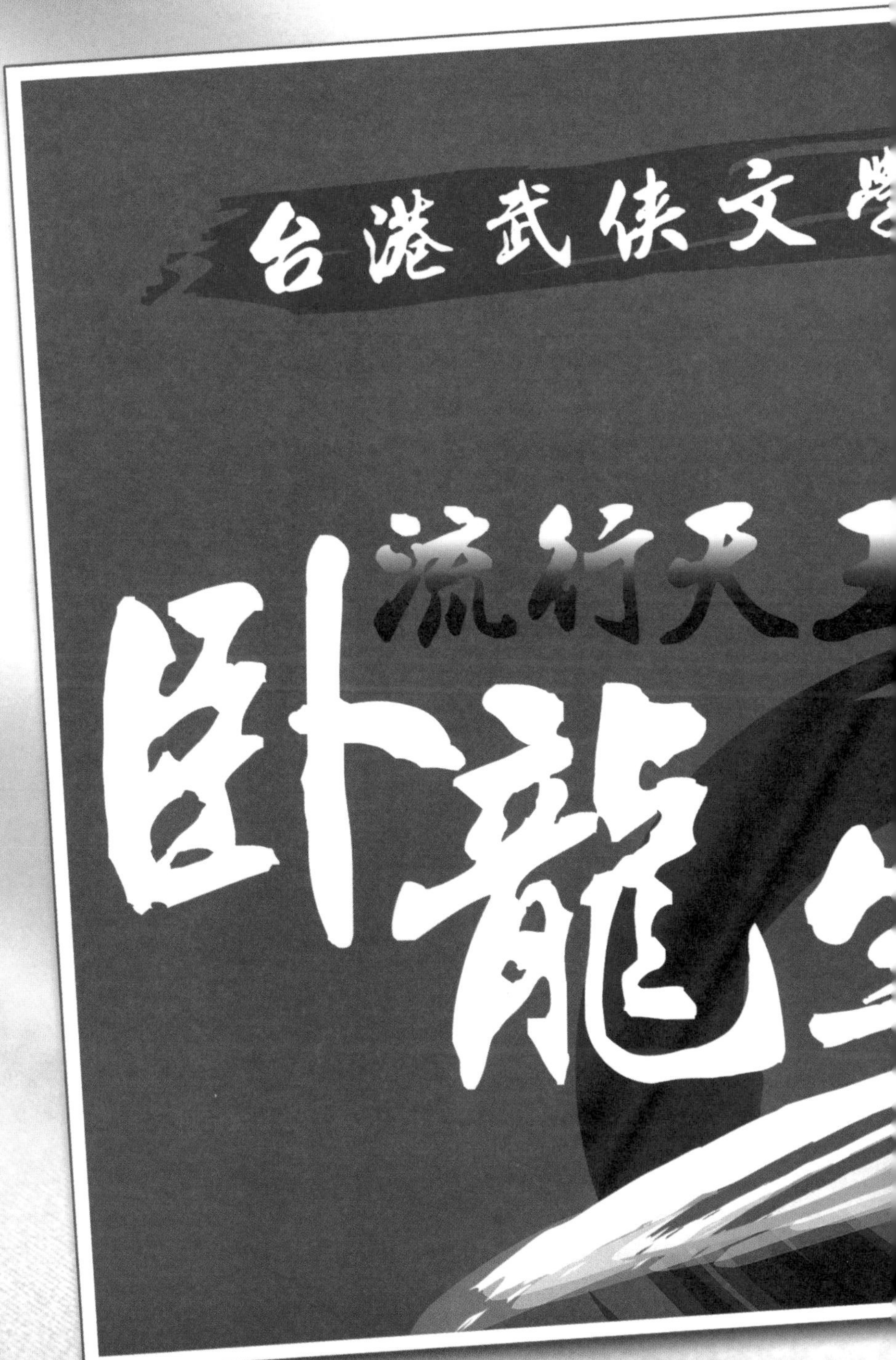
台港武俠文
流行天
臥龍

臥龍生是台灣最著名的武俠小說作家之一，自然也是海外新派武俠小說家中的重要一員。

在台灣武俠小說界，臥龍生曾獨領風騷被稱為「台灣武俠泰斗」。後來司馬翎、諸葛青雲脫穎而出，才與臥龍生並稱台灣俠壇的「三劍客」。那時候古龍還默默無聞。後來古龍名氣漸大，躋身高手之林，與「三劍客」合稱「台灣武俠小說四大家」，但臥龍生仍是深受讀者歡迎的武俠小說作家。

陳墨

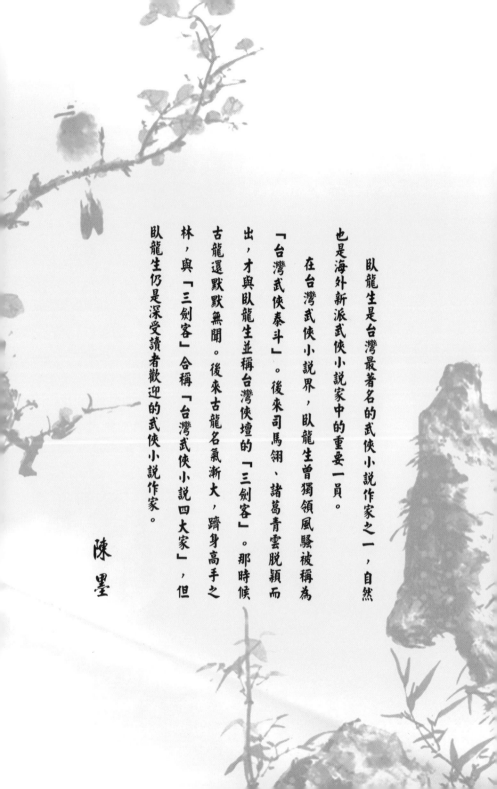

雙鳳旗
（一）

臥龍生

武俠經典珍藏版 33

臥龍生精品集㉝

雙鳳旗(一)

目錄

【導讀推薦】

《雙鳳旗》：交織了冤孽、野心、俠情與悲憫的作品

知名文學評論家
秦懷冰

臥龍生的武俠創作，其最大的特色，通常被認為是將故事情節敘述得栩栩如生，以吸引讀者一口氣閱讀下去而欲罷不能；然而，在他若干部具有代表性的重要作品中，往往還含有某些值得深入玩味和省思的內涵或元素，《雙鳳旗》即是這類作品之一。

大體上，作為具吸引力的通俗文學作品，舉凡宏大的佈局、奇詭的情節、畸變的情慾、反覆的衝擊，乃至悲劇俠情的渲染、江湖爭霸的殘酷等臥龍生所擅長的技法，在這部書中可謂應有盡有；然而，在紛繁的頭緒與詭異的情節之外，本書確實還有某些足以觸動人性迴響的理念，引人沉思。

佈局的機巧與狡獪

長安「鎮遠鏢局」被劫走價值極鉅的珠寶，劫鏢者鴻飛冥冥，無跡可尋，總鏢頭王子方請

來眾多成名的武林人物協助破案，仍是一籌莫展；在查案過程中，一干素負盛名的名家老手識見平庸，反而是年紀最輕且藉藉無名的少年「容哥兒」言必有中，在極短期間即於這個查案小組中脫穎而出。

當然，由於他既無門派靠山，又非世家子弟，馬上便被這些武林老手懷疑為敵方臥底者；但事實證明他的來意確是由其母派來向王子方「報恩」，而他的武功更遠在全部查案高手之上。因此，本書一開始即已設下懸念：誰是劫鏢者？目的何在？

但若讀者以為劫鏢與破案是本書的一條主線，故事將會循此展開，便不免小看了作者佈局敘事的機巧與狡獪。實際上，作者只是藉眾多名家高手追查失鏢下落的過程，一層層的抽絲剝繭，讓一個眾人從所未聞的神秘組織「萬上門」現出冰山一角，同時，也讓容哥兒的心性與才情得以相對凸顯。在雙方鬥智鬥力的交鋒中，少林、武當等名門正派的高手逐漸加入，王子方更請到丐幫幫主黃十峰出面協助，一時聲勢大振。但初時只由美女出面周旋的「萬上門」也陸續展示實力，雙方明爭暗鬥，此起彼落。這類情節，老於此道的作者處理起來自是舉重若輕。

真正的背景與主軸

但這類情節也只是鋪墊和過場，隨著雙方爭鬥的進行，另一個更詭譎叵測、規模也更龐大的神秘組織逐漸浮現，它不但以極嚴峻的手段逐級控制徒眾，而且徒眾中顯然不乏丐幫、少林、武當等名門正派的高手，而其主持人「一天君主」及轄下的「十大劍主」武功之高更是駭人聽聞。另一方面，作者也開始揭示故事真正的背景與主軸，原來，包括「萬上門」的崛起，及「一天君主」這個神秘組織的出現，似均與容哥兒之母「容夫人」有關。然則，容氏家族究竟是怎麼回事？

容哥兒從小由母親撫養長大，對父親並無印象。諸多旁敲側擊的情節顯示：「容夫人」雖然深居簡出，卻是一位既擅藥理、又精武學的絕頂高手。容哥兒在歷經江湖風暴的挑戰之餘，感到心勞力絀，衷心寄望於母親出山協助己方對抗邪惡勢力「萬上門」及「一天君主」。詎料，諸般波譎雲詭的情節轉折，竟讓他一步步憬悟到：所有他所目擊身歷的江湖風暴、武林殺劫，恐怕都和母親脫離不了關係！

權力的爭霸與操控

爲了操控眾多出身於各大門派的高手，完成前所未有的武林霸業，「容夫人」及其恐怖組織於洞庭湖的君山島建立地下石府，利用各種伎倆威脅利誘，包括以名醫研製的奇毒暗害，連少林前輩高僧一瓢、一明、武當耆宿上清道長、崑崙赤松子、丐幫第一高手岳剛都不免被拘禁多年，故而現任幫主黃十峰等人或不慎入彀，或賣身投靠，誠然不足爲奇。

容哥兒雖然生具俠氣，不畏強敵，一心以鋤強扶弱爲己任，且在患難中贏得新交才女江氏姐妹的傾心與援助，但想要與龐大的黑暗勢力相抗衡，卻分明是以卵擊石，毫無僥倖的可能。

歷經諸般周折與考驗，最後進入隱秘重重的地下石府，容哥兒終於知悉了自己的身世。「容夫人」只是養母，是父親「閃電劍」容俊的繼室，而且來自敵國北遼，本就負有顛覆中土武林的使命。但容俊其實也不是他的親父，因爲真正的父親「劍神」鄧玉龍當年是著名的風流浪子，勾引了容俊之妻——艷絕天下的蔡玉蓮，後者懷孕而生下容哥兒，被容俊發現，不得不出走，初生嬰兒則留在容家。因此，容哥兒真正的父母乃是鄧玉龍與蔡玉蓮。但在地下石府相逢時，人事已全非，蔡玉蓮衰病侵尋，容俊遭毒物控制，鄧玉龍亦失去了主導局面的能力。但不容諱言的是，容哥兒的上一代正是這場武林劫運的源頭。

暗合「後現代」理論

神秘組織爲何可以控制如此眾多的一流高手？按「容夫人」的說法，任何人「只要心中有賊，不管是貪財好色，或是熱衷功名，都將爲我所利用。我一個女流，能把你們中原武林同道攪得天翻地覆，只用了財、色、功、利四個字。」這即是臥龍生筆下邪派意圖稱霸江湖、乃至主宰天下的核心理念。其實，這倒是和當今流行的「後現代」社會思想家福柯（M. Fault）關於權力／知識／身體之激進理論暗相契合。在本書中，「一天君主」組織的幕後領導人要攫奪至高權力以主宰江湖，依恃的是以女色、毒藥等有形要素控制高手們的身體，並以虛榮、權位等抽象要素影響他們的心智，按照福柯理論，這就是人們不知不覺陷入極力之網的原因所在。

臥龍生當然不可能有意識地援引福柯理論，但他對傳統佛家的因果之說則非常熟悉；另一方面，他對於情節的迴轉與突變常用極大心力在經營；於是，隨著情節的推展，讀者看到：幕後指揮「容夫人」的藏鏡人竟是武當掌門三陽道長，而三陽道長又竟是最初以失鏢邀請眾人入局的王子方的身外化身，王子方背後更有僞裝潛伏多年的高手岳剛。而攤牌時分，在容俊和「容夫人」罹劫之後，有心贖罪的鄧玉龍亦與對方第一高手岳剛同歸於盡，蔡玉蓮隨即殉情自戕……故而，容哥兒在一夕間竟遭遇親父母及養父母全部喪生的慘事。這些慘烈的情節，顯然受過金庸《天龍八部》的影響。

冤孽、悲憫與俠義

容哥兒確實有理由大聲責問蒼天：「世人大約再也沒有我這樣可悲的身世了！我既不能奉養生母，卻又和養母爲敵；生我之父，是大俠，也是淫盜，生我之母，是武林一代名花，也是個身犯七出之條的棄婦，她受盡了折磨，變成殘廢，仍不能安享天年，難道這都是上天給予的報應麼？」

追源溯始，鄧蔡二人的不倫之戀，是容俊走上邪路及「容夫人」得以禍亂江湖的根由；然而，愛情本來無罪，爲何變成慘不堪言的冤孽？從本書的敘事邏輯來看，是因爲其中有人的權力野心在作祟，而當權力慾、控制慾與男女情慾交織成難分難解的江湖恩怨之時，一切的道德規範、理性秩序全部發生了扭曲和畸變！

然而，畢竟還有仍堅持赤子之心和俠義之氣的容哥兒，以及對他鍾情至深的江烟霞。尤其，出於對江湖劫禍的悲憫，爲了在絕境中拯救那些被毒藥控制的各門派人物，江氏姐妹不惜犧牲色相，出生入死，江玉鳳數度瀕危，江煙霞更爲此割捨雙腿。有這樣生具至情至性的新生代，臥龍生筆下的江湖世界才能繼續牽繫武俠讀者的關注。

而浩劫餘生的武林群豪經過集議，共獻「雙鳳旗」給江氏姐妹以示感念，亦不啻暗示著：俠情與悲憫，畢竟不致全然被冤孽和野心所淹沒吧。

一　離奇失鏢

長安城南十八里的趙家堡，矗立著一座高大的宅院，黑漆大門金字匾，橫寫著「眾望所歸」四個大字。

這時適逢太陽下山時分，西方天際，幻起滿天彩霞。

三匹快馬蕩起了滾滾煙塵，直馳趙家堡。

第一匹長程健馬上，端坐著一個五十六、七歲的老者，胸前飄垂著花白的長鬚，濃眉方面，虎背熊腰，背上斜揹著一柄白玉為把、赤金為邊的古形長刀。

第二匹快馬上是一位四旬左右的中年婦人，一身天藍短衣勁裝，外罩黑色大披風，青帕罩頭，背插長劍，長眉鳳目，端莊凝重，雖然是徐娘半老，但卻風韻依舊。

第三匹快馬上，是一位二十五、六歲的精壯大漢，一身灰色勁服，紫膛臉，臥蠶眉，配著一對虎目，看上去英氣勃勃。

快馬馳入趙家堡，突然緩了下來，三人齊齊飄身下馬，手牽韁繩，慢步向前行去。

將要行近高大宅院時，那老者突然回頭低聲對那紫臉大漢說道：「譚兄弟，那趙天霄威震西北，乃是大有名望的人，咱們此來求人相助，言語之間不可冒犯人家。」

那紫臉青年抱拳說道：「東主放心，屬從悉依東主心意從事。」

那老者長長歎息一聲道：「也許我一世英名將盡付流水，栽倒在這趟暗鏢之中。」

那中年婦人似要接言，口齒啓動一下，卻又硬生生地忍了下去。

三人到那高大宅院前面隨即停了下來，抬頭望望那金字匾，正待上前叩門，那緊閉的兩扇黑漆大門，突然豁然大開。

一個青衣小帽的中年人緩步走了出來，打量三人一眼，笑道：「三位找人嗎？」

那老者探手從懷中取出一個紅色封簡，遞了過去，說道：「有勞老哥您通報一聲，就說成都鎮遠鏢局總鏢頭攜拙荊，登門求見。」

那青衣人接過封簡，笑道：「老爺子就是大名鼎鼎的金刀神芒王子方？」

王子方笑道：「正是老朽，那趙堡主可在堡中？」

青衣人連連說道：「在，在，小的這就給您通報。」

片刻工夫，大門內快步行出來一個四十上下的壯年，黑髯飄胸，長眉朗目，遙遙抱拳一禮，道：「兄弟心慕王總鏢頭，今日有幸一會，快請入廳中待茶。」

王子方抱拳還了一禮，說道：「趙堡主威望江湖，老朽久思登門拜見，都因俗務羈身，一直未克如願，時至今日，始來造訪，還望趙堡主多多海涵。」

趙天霄道：「總鏢頭言重，兄弟何德何能，敢當王兄如此誇獎。」

兩人握手而行，直入大廳。

趙天霄肅客入座，笑道：「王兄怎不先派人送個信來，致使兄弟有失遠迎。」

王子方苦笑一下道：「趙兄豪放英雄，兄弟也不敢相瞞，唉！趙兄請看我這身裝束，登門造訪，成何體統……」

趙天霄笑接道：「不要緊，王兄事業登遠，寸陰如金，這等繁忙，已在兄弟的料想之中，能得抽暇到兄弟趙家堡中一行，已是蓬蓽生輝，足使兄弟感到榮耀萬分了！」

王子方歎息一聲，道：「說來慚愧，趙兄這般看重兄弟，倒叫我難以啓齒了！」

大廳一角處，白幔啓動，一個綠衣綠裙的美豔小婢，手捧茶盤，蓮步姍姍地走來，奉上香茗，悄然而退。

趙天霄直待那美婢退去之後，才緩緩說道：「王兄有何見教，只管請說，只要兄弟能力所及，無不全力以赴。」

王子方起身一揖，說：「趙兄如此慷慨仗義，使兄弟如沐春風，也多得一分生機！」

趙天霄眉頭皺起，說道：「什麼事，這等嚴重？」

王子方道：「唉！此事說來話長，小弟前年亦曾動了歇下『鎮遠鏢局』之心，但卻爲幾位朋友全力勸止，勸我多做幾年，只怪小弟耳軟，竟然聽信勸告，才招致這場大禍事。」

趙天霄接道：「什麼禍事？」

王子方道：「兄弟在長安城中，丟失了一趟鏢……」

趙天霄道：「這個兄弟倒無所聞，不知王兄的鏢車，幾時到了長安？」

王子方道：「如果是些鏢銀，兄弟也不敢來麻煩趙兄了。這些年來，承武林中朋友捧場，一直平安度過，不瞞趙兄說，這些時日，兄弟已然有了不少積聚，賠上個百十萬兩銀子，還賠得起，只是這趟鏢與眾不同。」

趙天霄道：「這樣說來，王兄失去的是暗鏢了？」

王子方道：「不錯，而且失的還不是普通的金銀之物。」

趙天霄道：「那麼是紅貨珠寶了？」

王子方道：「就算是紅貨珠寶，那也可以折價賠鏢，或是購買賠償，但兄弟這趟失鏢，卻是無從賠起。」

趙天霄聽得怔了一怔，道：「那是什麼寶物？」

王子方道：「接鏢之時，兄弟未在成都，待兄弟到家時，已屆起鏢之日，接鏢時是拙荊和諸位鏢師經手，研商之後，才接下了這趟鏢……」

他回顧了那徐娘半老的中年婦人一眼，接道：「當時，也怪兄弟大意，知曉了此事之後，也未加以追問。」

趙天霄突然離座，抱拳對婦人一揖，道：「嫂夫人請恕兄弟多口，不知可否把當時情景，詳細地說給小弟聽聽？」

王夫人黯然歎息一聲，道：「距今一月之前，外子南下未歸，有位客人，突然找到鏢局中，言明投保一批鉅鏢，由成都上開封，願以十萬兩銀子酬謝……」

趙天霄道：「那投保客人，是一位什麼樣的人物？」

王子方道：「三十有過、四十不足的中年文士裝扮。」

趙天霄道：「嫂夫人可曾檢看過他投保之物？」

王夫人道：「看過了，明珠十顆，顆顆如龍眼一般大小，寒玉尺一對，還有一個半尺見方的玉盒，那玉盒渾似天然生成，妾身幾度試啓，終是未能打開，據那位客人相告，玉盒中存放之物，是他家傳家之寶。」

趙天霄道：「嫂夫人就該讓他打開瞧瞧才是！」

王子方道：「賤妾亦生此心，曾經面告客人要檢看盒內之物，但他說那啓盒之鑰現在開封府他一位姊姊身上，此次東行，就是要找他那位遠嫁的姊姊，借用啓盒之鑰，來打開玉盒。」

趙天霄道：「此人現在何處？」

王子方道：「長安城『連雲客棧』之中。」

趙天霄目光轉到王夫人身上，道：「嫂夫人檢看過那玉盒之後，就答允接下這趟鏢嗎？」

王夫人道：「當時鏢局眾位鏢師都作不了主意，賤妾只好出面承擔下來，只是把起鏢的日期，延展到外子回局之後。」

趙天霄道：「以暗鏢護送的決定，可是王兄決定的嗎？」

王子方道：「那投保之物，不過是一只小小皮箱，兄弟心想以這般微小之物，如果勞師動眾，喝道開鏢，反將招致江湖上朋友注意，因此決定以暗鏢保往開封，兄弟雖決定暗鏢相送，但卻絲毫不敢大意，派遣的兩位鏢師，都是敝局中一流高手。」

趙天霄道：「那兩位鏢師何在？」

王子方道：「都留在連雲客棧之中！」

趙天霄道：「他們可曾已對王兄說明了失鏢經過嗎？」

王子方道：「兩位鏢師和投保客人，都已身受內傷，那客人終日昏迷不醒！」

趙天霄道：「兩位鏢師呢？」

王子方道：「一個受傷很重，已是奄奄一息，連兄弟也認不出來了，另一個有如中了瘋魔一般，終日喃喃自語……」

他長吁一口氣，接道：「兄弟原想從幾人受傷的武功身上，查出一點蛛絲馬跡，哪知卻大失所望，竟是瞧不出對方用什麼武功傷了三人。」
趙天霄道：「王兄是如何知悉暗鏢出事，匆匆趕來。」
王子方道：「兄弟派出兩位鏢師之後，愈想愈覺不對，區區一箱之物，竟以十萬銀酬報，尤其對那難以開啓的玉盒，心中更是疑惑重重，三日之後，決定攜拙荊，一起東行，既可照顧那趙暗鏢，回頭時亦可順道拜訪幾位朋友；不想來晚了一步，途中已得噩耗，敝局中兩位隨行的趟子手，幸未遭殃，還爲我留下了個傳訊之人。」
趙天霄說道：「以王兄威望而言，肯請兄弟相助，那是我趙某的光榮，何況那人在兄弟近居之地，下手盜鏢，出手傷人，那是誠心摔我趙某的面子，只此一點，兄弟就不能不管了。」
王子方抱拳一揖，道：「江湖上傳誦趙兄義氣豪放，兄弟夫婦已然心儀，今日一見，當真是尤勝聞名。但得趙兄相助，尋這趙失鏢之後，兄弟自當立時歇業，收了鎮遠鏢局，不再談走鏢之事。」
趙天霄微微一笑，道：「王兄不用心急，暫放愁懷，讓兄弟略盡地主之誼。」
趙天霄話落，即手一招，立時有一個青衣美婢跑過來，欠身說道：「堡主有何吩咐？」
趙天霄道：「傳我之命，派出四匹快馬，去請二爺、三爺，和那丐幫中的金長老、白馬堡的田少堡主，要他們兼程趕來。」
那青衣美婢應了一聲，轉身離去，趙天霄又急急接道：「吩咐廚下擺酒。」
那美婢回頭欠身，嬌聲說：「奴婢領命。」匆匆奔出客室。
王子方道：「害趙兄這般勞師動眾，實叫兄弟難安。」
趙天霄道：「王兄不用客氣……」

語聲微微一頓，接道：「賢夫婦但請放心，兄弟相信有得他們四位相助，不難查出真相，尤以那丐幫中的長老，耳目靈敏，眼線遍佈，這長安方圓百里內，有什麼風吹草動，都別想瞞得過他。」

王子方道：「愚夫婦全靠趙兄了，這番相助之情，尤重過救命之恩。」

說完話，和那中年婦人，雙雙欠身作禮。

趙天霄抱拳還了一禮，道：「王兄不用多禮，賢夫婦恐還未進酒飯，請先進一些粗淡食物，待兄弟約請眾位幫手到來之後，再行設法尋鏢。」

王子方道：「趙兄是豪放英雄，兄弟如再推辭，那就未免太過拘泥了。」

談話之間，四個青衣美婢，捧著酒菜而上。

趙天霄長揖肅客，讓三人坐了客位，自己卻坐在主位相陪。

那王子方一直念著失鏢的事，但見那趙天霄談笑風生，殷殷勸酒，只好強作歡顏。

一席酒飯足足吃了一個時辰，尚未結束，王子方愁懷難開，言笑之間，仍難掩去眉宇間那重重憂苦。

趙天霄看那王子方已有幾分酒意，心中暗想：「他一直惦念失鏢之事，酒入愁腸最易醉，看來是不能再勸他進酒了。」

正待喚侍婢撤去酒席，突聞廳外家僕報道：「二爺、三爺，連袂駕到。」

趙天霄起身說道：「有請！」

話音未絕，兩個勁裝疾服，身披英雄氅的大漢，已並肩進了大廳。

王子方凝神望去，只見那左首大漢，年約三十四、五，額下短鬚如戟，濃眉闊口，面如鍋底，生相十分威猛。

右面一人，面色赤紅，長眉斜飛入鬢，大耳環目，氣度不凡。

趙天霄微微一笑，道：「兩位兄弟，快些過來，我要替你們引見一位慕名已久的朋友。」

兩人抬頭望了王子方等三人一下，舉步行到趙天霄的身側。

只聽大廳之外，又傳來稟報之聲，道：「白馬堡少堡主駕到。」

趙天霄顧不得替王子方等引見，大步迎了出去，那兩個大漢，也緊隨著趙天霄身後，迎出了廳外，但聞一陣爽朗的笑聲，傳了過來，趙天霄和一個頭戴方巾、身著藍衫的清秀文雅少年，攜手而入。

只聽趙天霄說道：「有勞少堡主的大駕，實叫兄弟不安。」

那藍衫少年笑道：「言重了，趙堡主的寵召，晚輩實在榮幸得很。」

趙天霄縱聲大笑道：「少堡主太客氣了，這晚輩之稱，叫我如何敢當？」

說話之間，已到了酒席宴前。

趙天霄伸手指向王子方，道：「這位遠道佳賓，乃是咱們心慕已久，渴望一見的成都鎮遠鏢局的總鏢頭金刀神芒……」

那藍衣少年接道：「金刀神芒王子方。」

王子方道：「老朽浪得虛名，如何當得起諸位這般誇獎。」

藍衣少年抱拳道：「兄弟白馬堡田文秀，久聞王總鏢頭大名，今日有幸得晤。」

王子方道：「勞動大駕，老朽先領盛情了。」

那面如鍋底的黑臉大漢拱手說道：「兄弟章寶元，幸會王總鏢頭。」

王子方急急抱拳一禮，道：「久仰章兄大名。」

那臉色赤紅的大漢欠身說道：「兄弟石一山。」

王子方道：「石兄名滿西北，老朽敬慕已久。」

趙天霄哈哈一笑，道：「彼此都是武林朋友，大家不用多禮……」

語聲微微一頓，接道：「王兄在咱們長安地面上，失了一趟暗鏢，承他看得起咱們兄弟，不肯獨自尋鏢，與夫人並騎……」

目光投到那紫臉少年身上，接道：「兄弟失禮，還未請教這位兄台姓名。」

紫臉少年道：「在下譚家奇，承蒙王總鏢頭收容，在鎮遠鏢局中混口飯吃。」

趙天霄目光何等銳利，一瞧那譚家奇神態，已看出是一位內外兼修的高手，心中暗想：「此人深藏不露，肯委身在鎮遠鏢局中，當一位鏢頭，只怕是別有隱情，不可冷落了他。」

連忙抱拳，笑道：「兄弟疏忽，譚兄原諒。」

譚家奇道：「無名小卒，怎當得起趙堡主如此大禮。」一揖到地，退到了王子方的身後。

趙天霄緩緩移動目光，由群豪臉上掃過，說道：「王兄帶了這位譚兄找上了趙家堡，說明了失鏢的經過，此事既然發生在咱長安地面上，自是不能不加過問，因此特遣快馬請來諸位，共同商量可行之策。」

章寶元道：「看看田少堡主有何高見，至於我和三弟，自然悉從大哥之意，要小弟往東，小弟們決不往西就是。」

此人聲音宏亮，說話鏗鏘有聲，豪情義風，盡露於言詞之間。

田文秀目光一掠王子方和趙天霄，道：「王總鏢頭大駕親臨，這個忙是非幫不可，何況還有趙堡主寵邀……」

王子方一個羅圈揖，道：「王子方三生有幸，交得眾位這等熱血朋友。」

田文秀淡淡一笑，沉聲續道：「但那人既然敢在長安地面上任意劫鏢，自然是早已有了周密的計畫，如若他業已攜鏢遠遁，這追回失鏢之事，只怕要大費周折了！」目光轉注趙天霄的臉上，接道：「也許那劫鏢之人，還在長安城中，不論那人是否已去，目下不宜打草驚蛇。」

趙天霄點點頭道：「不錯，如是咱們一發不中，不但授人笑柄，且將給人以莽撞之感。」目光環顧了群豪一眼，接道：「諸位請坐，咱們從長計議一番，務求一擊必中的。」

只聽廳外高聲報道：「金長老不在舵中，丐幫中已派遣弟子尋他去了！」

趙天霄一揮手，道：「知道了！」

田文秀低聲道：「據在下所知，兩日前，丐幫三老中的獨眼神丐悄然到了長安……」

趙天霄突然跳了起來，道：「有這等事，怎麼我連一點風聲都未聽到。」

田文秀道：「鎮遠鏢局暗鏢到長安的事，事先咱們又何嘗得知。」

王子方急急說道：「兄弟理該先行遣人奉告才是，但眾位都是大大的忙人，瑣事不敢驚擾，不周之處，還望諸位海涵。」

田文秀道：「王兄不要誤會，兄弟之意是說，長安城內，近日來暗流激蕩，似是正在進行一件極大的隱秘之事，目下，還難斷言，此事是否和貴局中失去的暗鏢有關？」

趙天霄道：「如果田世兄聽到的消息不錯，這倒是一件非同尋常的大事，那丐幫三老在丐幫中的身分奇高，自幫主以下，人人對他們崇敬無比，三老在五年前已經退隱，不再過問幫中事情，除非受到丐幫幫主請托，絕不會無緣無故來到長安城中。」

田文秀道：「正因如此，在下才主張謹慎從事……」

目光轉注到王子方身上，接道：「總鏢頭！」

王子方道：「少堡主有何見教？」

田文秀道：「我等想請問一下事情經過，如是言詞間有失禮數，還望總鏢頭多多擔待！」

王子方道：「少堡主儘管請問，兄弟是知無不言。」

田文秀道：「總鏢頭派遣那位押鏢之人，靠得住嗎？」

王子方道：「兄弟派遣這兩位鏢頭，都是追隨我多年故交，絕不會出賣兄弟！」

田文秀道：「兩位護送暗鏢的鏢頭，可曾受傷嗎？」

王子方道：「一個昏迷不醒，一個形同白癡，兄弟查看了甚久，仍是看不出何物所傷。」

田文秀道：「他倆連一句話也不能說嗎？」

王子方道：「唉！他神智迷亂，唔唔呀呀，誰也難以分辨他說的是什麼。」

田文秀肅然說道：「總鏢頭請仔細地想上一想，可否能記憶他一句清楚的話？」

王子方凝目沉思，久久不言。

那一直未插一言的譚家奇突然說道：「在下記憶所及，似乎是在呼叫什麼？」

田文秀精神一振，道：「譚兄慢慢地想想看，他呼叫的什麼？」

譚家奇道：「好像是人名，也許是地名，隱隱約約，模糊難辨。」

田文秀道：「你仔細想想他那呼叫的聲音，縱然是諧音也好。」

譚家奇沉吟了一陣道：「水……瑩瑩……誰嬴嬴……。」

章寶元道：「是啦！他們失鏢之前，定然有一場豪賭，神智迷亂之後，仍然忘不了輸贏的事情，才一直念念難忘輸贏的事。」

趙天霄回顧了章寶元一眼，道：「二弟不要驚擾了田少堡主的沉思！」

只見田文秀喃喃自語，道：「水……瑩瑩……誰贏贏……」

突然離座而起，道：「可是那水盈盈嗎？」

譚家奇道：「好像如此。」

田文秀緩緩坐了下去，輕聲道：「水盈盈，這是不可能的事啊……」

趙天霄道：「田世兄，水盈盈是個人名嗎？」

田文秀道：「不錯。」

趙天霄道：「什麼人？」

田文秀道：「開元寺雨花台中的名妓。」

趙天霄奇道：「一個妓女？唉！只怕諧音有誤。」

田文秀緩緩站起身來，背著雙手在大廳中來回走動，時而仰臉靜思，時而低頭自吟。

趙天霄歎息道：「田世兄，我看還是不用在一個妓女身上多費心思了。」

只見田文秀舉起了右掌，輕輕地在左掌上拍了一下，道：「對！這位姑娘確實與眾不同，倒是有些可疑。」他緩緩抬起頭來，望著趙天霄接道：「目下還有不解之處，以晚輩之能，很難遽作定論。」

趙天霄道：「什麼事？」

田文秀道：「一個人受了極重的內傷，神智迷亂之後，形同中了瘋魔，是否對經過之事，還能留下印象？」
趙天霄道：「這個，這個……」沉思了良久，接道：「這要看他傷在何處了？」
田文秀道：「晚輩之意，暫時不動聲色，以免打草驚蛇，等待查證線索確實，咱們再去請教一位名醫，印證所得，或可尋求出追鏢之路。」
趙天霄道：「不知要如何查證，什麼線索？」
田文秀道：「自是先走捷徑，如是此路不通，那就得請王總鏢頭從根追起了！」
王子方道：「此乃兄弟本身之事，勞請諸位相助，兄弟已感不安，但得我力所能及，是萬死不辭，兄弟聽憑吩咐！」
田文秀道：「貴局這趟暗鏢，進入長安境內，趙老前輩和在下，都無所聞，足證隱秘了，這風聲如何洩露出來，實爲此中關鍵！」
王子方點頭說道：「少堡主的高論，實叫人五體投地。」
田文秀道：「王總鏢頭過獎了！設如劫鏢的真是那水盈盈，她何以知得？不外兩途：一是貴局中鏢頭到了長安，聞得那水盈盈的豔名，登門求見，酒酣耳熱之際，忘其所以；或是無意洩露，或是有意炫耀，說出那暗鏢之秘，自招失鏢之禍，想那雨花台中，閒人甚多，不難查個明白出來。」
趙天霄笑道：「田世兄才智過人，十年後定可接我趙某人領袖西北道上武林。」
田文秀道：「老前輩的德望，何等高博，豈是晚輩能夠及得。」
趙天霄哈哈一笑，道：「如果此路不通呢？」
田文秀道：「那就得由成都查起，凡是得知訊息之人，都有可疑之處，抽絲剝繭，循線追索了。」

趙天霄道：「好，就依田世兄的高見，在下立時派人到雨花台去，查個明白。」

田文秀搖頭說道：「且慢！」

趙天霄道：「為什麼？」

田文秀道：「如果要去，也得咱們親自出馬。」

趙天霄道：「咱們立刻趕往長安城中，飛箋召請那水盈盈來，或能問出線索來。」

田文秀道：「事不宜遲，哪一位肯陪兄弟到雨花台去走上一走？」

譚家奇望了王子方一眼，接道：「在下奉陪田少堡主一行如何？」

田文秀道：「譚兄肯去，那是最好，不過……」

目光一轉，望著趙天霄道：「老前輩請和王總鏢頭趕往連雲客棧中去，我們查出線索之後，立刻趕往會合，相謀追鏢。」

趙天霄道：「好！兩位先走一步，我們隨後就到。」

田文秀望望天色道：「晚輩和這譚兄要先行一步，老前輩等不妨在入夜之後登程，晚輩不再打擾了。」抱拳一揖，帶了譚家奇，退出趙家堡。

兩匹快馬疾馳，不過頓飯工夫，已進入了長安城。

田文秀一帶馬轠，健馬轉入一條僻靜的小巷中。

譚家奇沉默寡言，也不多問，緊隨身後而行。

這條小巷，長不過數十丈，但兩側宅院，卻都是紅門綠瓦，圍牆高大，一望即知，這條靜巷之中，住的盡都是富貴人家。

田文秀帶著譚家奇直行到盡頭處，停在一座寬大的紅門前面，舉手在門上輕彈三指，兩扇大紅門呀然而開，一個二十三、四歲精壯漢子，抱拳相迎，道：「少堡主回來了。」

田文秀回顧了譚家奇一眼，道：「譚兄請！」

譚家奇道：「不敢，還是少堡主先請。」

田文秀微微一笑，縱騎而入。

譚家奇緊隨進入了大門，兩扇大木門立時閉上。

這是一幢廣大豪華的大宅，前院中花木扶疏，靠東首有一座青磚砌成的馬棚。

田文秀當先躍下馬背道：「兄弟去換件衣服就來，譚兄請入廳中小坐片刻。」

譚家奇道：「不用了，在下就在此地等候一下。」

田文秀也不再多禮，匆匆奔入廳門。

片刻之後，換了一身裝束而出，頭上小帽，身著青衣，臉上似是也塗了黑煙，但卻無法掩飾那劍眉星目，端正的輪廓，微微一笑道：「好了，咱們走吧！」

譚家奇道：「在下可也要換身衣服嗎？」

田文秀道：「譚兄在這長安住過很久嗎？」

譚家奇道：「路過一次，未曾歇腳，算起來這該算是第一次。」

田文秀道：「那就不用了……」

微微一笑，接道：「不過，進得那雨花台後，咱們彼此之間，必須配合得宜，才能瞞過那些鴇奴耳目。」

譚家奇道：「在下是悉從吩咐。」

田文秀道：「不敢當，兄弟走前一步帶路了。」

這長安乃數代帝王建都之處，文物興盛，熱鬧非凡，可惜譚家奇胸懷失鏢之事，沒有心情欣賞那鬧市風光，緊隨田文秀身後而行。

只見田文秀陡然緩慢下來，低聲說道：「到了，譚兄進入那雨花台後，指名會見那水盈盈，兄弟裝作隨身小廝，便於暗中觀察，譚兄如有差遣，儘管吩咐就是。」

譚家奇急道：「這個叫兄弟如何……」

哪知田文秀竟不聽他言，已大步向前行了過去。

這時，天色已經入夜，雨花台外兩盞彩綾紮成的巨型風燈，照得門外一片通明。

田文秀突然放緩了腳步，閃在譚家奇身後，低聲說道：「譚兄弟快請進啊！」

譚家奇道：「兄弟不諳此事。」

田文秀道：「不妨事，譚兄弟這身裝束，一望之下就知是鏢局中的鏢頭，這等人一向大把花錢，素爲妓館酒樓，視作財神，譚兄儘管頤指氣使，如有需要之時，兄弟自會居間應對。」

譚家奇心中暗想：「這田文秀文采風流，只怕是此道中之能手。」

心中念頭轉動，人卻步上了五層石階，直入大門。

抬頭望去，只見燈光輝煌，香風襲人，弦管不絕，到處是歡笑之聲。

兩個當值的小鴇兒，久歷風塵，一望那譚家奇的衣著氣度，已知是財神爺上了門來，慌忙迎了上去，讓入廳中，笑道：「客爺您老先坐坐吃杯茶，我這就叫姑娘們出來見客。」

譚家奇回顧了站在身旁的田文秀一眼，揮手說道：「回來！」

兩個小鴇兒人已出了門，聽得呼叫之聲，忙又哈著腰走回來，笑道：「您老有何吩咐？」

譚家奇道：「在下久聞雨花台的豔名，特地遠道趕來。」

那大鴇應道：「您老就是不說，小的也能瞧出您老是遠道趕來，不過，您老算找對了，咱們這雨花台裏姑娘們，是個個如花似玉，溫柔有禮……」

譚家奇道：「報幾個有名的姑娘給大爺聽聽，除美貌之外，還得各具特色。」

這等妓院的小鴇奴，大都是妓院老鴇母收的土混兒，認做義子，一面監管姑娘，一面招呼客人，還兼做保鏢，別看他們對客人哈腰打躬，極盡卑顏能事，要是哪位不識相的客人，在妓院之中鬧事，一翻臉就是白刀子進、紅刀子出，妓院越大，養的這等漢也越多。

只聽那鴇奴說道：「您老喜歡啥樣的，肥瘦高矮是一應俱全。」

田文秀暗施傳音之術道：「譚兄，這兩個鴇奴油嘴滑舌，給他們一點教訓。」

譚家奇照方抓藥，雙目一瞪，冷冷說道：「我要你們報名上來，哪個要你們如此多口？」

兩個鴇奴看那譚家奇紫膛臉，臥蠶眉，不怒而威，勁裝佩刀，一望即知是保鏢的鏢師，這些人，終日在刀口下討生活，花錢固是痛快，但脾氣卻大得可以，三句話說得不對，揮拳就打，而且每人都有著一身武功，十個八個人也近身不得，鴇奴們對這等人最是歡迎，也最是頭疼，眼看譚家奇發了脾氣，趕忙自打了一個耳光，道：「小的該死，您老不要生氣。」

田文秀又施展傳音之術說道：「譚兄賞他們一錠銀子。」

譚家奇心中暗想：「你剛剛還要我發脾氣，脾氣還沒發完，又要我給起賞來了。」

當下探手取出一錠銀子道：「這個你們拿去。」

他身邊未帶散碎銀子，隨手摸出一錠銀子，足足有十兩之多。

兩個鴇奴，眼看此人出手賞賜如此之重，連連稱謝道：「小的們惹您老生氣，您老大人不見罪小人，還有這厚的賞賜，小的們給您老叩頭啦。」接過銀子，一撩衣襟，真的跪了下去。

譚家奇一揮手道：「不用了。」

兩個鴇奴也就借階下台，道：「咱們這雨花台中，說風流妖媚，首推那小羅成。」

譚家奇心中暗自奇道：「想那羅成乃是隋末唐初一條以回馬槍馳名一時，如今江湖之上乃有羅家的槍法，這一個妓女之名，怎的會叫起小羅成來……」

心中念轉，忍不住問道：「為什麼叫小羅成呢？」

左首一個鴇奴答道：「咱們那位姑娘，善施回馬槍，故有那小羅成的美名，你老可要見識見識？」

譚家奇道：「還有什麼人？」

右首一個鴇奴道：「如說那清秀風雅，楚楚可人，小的介紹給您老見見那白玉霜。」

譚家奇道：「還有嗎？」

兩個鴇奴齊聲道：「這兩位是咱們雨花台中的兩株名花，豔名傾動長安城，……」

譚家奇聽他們沒有叫出水盈盈的名字，急急接口說道：「除了那小羅成和白玉霜，你們這雨花台還有什麼樣的人物？」

兩個鴇奴相互望了一眼，由左首一個說道：「有是還有一位，只是那姑娘的脾氣太壞，似您老這等高貴，小的們實不敢為您老引介。」

譚家奇道：「如果她確有絕色，脾氣壞一點也不要緊。」

那鴇奴上下打量了譚家奇一陣，道：「您老如是一定要那姑娘，小的們有幾句冒犯之言，不得不先說明白。」

譚家奇心中暗道：「還不知她是不是我要找的人？」

當下說道：「那位姑娘花名如何稱呼？」

那鴇奴忙說道：「水盈盈，唉！說是她的名字，還不如說是她的人……」

譚家奇接道：「為什麼？」

另一個鴇奴接道：「那個姑娘水汪汪的一對大眼睛和一身白裏泛紅的肌膚，全身上下，尤似蘊藏了一泓秋水。」

譚家奇道：「好！在下倒要去見識一下那位水姑娘。」

左首鴇奴說道：「小的話還未完，那姑娘美是美到極點，但脾氣之壞也是壞到極點，她有三不接、一不願，唉！這些規矩，在咱們這行本來是不該有的，只是這位水姑娘人太美豔了，又是自由之身，也只好隨她之意了。」

譚家奇道：「何謂三不接、一不願呢？」

鴇奴應道：「一不願，是她不願迎客，客人要找她，只有移樽就教。三不接是，不解文墨武學不接，不過弱冠的年歲不接，看不上的不接。」

譚家奇淡淡一笑道：「在下精通文墨，略解武事，第一項是合格了；第二項更是不成疑難；至於這第三項，那就很難說了。」

右首那鴇奴笑道：「那第一項規矩，只限一種就行，不懂文事，即得要通武功，文武兩項占一即可，您文武全才，那就是最好不過了，但水姑娘肯否接見你，小的們還難斷言，您老肯答應，那就要屈駕一行，碰碰運氣。」

譚家奇暗暗忖道：「一個妓女，有這許多接客限制，倒是未聞未見的事。」口中說道：「好!有勞帶路。」兩個鴇奴應聲舉步，向前行去。

譚家奇回顧了田文秀一眼，緊隨在兩個鴇奴身後行去。

轉過了一堵屏風，景物又是一變，只見彩燈繽紛，花林夾道，池沼縈迴，肅簾垂戶，幾個紅裝綠裳的嬌豔女子，春風俏步地穿行在兩廊青石道上。

穿行一重庭院，情景又是一變，一條白石小徑，貫穿了一片花林，這地方幽靜清雅，不似前院那般的熱鬧吵雜，幾竿翠竹上高吊著白紗宮燈，另有一番清雅之氣。

行完白石小徑，到了一座跨院前，這院獨成一格，高牆環繞，紅門緊閉。

那當前帶路的一個鴇奴，用手在門上輕輕叩了兩下，門內立時傳出來一個清脆的聲音，道：「什麼人？」

隨著那喝問之聲，兩扇門呀然大開，一個青衣垂辮的少女，當門而立，攔住了去路。

那叫門鴇奴笑道：「這位大爺慕名來訪水姑娘，有煩碧桃姑娘通報一聲。」

那青衣少女由頭到腳地打量譚家奇一陣，道：「你貴姓？」

譚家奇暗道：「一個妓女，竟有這樣大的架子!」

但想到此來用心，志在那鏢，只好答道：「在下姓譚，久慕雨花台水姑娘的豔名，特地身懷千金，趕來造訪。」

碧桃道：「我們姑娘雖然操此賤業，但她與眾不同，縱然一擲萬金，也未必能買她一笑，會見我家姑娘的規矩，你都知道了嗎？」

田文秀生恐譚家奇一怒壞事，趕忙接口說道：「敝東主已然聽這兩個小哥子談過，敝東主如不願遵守水姑娘三不接、一不願的規矩，也不會登門求見水姑娘了！」

碧桃道：「那很好，兩位請進來坐吧！」

譚家奇、田文秀應聲進門，兩個鴇奴卻轉身而去。

碧桃順勢掩上了木門，帶兩人到一座客房之中，道：「兩位在此廳小坐，我去通報姑娘。」說完，也不待兩人答話，轉身款步而去。

碧桃前腳出門，左角處軟簾啓動，緩步又走出一個青衣姑娘，雙辮垂肩，巧笑倩兮，手托玉盤，蓮步款款地走來，欠身笑道：「小婢杏紅，請貴客用茶。」雙手奉上茶盤。

那田文秀扮的僕從，站在譚家奇的座位後面，暗施傳音之術，道：「譚兄取過茶後，別忘了放下賞賜，賜得愈重愈好。」

譚家奇探手在懷中一摸，摸出了一片金葉，隨手丟在茶盤上，取過盤中玉杯，放置几上。

這水盈盈雖然是名傾長安城的豔妓，會的都是富商巨賈，但像譚家奇這般，對一個女婢都出手如此之重，雖非絕無，亦是不多。

那紅杏望了望金葉子，低聲說道：「多謝貴客厚賞。」欠身一禮，悄然退下。

只聽一陣細碎的步履聲傳了過來，門簾啓動處走進來一位藍衣藍裙的絕世美人。

但見她秋波顧盼，望了譚家奇一眼，突然微微一笑，緩步走了過來，道：「請問貴姓？」一撩裙子，就在譚家奇身旁坐了下來。

譚家奇暗暗讚道：「單以外貌而論，果是傾國傾城，一代尤物。」

那藍衣人不聞譚家奇回答，兩道目光卻一直在她臉上打量，又是柔媚一笑，伸出一雙玉掌，纖纖五指，揭開了那玉杯的杯蓋，嬌聲說道：「請大爺用茶。」

譚家奇端起杯子，說道：「不敢，不敢，在下自己來。」

只見她一雙手瑩如美玉，雪白之中，泛起淡紅之色，纖長的手指，半屈半伸，手腕間戴一只翡翠玉腕，看上去更是秀緻。

她輕輕放下手中的玉杯蓋，柔聲說道：「妾名水盈盈，請教貴客？」聲音如出谷黃鶯，婉轉清脆，動人至極。

譚家奇心中一動，忖道：「似此絕色，舉世間實不多見。」

當下應道：「姑娘人如其名，譚大有幸，得與美人一晤。」

他雖爲那水盈盈美色傾倒，但心中仍然記著那尋鏢之事，故意報了一個假名。

水盈盈道：「譚壯士可是遠道而來嗎？」

譚家奇道：「久聞豔名，特地千里來訪，快馬兼程，風塵未息，就夤夜登門求見，幸得未爲姑娘拒於千里之外。」

水盈盈嫣然一笑，道：「譚爺言重了，薄命女子斷腸花，流落風塵賣笑，特承譚爺垂青，賤妾是何幸之至……」

語聲微微一頓，高聲接道：「碧桃、紅杏，吩咐她們擺酒，替譚爺接風洗塵。」

譚家奇藉機放下手中玉杯，道：「在下在此先拜領姑娘盛情。」

水盈盈微微一笑，道：「譚爺不用客氣，此地不是迎待佳賓之處，請隨賤妾到內廳坐吧！請恕賤妾失禮，先走一步帶路了！」蓮步姍姍，出室而去。

譚家奇正有些茫然無措之感，回顧了田文秀一眼，正待出言相問，耳際已響起了田文秀傳音入密之聲，道：「譚兄，跟她走吧！吃過酒之後，即刻告辭，留下一筆重禮，此刻此情，譚兄對在下儘管呼喝使喚，不用客氣。」

譚家奇心裏暗道：「你雖然這般說法，但我對你呼來喚去，如何能夠出口？」心中忖思，人卻舉步隨在那水盈盈身後行去。

繞過一片花畦，又登上五級石階，進入了一間小巧雅緻的客室，室中四角，垂著四盞流蘇宮燈，照得室中一片通明，一張八仙桌上，佳餚羅列，酒香撲鼻，碧桃、紅杏笑靨迎客，替那譚家奇安下了座位，田文秀垂目肅立，站在譚家奇的身後。

水盈盈目光一轉，道：「紅杏，你帶著小哥吃點東西，譚大爺的僕從，你要善為招待。」

田文秀急急欠身一禮，道：「多謝姑娘盛情，小人自幼追隨譚爺，須臾不離，已食慣冷飯殘餚，不敢勞動姑娘費心。」

水盈盈眼珠兒微微一轉，笑道：「今日情形不同，令東主為我佳賓，如何能冷落了他的僕僮……」語聲微微一頓，接道：「紅杏，快帶這位小哥子去。」

紅杏應一聲，低聲對田文秀道：「咱們姑娘有話和譚大爺說，你留在此地，礙手礙腳，談話不便，快些跟我走啦！你這樣大了，難道還要我牽著你走不成。」

這紅杏雖然不比那水盈盈明豔照人，耀目生花，但生得嬌小玲瓏，甜媚可人，眼看田文秀仍然站著不動，竟然伸出手來，牽起田文秀的手腕拖起就走。

只見碧桃挽起酒壺，斟滿了兩人酒杯，悄然退出廳外，順手帶上了兩扇房門。

水盈盈端起面前酒杯，笑道：「譚爺，請先盡杯中酒，賤妾有事請教。」她也不管譚家奇喝是不喝，當先舉杯，一飲而盡。

譚家奇卻是聽得微微一怔，暗想：「有事請教，四個字用得大有文章。」端起酒杯說道：「久聞水姑娘容如花嬌，今日一見更勝聞名。」言罷，放下酒杯，卻是不肯飲下。

水盈盈星目一轉，微笑說道：「譚大爺不肯飲酒，可是害怕那酒中有毒嗎？」伸出纖手，取去譚家奇面前酒杯，就櫻唇一飲而盡。

譚家奇心中的秘密，被那水盈盈一句話揭穿，心中大為不安，只覺得雙頰一熱，訕訕笑道：「在下不善飲酒，姑娘原諒。」

水盈盈笑道：「譚爺拘謹得很，不似江湖上豪放英雄，倒似一位知書達禮的世家公子。」

譚家奇道：「在下很少涉足此等所在，此次因慕姑娘豔名，破例來訪……」

水盈盈道：「譚爺以前可曾到過長安城嗎？」

譚家奇道：「匆匆而過，未曾歇腳。」

水盈盈道：「這麼說來，賤妾的小名，居然遠播千里之外了！」

譚家奇心中微微一震，暗道：「我到此之意，想來質詢於她，料不到反倒被這般盤問起來，譚家奇啊譚家奇，你堂堂男子漢大丈夫，怎的連一個窯姐，也這般的心存畏懼？」

心念一轉，胸懷大開，哈哈一笑，道：「吃咱們保鏢飯的，都是終日勞碌奔波，所經水旱碼頭中好玩所在，縱然未曾親歷，亦必有個耳聞，似姑娘這等絕色玉人，在下早已聞名，只是鏢局生意忙碌，終日裏押鏢奔走，無暇尋幽探勝，登門造訪，今日押鏢過此，特地歇馬一日，藉機登門前來求見，一償夙願。」

水盈盈嬌笑道：「只怕是見面不如聞名，讓你譚爺失望。」

譚家奇道：「尤勝聞名許多，果是豔絕人寰。」

水盈盈道：「譚爺過獎了……」

微微一頓，又道：「賤妾的高賓之中，倒有幾位是鏢局中人，不知譚爺是在哪家鏢局之中發財？」

譚家奇心中一動，暗道：「她這般窮相詰問，不知是何用心？難道食髓知味，還想再撈一鏢不成，何不將計就計的先騙她一騙再說。」

當下說道：「在下此行保的一趟暗鏢。」

水盈盈奇道：「何謂暗鏢？」

譚家奇暗中觀察，只見她臉兒嫩紅，翠眉如黛，竟是瞧不出身負武功的樣子，心中暗暗納悶，口中接道：「暗鏢大都是珍貴異常之物，明珠古玩，價值連城，而且體小易帶，但這種東西卻又是江湖中人，偷覷之物，看來輕鬆，但事實上卻是較那保送明鏢，尤過凶險。」

水盈盈啊了一聲，道：「原來如此。」

譚家奇暗道：「武林中人，最愛賭氣，我何不再激她一下，瞧瞧她的反應？」

當下輕輕咳了一聲，道：「不過，凡是保送暗鏢之人，大都是鏢局武功高強之人，一般綠林人，對那暗鏢雖然喜愛，亦有幾分忌憚！」

水盈盈嬌聲笑道：「這麼說來，譚爺的武功十分高強了。」

譚家奇道：「好說，好說，兄弟一向是甚得東主愛護。」

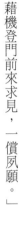

水盈盈笑道：「原來如此！」
語聲微微一頓，又道：「譚大爺由何處到此？」
譚家奇道：「在下由成都而來。」
一面暗中觀察那水盈盈的神情，只見她的臉色平靜，毫無驚愕之感，心中暗想：「如若這趟暗鏢之失，當真和此女有關，倒是一個大大的勁敵。」
只見水盈盈提起酒壺，在自己酒杯中斟滿了一杯酒，笑道：「賤妾久聞那成都的盛名，一直未得入川一行，交上譚大爺這般人物，或可以一償賤妾心願。」
譚家奇笑道：「姑娘如若真有進川的雅興，在下倒是極願護花隨行。」
水盈盈端起酒杯，道：「賤妾這裏先領情了。」
譚家奇端起酒杯，心中暗道：「此女口風奇緊，要想從她口中探出一些什麼，只怕不是容易的事，何不盡了杯中之酒，如果酒中有毒，我雖難逃身受毒傷，但卻可揭穿她的偽裝。」心念一轉，竟然也舉起酒杯，一飲而盡。
水盈盈微微一笑道：「難得呀！譚大爺，你不怕酒中有毒嗎？」
譚家奇道：「得姑娘這般美人垂青，死而無憾。」暗中運氣，默查內腑情形，竟是毫無異樣之感。
水盈盈道：「好！譚大爺既然放開了胸懷，賤妾極願捨命奉陪幾杯。」
譚家奇道：「在下力難勝酒，而且酒後無德，還是不喝的好。」
水盈盈喝了幾杯酒，臉色更加嬌豔，聞得譚家奇挑逗之言，淡然一笑，道：「可惜賤妾尚是清白之身，不能同君枕席，譚大爺既然提了警告，賤妾也不便再勉強勸酒，撤去酒席，賤妾奉陪譚大爺下盤棋如何？」

譚家奇找不出一點頭緒，心中十分急悶，面對著如花似玉的姑娘，也不好發作出來，但心中又覺出有幾點可疑之處，可惜是那樣的模糊不清，除非藉故變臉，但很難想得出逼問良策。當下搖頭說道：「在下既已見識過姑娘，心願已償，就此告別。」

水盈盈訝然說道：「此時不過初更，譚大爺不覺走得太早了嗎？」

譚家奇道：「在下押送一趟暗鏢，盡是名畫古玩，如有遺失，如何向東主交代，此地道上朋友，雖和敝東主都是故舊，但也不便太過大意。」

水盈盈道：「譚大爺有此重任在身，賤妾也不便強留了。」

譚家奇霍然站起身子道：「承蒙姑娘酒席款待，譚某是極盛感情！只可惜局中事情繁忙，無暇留此常伴妝台，區區薄禮不成敬意，還望姑娘笑納。」探手入懷，摸出了一疊金葉子，隨手放在桌上。

水盈盈目光一掃，估計金葉子約有三十餘兩，急急說道：「初次見面，譚大爺又是匆匆而去，賤妾如何敢受這等重賜？」

譚家奇哈哈一笑，道：「幹我們這一行，終日裏都是在刀口之下生活，說不定在哪一天，遇上了武功高強的綠林大盜，只怕要落得血染黃沙，留下金銀，也是無用，姑娘如不嫌少，那就留著用吧！」

水盈盈道：「譚大爺既如此說，賤妾就恭敬不如從命，我這裏拜領顧賜了。」說罷，水盈盈深深一福。

譚家奇心中暗道：「我白白用去數十兩黃金，卻是一點頭緒也未找出，何不藉故試試她是否身具武功？」

心念一轉，藉著還禮之際，突然伸出手抓住水盈盈的右手。

玉掌入握，心中怦然一震，只覺那滑膩的玉手柔軟若棉，一陣幽幽香氣，迎面撲來，熏人欲醉。

水盈盈輕輕一顰柳眉兒，眼角間泛升一股羞喜之色，柔聲說道：「譚大爺，太重了，賤妾弱軀，如何能當得譚大爺這股氣力。」

婉轉清香，加上那撩人媚態，譚家奇雖然是不好女色的江湖豪客，但面對這樣一位絕世無倫的玉人，亦不禁心旌搖擺，難以自持。

水盈盈口中雖然呼疼，但人卻不讓避，反而緩緩向譚家奇懷中欺來。

譚家奇一點理智未混，趕忙長吸一口氣，壓制下內心綺念，手中突然又加了兩分力量。

只聽水盈盈啊喲一聲，道：「譚大爺，痛死我了。」身軀向前一欺，偎入譚家奇懷中。

譚家奇急急鬆開五指，扶住水盈盈的嬌軀，說：「在下為姑娘秀色所惑，一時間忘其所以，姑娘不要見怪才好。」

水盈盈雙頰飛紅，悠悠說道：「譚大爺好大的氣力。」

譚家奇哈哈一笑，道：「江湖草莽，不解輕憐蜜愛，冒犯了姑娘，還望海涵。」

水盈盈道：「由來英雄最憐香，譚大爺江湖豪傑，可惜妾身墮落風塵，不足當受大爺惜愛。」

譚家奇道：「好說，好說，姑娘言重了。」

抱拳一禮，接道：「在下就此別過。」轉身向外行去。

水盈盈嗤的一笑，叫道：「譚大爺！」
譚家奇回頭說道：「姑娘還有什麼吩咐！」
水盈盈笑道：「你那家僮還未盡興，不再等他一會兒嗎？」
譚家奇心中暗道：「糟糕，幾乎把田文秀給忘去了。」
口中卻笑道：「有勞姑娘吩咐那紅杏一聲，在下在室外等候。」
水盈盈愕然說道：「譚爺好像是急著有很重要的事情，連片刻也不能等待。」
譚家奇道：「在下忽然想到了東主吩咐之重，他對我信任有加，才把這一批珍貴的暗鏢交我保送，如若有閃失，豈不是有負東主的厚望，此念一動，有如渴驥奔泉，恨不得立刻趕回客棧中去。」
對著水盈盈絕世花容，譚家奇已有些按捺不住心猿意馬，難以自持，心知如再留戀下去，勢必難免為她美色所惑，最上之策，就是盡快離開此地。
水盈盈輕輕歎息，道：「譚大爺，江湖豪俠，義氣當先，賤妾豈敢因私情耽誤譚大爺您的大事，如若那暗鏢有了失閃，譚大爺怪在賤妾身上，我可擔當不起……」
語聲微微一頓，高聲叫道：「碧桃、紅杏，快把譚大爺的僕從帶來。」
只聽一個嬌脆的聲音答道：「來了。」紅杏帶著田文秀，急步而入。
譚家奇一抱拳，說：「多謝姑娘款待。」大步向外行去。
田文秀目光一掃水盈盈，緊隨在譚家奇身後向外行去。
卻不料水盈盈搶先一步，搶在田文秀前面，低聲說道：「賤妾送譚爺。」
譚家奇人已出門，回頭說道：「不敢勞動姑娘。」

水盈盈忽然轉過嬌軀，兩道勾魂攝魄的秋波，凝注在田文秀的臉上，笑道：「小哥子怎樣稱呼？」

她站的位置剛好擋住了田文秀的去路，田文秀除硬行出室外，無法不答她的問話，只好應道：「小的名字不雅，不勞姑娘多問。」

水盈盈嫣然一笑，道：「不要緊，我們主婢，都是墮落風塵的人，什麼粗魯不雅的話全聽過，你儘管說吧！」

田文秀心中暗道：「難道她已看出了我是改裝易容不成。」

口中說道：「我的名字小球兒。」

水盈盈道：「小球兒，好圓滑的名字啊！」

微微一笑，接道：「小球兒，你可知道我學過相人之術嗎？」

田文秀道：「這個，在下如何知道？」

水盈盈笑道：「相君之貌，應該是貴爲一堡之主，不知何以竟淪作僕從小廝？」

田文秀道：「小球兒看姑娘之相，應該是一人之下，萬人之上的一品夫人，不知怎的竟淪落風塵，賣笑爲生？」

兩人鋒芒相對，這一問一答之間，各極尖酸刻薄。

水盈盈淡淡一笑道：「白蓮出淤泥而不染，何損它的雅潔？」

田文秀道：「將相本無種，英雄何論出身低，男兒當自強。」身子一側，疾快由水盈盈身側穿過，躍入庭院，回顧了水盈盈一眼，直追譚家奇身後而去。

二　粉黛疑案

兩人出得了雨花台，已是初更過後。

譚家奇低聲說道：「田兄，我瞧那水盈盈，確實有些可疑。」

田文秀道：「這一點，目下很難決定，兄弟和桃、杏二婢在胡鬧之時，亦曾藉機探詢，但二婢口風很緊，不肯洩漏一句。」

譚家奇道：「如若那水盈盈當真是武林中人，咱們此行用心，只怕她早已了然。」

田文秀笑道：「咱們進來之後，她已瞧了出來，有所警覺，兄弟這易容物，為丐幫隴、秦、晉三省總分舵主相贈，但仍然被她瞧了出來，但憑這一雙眼睛，已列上乘人物。」

譚家奇道：「在下心中有一件疑難之事，百思難解。」

田文秀道：「什麼疑難？」

譚家奇道：「練武之人，最難掩飾目中神光，但那水盈盈卻是一點也瞧不出來，以她年紀而論，縱然是得良師傳授，也難練到眼神內斂的至高境界。」

田文秀沉吟了一陣，道：「這倒有點難解釋，也許她別走蹊徑，武功路數和一般不同。」

譚家奇道：「兄弟大膽設想，在那水盈盈身後，另有一個主持大局的人，那水盈盈只不過是一個受人驅使的弱女子。」

田文秀微微一笑，道：「此說並非是絕無可能，但據兄弟觀察，她卓傲不馴的神態語氣，又不似能爲人所利用之人。」

兩人談話之間，已到了連雲客棧。

譚家奇輕咳一聲，道：「店家。」

店小二正在打盹，聽得叫聲，趕忙睜開雙目，道：「大爺，您住店？」

田文秀突然一欺步，搶到譚家奇的面前，低聲說道：「櫃上有人嗎？」

店小二揉揉眼睛，仔細打量了田文秀一眼道：「您找哪一個？」

田文秀道：「你櫃上可交代過你什麼事？」

店小二點點頭道：「交代過了，說是有一位姓田……」他似是自知失言，趕忙住口不說。

田文秀道：「在下就是姓田，快帶我們去見櫃上。」

只見櫃檯之上，果然坐了一個長袍中年人，高燃著一支火燭，正在燈下看帳。

田文秀搶在那店小二前面，道：「我找趙大爺。」

那長袍中年打量了田文秀一眼，道：「貴姓？」

田文秀道：「田。」

長袍中年對店小二揮手，道：「掩上棧門，今晚上不再接客。」

那長袍中年，支走了店小二，迅快地收了帳，道：「田大爺這裏請。」隨手打開櫃檯上的木門。

田文秀側身而過，道：「怎麼走？」

原來那木檯開的小室，只不過八尺方圓，除了一張木案之外，幾乎沒有轉身的餘地，那長袍中年掀開掛在壁間的一幅字畫，隨手在壁間一按，呀然一聲，啓開一扇小門。

譚家奇心中一動，暗道：「原來這客棧之中，也有密室。」

田文秀身子一側當先而入，譚家奇緊隨在田文秀的身後，那長袍中年卻未隨入，按動機關，閉上小門，緩緩放下字畫，吹熄火燭，打了一個呵欠，自回房中而去。

就在那長袍中年走後不久，敞廳一角暗處，突然飛起來一條人影，縱身躍落在櫃檯木案上，掀開字畫，找出機關，打開那暗門瞧瞧，重又關上暗門放好字畫，一縮身，躲進檯角木桌下面。

且說田文秀、譚家奇進得那暗門之後，轉了兩個彎子，景物突然一變，只見一座小巧的廳房，裏面燭光輝煌，趙天霄、章寶元、石一山、王子方，早已在小廳中等候，但那王夫人卻未在場，想是已爲那趙堡主留在趙家堡中。

室中還有三張軟榻，每張軟榻上，都躺著一個人。

田文秀步入小廳，抱拳對趙天霄一禮，道：「老前輩可曾由傷勢上瞧出什麼？」

趙天霄道：「是田世兄嗎？好巧妙的易容術，你如不說話，連我也瞧不出來了。」

田文秀道：「這易容藥物乃丐幫隴、秦、晉三省總分舵主相贈……」

目光一轉，接著道：「怎麼？仍未找到那金長老嗎？」

章寶元道：「那老叫化可惡得很，趙大哥連派四騎快馬邀請，都遭不在的回絕，昔年玄德也不過三顧茅廬，這個臭叫化子，四次還請不到。」

田文秀緩緩說道：「也許他真的有事。」

趙天霄接道：「你們到雨花台，可找出一點線索嗎？」

田文秀肅然說道：「那水盈盈果非一位普通的妓女，但卻無法確定，她和這次劫鏢事，是否有關。」

他微微一頓，接道：「這三人傷勢如何，可查出是哪路武功所傷？」

趙天霄道：「說來慚愧得很，我瞧了許久，仍然無法確定是何等武功所傷，像是武當派的綿掌，但又像少林門內的小天星內家掌力，但仔細看去，卻都不是，比較相近的，該是那流傳武林的竹葉手。」

田文秀道：「目下三人的情形如何？」

趙天霄道：「昏迷不醒，氣息微弱，但元氣未見大損，距離死亡，還有一段遙遠之期。」

田文秀道：「晚輩可以瞧瞧他們的傷勢嗎？」

王子方接道：「田少堡主儘管請看。」

田文秀抬目望了王子方一眼，道：「這位是貴局中的鏢頭嗎？」

王子方道：「不錯。」

田文秀道：「他練的是剛猛一路武功。」

王子方點點頭道：「他練鐵布衫橫練氣功，膂力過人。」

田文秀道：「他用的什麼兵刃？」

王子方道：「二十八斤熟銅棍。」

田文秀仔細瞧去，只見那大漢頂門之上，隱隱泛起一片淡紫，「頗似武當派綿掌所傷，只是綿掌不曾留下紫色痕跡。」

趙天霄讚道：「世兄目力過人，判斷中肯，和我所見略同。」

田文秀走到第三具軟榻之旁，只見榻上仰臥著一個四旬左右的大漢，此人臉色黝黑，其傷在右後肩上，掌痕宛然，呈鐵青色，不禁一皺眉頭，道：「這不是少林小天星內家掌力，據在下所知，小天星內家掌力，如到火候，隔肌膚可以摧骨斷筋，此掌除掌痕之外，後肩處筋骨未見傷損。」

趙天霄道：「正因如此，頗似傳言中的竹葉手掌力所傷。」

田文秀道：「竹葉手傷人如何，晚輩未曾聞及，不敢妄加評斷，但從三人傷勢上，可以總結出一個輪廓，那就是這三人傷勢，是用三種不同的武功所傷。」

趙天霄歎道：「既然無法從傷勢上判出對方路數，看來只有從水盈盈身上下手了！」

田文秀沉吟了一陣，道：「晚輩亦曾大費口舌，想從水盈盈兩侍婢碧桃、紅杏身上，探出兩位鏢頭是否到過那雨花台去，哪知二婢口風奇緊，答非所問，盡談些風月情……」

他臉色突然間轉變得十分嚴肅，目光緩緩由室中群豪臉上掃過，肅然說道：「不論那水盈盈掩飾得如何巧妙，但她那玩世不恭的性格，和一股孤傲之氣，露出不少破綻，綜我所見，這水盈盈實是武林中人，隱身風塵，息留長安，必有所圖，但卻無法斷言她和這次劫鏢有關。」

章寶元接口說道：「趙大哥領袖西北武林，素以仁義當先，恢宏大量，容讓不居，連那擁有最眾、號稱武林第一大幫的丐幫，都對他敬重有加。水盈盈何許人物？竟敢這等蔑視大哥，少堡主既有所見，咱們何不單刀直入，找上那雨花台去，當面問個明白……」

他說得慷慨激昂之際，突見寒芒一閃，直飛廳中，啪的一聲，釘在壁上。

事出意外，群豪都不禁爲之一怔。

田文秀首先發難，右掌護胸，雙臂一晃，疾如離弦彎箭一般，穿出大廳。

譚家奇、石一山，緊隨著追了出去。

趙天霄面色鐵青，眉宇間隱隱泛起一股怒意，但他究竟是一方豪雄的領袖人物，儘管忿怒填胸，但舉動之間仍是不慌不忙，緩緩舉起右手，拔下釘在壁面的一口柳葉飛刀。

燈光下，只見那薄薄的飛刀上泛起一片藍汪汪的顏色，一望之下，即知是絕毒之物。

刀尾上夾著一件封口密函，上面寫道：趙堡主天霄、田少堡主文秀會拆，一行草書。

那信封之上，既然寫明了兩人會拆，趙天霄自是不好獨拆，隨手把密函放置案上，就燈光之下，反覆查看那支飛刀。

大約過了盞茶工夫，田文秀、石一山、譚家奇齊齊步回大廳。

章寶元道：「少堡主，可曾查出一點痕跡嗎？」

田文秀道：「來人輕功不弱，心細異常，竟未留下一點痕跡。」

趙天霄緩緩放下手中飛刀，說道：「世兄，請瞧瞧那封函件中寫的什麼？」

田文秀隨手拆開函封抽出一張素箋，石一山卻藉機探首望去，只見那素箋上寫道：

「字諭趙、田二堡……」

只看了一句話，石一山已氣得怒聲叫道：「這小子好大的口氣。」轉過臉去，不再瞧看。

田文秀極快地看完素箋，神色莊肅地望著趙天霄，說道：「老前輩可要過目。」

趙天霄道：「不用看了，有勞世兄講給我聽聽吧。」

田文秀略一沉吟，道：「那函中大意是說，不要老前輩和晚輩多管閒事……」

趙天霄冷笑一聲，道：「那信中可有署名？」

田文秀道：「落款處畫了一個太極圖。」
趙天霄道：「還有什麼？」
田文秀道：「函中有四句警語。」
趙天霄道：「說的什麼？」
田文秀猶豫了一陣說道：「上窮碧落下黃泉，盡在太極兩儀間，一方雄主非易得，何苦惹火自焚身。」
趙天霄冷笑一聲道：「他們倒還是很看得起我。」
田文秀道：「那素箋之上，雖是寫的草書，但娟秀有餘，蒼勁不夠，晚輩斗膽論判，是出於女子手筆。」
王子方一直在旁側靜聽，此刻，突然插口說道：「趙堡主、田少堡主的盛情，兄弟是感激不盡，事已至此，在下想來想去，實不敢再拖諸位下水，那人既是有意和我王某為難，說不得我王某只好憑藉掌中一把金刀，袋內三十六支神芒，和他周旋，一決生死。
「趙堡主和田少堡主也不必要為老朽之事奔走，請各自回府去，我王某人一樣是永銘肺腑，傳諸後世，不忘幾位大德。」說完，深深一個長揖。
趙天霄抱拳還了一禮，哈哈大笑，道：「王兄這話說到哪裏去了，退一步說，那隱身幕後之人，已然向兄弟正面挑戰了，就是不為你那暗鏢，兄弟也得和他分個勝敗出來，王兄不用再說這樣無謂之言了。」
王子方歎息一聲，道：「好！不過在下有一個小小請求，萬望堡主賜允。」
趙天霄道：「王兄請說。」

王子方道：「兄弟方寸早亂，這運籌帷幄，行策用謀，還得勞請費神，但要拚命廝殺之事，讓我王子方帶著鏢局中人走在前面。」

趙天霄道：「一句話，只要確有惡殺之徵，勞請王兄出馬就是……」目光一轉，望著田文秀，接道：「田世兄，你是懷疑這封密函，是那水盈盈寫的嗎？」

田文秀道：「晚輩只說是出於女人手筆。」

趙天霄道：「好！我一生做事，從未有過輕舉妄動之舉，今日形勢迫人，咱們寧讓它做錯了，也不能坐待不動。」

田文秀道：「老前輩可是想去抓那水盈盈來？」

趙天霄道：「不錯，眼下只有這一條線索可循，如那水盈盈確是武林人物，就算未動王兄這趟暗鏢，也未免太過藐視我趙某。」

田文秀、章寶元等眼看趙天霄怒形於色，都不敢再多接口。

趙天霄凝目沉吟了一陣，突然回過頭去，沉聲說道：「二弟、三弟，你們去一趟雨花台，把水盈盈和桃、杏二婢請來。」

田文秀似想接口，但卻欲言又止。

章寶元回顧了田文秀一眼，道：「那要有勞田世兄了。」

田文秀皺皺眉頭，道：「這個，在下是義不容辭！」

石一山道：「說走就走，咱們隨即動身如何？」

趙天霄似是突然又改變了主意，說道：「且慢，三弟請陪著王總鏢頭留在此地，小兄親自去雨花台走走。」

田文秀道：「老前輩如若決定今夜發動，最好是請那位譚兄一起同行。」

趙天霄點頭說道：「我也有此心意，不知譚兄意下如何？」

譚家奇道：「在下是悉憑趙堡主的吩咐。」

趙天霄道：「好，好們就此動身。」當先往外行去。

田文秀、章寶元、譚家奇緊隨趙天霄身後，離開了連雲客棧，奔向雨花台。

這時，天色已然三更左右，夜已朦朧，路上不見行人。

田文秀當先而行，他似十分熟悉地形，帶著幾個人繞了幾條大街，轉入了一條僻靜的小巷中，遙指前面一堵磚牆，低聲說道：「這就是那雨花台後院，水盈盈就住在這後院中一座精舍中……」

趙天霄突然舉手一揮，當先隱入暗影之中。

田文秀、趙天霄、章寶元分別隱藏於兩側壁間暗影中。

抬頭只見一條人影，由那灰色磚牆內飛躍而起，借那磚牆一接力，躍飛到對面一座屋面之上。

趙天霄估計那距離，至少在兩丈以上，心中暗道：「這人輕功不弱。」

只見那條人影伏身在屋脊上，等候片刻，又陡然長身而起，越屋而去。

章寶元低聲對趙天霄道：「大哥，看將起來，這水盈盈果然是武林中人了。」

趙天霄神色凝重，微一點頭，當先縱身而起。

就在他身子縱起的同時，那灰色磚牆之內，又飛起一條人影。

這時兩人相距不過七、八尺遠，彼此再也無法閃避。

兩人似是都未料到，隱蔽已來不及，各自一沉丹田真氣，急急落下身子。

趙天霄腳落實地，心中忽然一動，暗道：「如若放任此人逃去，必然要通知水盈盈，事已至此，只有殺之滅口，或是生擒拷問，或可逼出一些內情。」

心念一轉，雙足微一加力，重又躍起，撲回那人影下落之處。

哪知對方竟然也是一般心意，也跟著飛身而起，撲回趙天霄停身之處。

趙天霄右手一揮，發出了一掌。

對方也同時劈出一拳，只聽那人影低聲說道：「趙堡主嗎？」急急收回拳勢。

趙天霄聽那口音很熟，也急急挫腕收掌。

但雙方發掌太過迅速，掌勢去勢急速異常，一時要想收回，大是不易，拳掌餘力，仍然撞了一起。

人影一錯，齊齊落在那灰色磚牆之上。

趙天霄道：「金兄嗎？」

那人影低聲應道：「正是老叫化子，此地不是談話之地，這邊來吧！」一縱身，落入了牆外暗影之中。

趙天霄已從對方口音中聽出，正是自己久尋不著的丐幫長安分舵金長老，立時追了過去。

那人影舉手一揮，取下頭上的黑帽，右手在肩上一拉，脫下了一件黑色長衫，露出了一頭蓬亂的短髮，和一件灰色百丁結大褂，低聲說：「老叫化爲了要探一件隱秘，不得不這般改裝一下。」

趙天霄道：「可是爲了水盈盈嗎？」
金長老道：「不錯，趙堡主大駕親臨，難道也是爲了那水盈盈？」
趙天霄道：「不錯，爲了鎮遠鏢局一趟遭劫的暗鏢……」
語聲微微一頓，接道：「金兄注意這水盈盈很久了嗎？」
金長老道：「不久，最近五、六天的事。」
這時，田文秀、章寶元、譚家奇全都走了過來，團團把金長老圍在中間。
那田文秀仍然是青衣小帽的裝束，臉上塗著易容藥物，金長老目光一掠趙天霄和田文秀，欲言又止。
趙天霄指著譚家奇低聲說道：「這位是鎮遠鏢局中的譚鏢頭。」
譚家奇一抱拳道：「兄弟譚家奇。」
金長老還了一禮，道：「這位是……」
田文秀微微一笑，道：「田文秀。」
金嘯川道：「喝，少堡主也出馬了。」
田文秀道：「趙老前輩的寵邀，晚輩豈敢推辭。」
趙天霄道：「金兄可曾探出一點蛛絲馬跡嗎？」
金嘯川沉吟了一陣，說道：「這個很難說了！」
章寶元急道：「老叫化子你呑呑吐吐，是何用心?有就是有，沒有就是沒有，什麼叫很難說了？」
金嘯川手指按在嘴上，噓了一聲，道：「咱們不能打草驚蛇，跟著老叫化來吧！」當先帶路，放腿疾奔。

群豪都知丐幫眼線、耳目，金嘯川這般小心翼翼，必有驚人消息，緊隨而行，放腿疾奔，一口氣跑出了二、三里路，才放緩腳步，伸手指著前面一所高樓，說道：「請到老叫化臨時行宮中坐吧！」

趙天霄抬頭一看，笑道：「好啊！你幾時把『魁星閣』改作你們叫化居了。」

金嘯川道：「這地方還不錯吧！」當先大步登樓。

趙天霄暗中留心，發覺魁星閣下的暗影中，隱藏著不少人，個個都是叫化子的裝束，金嘯川帶群豪穿過大殿，直登上三層頂樓。

頂樓上點燃著兩支火燭，室中景物清晰可見。

兩個四旬左右的叫化子，齊齊對趙天霄抱拳一禮，悄然退了出去。

章寶元急急說道：「老叫化子，現在可以說了吧！」

金嘯川道：「這魁星閣方圓五十丈內，都有守護之人，章兄嗓門再大一些，也不要緊……」哈哈一笑，接道：「趙堡主可是要找那水盈盈討還鎮遠鏢局的失鏢嗎？」

趙天霄道：「如若那暗鏢確是那水盈盈劫去，自然是要設法討回……」

金嘯川道：「如若不是那水盈盈劫走呢？」

趙天霄道：「她隱跡風塵，掩護身分，暗中指揮武林人物，在長安活動，心目中自是瞧不起我趙某人了，只此一事，也該找她討還一點公道。」

金嘯川沉吟了一陣，道：「趙堡主可是準備當面向那水盈盈質詢挑戰嗎？」

趙天霄道：「正是如此。」

金嘯川道：「如果那水盈盈不肯承認呢？」

田文秀道：「聽金舵主的口氣，似乎那水盈盈的作爲還牽涉到貴幫頭上？」

只聽金嘯川輕輕歎息一聲，道：「老叫化一向是自負耳目靈敏，但對那水盈盈的來歷，卻始終查不明白……」

目光緩緩由群豪臉上掠過，道：「老叫化接掌長安分舵一十二年，期間雖亦有過幾次小小風波，但均仗著趙堡主和諸位相助之力，得以平安度過，想不到這一次卻使老叫化一敗塗地，而束手無策……」

趙天霄和金嘯川相處已久，他一直歡顏常開，從未見過他長吁短歎，當下一皺眉頭道：「金兄，既然有了因難，何以不找兄弟去商量一下？」

金嘯川道：「如果有人和老叫化作對挑戰，老叫化自是要向你趙堡主請教，只是此事……」

田文秀道：「金舵主如有難言之隱，那就不用說了。」

金嘯川長吁了一口氣，道：「咱們丐幫中規戒，老叫化主持長安分舵一十二年，能夠不出事故，即可調升到總舵中去，日後不難在丐幫中爭上一席之位，想不到就在老叫化限期滿前一年，遇上這等大事。」

趙天霄道：「究竟是什麼大事？乾脆說個明白，也許在下可爲金兄略效微勞！」

金嘯川苦笑一下，道：「也許老叫化這次和諸位分手之後，日後再無會面之期，就算有洩幫中機密之嫌，那也管它不著了。」起身行近壁角前面，伸手揭開一片灰色布幕。

只見一個五旬左右的灰衣老叫化子，直挺挺地躺在一座軟榻之上。

趙天霄肅然問道：「死了？」
金嘯川道：「除了一息猶存之外，全身僵硬，不食不言。」
趙天霄道：「和鎮遠鏢局兩位鏢師所受之傷一般模樣，定然是同一個人幹的了！」
田文秀接口道：「在下有幾句冒昧之言，如是問得不當，金舵主不用回答就是。」
金嘯川道：「少堡主儘管請問。」
田文秀道：「這位受傷的丐幫兄弟，在貴幫中是何身分？」
金嘯川略一沉吟道：「總航中巡行長老，論身分還在老叫化之上。」
田文秀道：「武功如何？」
金嘯川道：「不在老叫化子之下。」
田文秀道：「丐幫名滿天下，但結仇亦多，這位巡行長老，不知是否遭人仇殺？」
金嘯川道：「如果是單純的仇殺，老叫化雖然免不了總舵的一頓責罵，但情勢不致這般嚴重，眼下老叫化不但要丟了長安分舵舵主之位，而且……」
他黯然一歎，接道：「縱然是總舵不肯撤去老叫化長安分舵的舵主之位，老叫化亦無顏再見幫中兄弟了！」
田文秀道：「他可是被人劫走了什麼？」
金嘯川道：「不錯，被人劫走了一支千年何首烏和兩顆雪蓮子。」
趙天霄大吃一驚，道：「千年何首烏？」
金嘯川道：「不錯，此物乃敝幫主費了九牛二虎之力取得，由本幫中巡行長老，疾行傳遞，送回總舵，事先且有本幫中信命傳訊，令諭沿途各處分舵，盡出高手，保護疾行傳藥的巡行長老，想不到，卻在老叫化這長安分舵中出了岔子。」

田文秀道：「這個人似是專以劫取珍貴之物，而且耳目靈敏，使人防不勝防。」

只聽那金嘯川接口說道：「那一支何首烏和兩顆雪蓮子，不但是舉世難以求得之物，而且關係目下本幫中一位走火入魔的長老生死，此藥不能尋回，那位長老，勢難活命了。唉！那人不但受我全幫崇敬，而且他走火入魔的起因，也是為救我全幫兄弟，和人較量內功，身受重傷，調息十年，仍未痊癒。終因傷勢太重，陷入走火入魔之境……」

趙天霄道：「那位長老，可是被稱為丐幫第一高手的無影神丐岳剛嗎？」

金嘯川道：「不錯，正是此人。」

趙天霄輕輕歎息一聲，道：「那無影神丐不但解救了貴幫一次大難，而且挽救了武林中一次浩劫，天下武林，誰不尊仰於他。」

金嘯川道：「唉！正因如此，才使老叫化慚愧欲死，這番不但使老叫化無顏見敝幫幫主，而且是無顏偷生人世。」

田文秀道：「事已至此，金舵主也不用自責過深，眼下急要之事，是要如何找出那劫藥之人，追回靈藥才是。」

金嘯川道：「老叫化已經動員了長安分舵所有的弟子，明查暗訪，找遍了整個長安城，仍然找不出一點線索。」

田文秀道：「據聞貴幫中久負盛譽的三老之一獨眼神丐，已到了長安，不知是真是假？」

金嘯川道：「不錯，少堡主耳目倒是靈敏得很。」

趙天霄道：「那獨眼神丐駕臨長安，可也是為了追查那失藥的下落？」

金嘯川點點頭道：「不敢相瞞諸位，敝幫中高手，已然分批湧進了長安來，連幫主的大駕，也可於近日之中趕到。」

趙天霄道：「金兄可已會見過那獨眼神丐嗎？」

金嘯川道：「沒有，老叫化曾率長安分舵中高手，迎出十里之外，但卻被他巧妙地避了開去，隨後就接到幫主令諭，囑咐行動求密，老叫化自是不便再找尋他了。」

語聲微微一頓，接道：「說來實是慚愧得很，目下這長安城中，究竟有敝幫中多少高手在此，連老叫化也不清楚……」話未說完，突聞一陣急促步履聲傳了過來。

金嘯川臉色已變，霍然站起，冷冷喝道：「什麼人？」

他盡出丐幫長安分舵弟子，在這魁星閣四周布下天羅地網，如若毫無驚兆地被人闖進來，那可是大傷顏面的事。

只聽步履聲由急轉緩，到了室外，但卻不聞相應之聲。

這一來，連趙天霄等也不禁緊張起來，個個凝聚功力戒備。

只見人影一閃，一個丐幫弟子，緩緩走進門來。

群豪同時鬆了口氣，心中卻暗自奇道：「丐幫中的規戒素來嚴謹，此人怎的這等放肆？」

金嘯川臉色一片肅冷，怒聲喝道：「你聽到本座的問話了嗎？」

進門的丐幫弟子已然進入室中，雙目圓睜，望著金嘯川道：「弟子已經聽到……」

一口鮮血，湧了出來，仰面倒在地上。

就在他倒地的同時，舉起了右手，燭光下，只見他右手緊握著一封白簡。

這意外的變故，使那全場中人，都爲之心神一震，驚愕之色，形露於外。

金嘯川一躍而起，伸手一把，抓住那丐幫弟子，探手一摸，黯然歎息一聲，道：「他自己受傷甚重，不能言語，強自提起一口真氣，勉強支撐行來，唉！他如不是爲了要送來手中書簡，早些坐下調息，也許就不會死了。」

金嘯川由那死去的弟子手中，取過白簡，只見上面寫道：丐幫長安分舵主收。

田文秀看他封簡上的字跡，和趙天霄收到的那一封一般模樣，不禁一皺眉頭，暗道：「這麼看起來，那劫取鎮遠鏢局暗鏢，和劫取丐幫藥物之人，倒是同一個人了，最低限度，這兩封書信，是出自一人手筆。」

金嘯川打開封函，只見函上寫道：

字諭金舵主收悉：

貴幫中藥物，亦是取於他人之手，區區取於貴幫，實乃理所當然，風聞貴幫為了此事，決心大動干戈，傾盡貴幫高手，誓必追回失物，獨眼老叫化率貴幫三五高手，已抵長安，黃幫主將親自駕臨。

區區想不到為此一點藥物，竟引起了如許風波，連台好戲，目迷五色，區區將拭目以觀，黃幫主如何取回失物？

下面未署名，卻畫了一個太極圖。

金嘯川看完書簡，呆在當地，半晌說不出話。

趙天霄輕輕咳了一聲，道：「金兄，那書簡說些什麼？」

金嘯川如夢初醒，長長吁了一口氣，道：「這人對我們丐幫中的情形，反而比老叫化還要清楚了，唉！趙兄請看。」

趙天霄接過白箋，仔細看了一遍，臉色突然一變，歎道：「這是我趙天霄有生以來，遇到的第一號強敵。」

金嘯川道：「老叫化一生中，不知經歷多少凶險，也遇過無數的挫敗，但卻從未心灰氣餒過，這一次，唉！老叫化是栽定了。」

趙天霄道：「世兄有何高見呢？」

田文秀道：「晚輩之意，咱們要反賓爲主，以攻代守。」

金嘯川道：「不是老叫化長他人的志氣、滅自己的威風，就憑人家在毫無驚兆之中，送上了這封秘函，而且使老叫化遍佈四周的人手，毫不知情……」

田文秀道：「金舵主說得不錯，不過情勢既已如此，咱們不能坐以待敵，目下只有水盈盈的行蹤可疑，何不對她下手。」

趙天霄道：「金兄幾日來派有不少眼線，監視著那水盈盈的舉動，不知是否有所發現。」

金嘯川道：「老叫化唯一的發現，就是那水盈盈確和很多神秘的武林人物來往，老叫化亦曾派有幫中弟子追蹤那些武林人物，但可惜的是，都被對方脫梢而去。」

田文秀訝然說道：「有這等事？」

金嘯川道：「不錯，出入於那水盈盈居處的武林人物，曾經三次和我們丐幫弟子照面，如若說他們仍是懵無所覺，那是叫人難信，但他們卻是明知故犯，來去之間，不肯稍隱行蹤，據老叫化的看法，有些時候，他們似是有意的暴出行蹤，似此等情形，豈不是有意的誘我們對那水盈盈下手嗎？」

田文秀長長吁一口氣，道：「如若金舵主說得沒錯，此事就更加複雜了，出入於水盈盈宿住這處的武林人物，誘咱們輕舉妄動，不外是兩個用心：一則是讓咱們找錯線索，師勞無功；二則是嫁禍於人，使我們章法自亂。」

金嘯川道：「老叫化還有一個看法。」

田文秀暗道：「這老叫化平日裏嘻嘻哈哈，裝瘋作傻，想不到竟然是位大智若愚的人物。」口中說道：「願聞高見。」

金嘯川說：「設若那水盈盈別樹一幟，一方劫鏢，一方劫藥，亦非是絕不可能。」

田文秀道：「金舵主言之有理，綜研所見，眼下還難作斷論，與其坐而論策，還不如起而行動，不論是否那水盈盈所爲，但她實是目下唯一的線索，在下之意，倒不如同入雨花台去，質問水盈盈……」

趙天霄道：「如若她不肯答覆呢？」

田文秀道：「先禮後兵，萬一她堅持不說，說不得只好動強，把她抓來這魁星閣中，囚禁追問，至少咱們可查出和她來往的武林人物，是屬於哪一線上的。」

趙天霄道：「好！就依田世兄的高見……」

他目光一轉，向金嘯川道：「金兄意下如何？」

金嘯川道：「老叫化亦有此心，遲遲不敢下手之故，是在等待敝幫幫主之命，生恐一步行錯，有汙我丐幫之名，幫主責怪下來，說我老叫化欺侮孤苦弱女，那可是擔當不起的大罪，趙堡主乃一方豪雄，作爲隨心，自是無此顧忌了。」

田文秀道：「在下和章、譚二位，共四人，去見水盈盈，金舵主請率丐幫弟子，在雨花台外接應，非到必要，金舵主不用出手相助。」

趙天霄一躍出室，道：「走！」雙臂一張，自魁星閣上直飛而下。

緊隨著三條人影，連袂追出，閃電一般，直奔雨花台去。

跟在四條人影身後的，是丐幫金嘯川帶領的十幾個丐幫弟子，隨後而行。

片刻功夫，已到了雨花台。

金嘯川和幾十個丐幫弟子，迅快地隱布在雨花台四周暗影中。

趙天霄、田文秀、章寶元、譚家奇等越牆而入，直撲向一所精舍。

這時，水盈盈和桃、杏二婢，似是已經安歇，精舍中不見一點燈光。

田文秀低聲道：「咱們是明目張膽而來，索性挑明叫陣，不知老前輩意下如何？」

趙天霄道：「田世兄作主就是。」

田文秀高聲說道：「趙家堡大爺親臨，求見水盈盈。」

精舍內傳出一個嬌慵的聲音，道：「有勞上覆趙大爺，我家姑娘已然不勝酒力，今宵難再會客，轉請趙大爺明天再來。」

田文秀回顧了趙天霄一眼，道：「趙大爺一向不打回票，水姑娘活著咱們見人，死了咱們見屍，姑娘還是早些開門的好！」

精舍中燈光一閃，一個身著綠衣的美婢，緩步出現廳中，舉起手中白紗燈，道：「我道什麼人？聲音很熟，原來是小球兒！」

田文秀只覺臉上一熱，接道：「難得姑娘還記得小的這不雅的名字。」

舉燈的美婢正是碧桃，只見她緩緩把紗燈放在木案之上，神態從容地說道：「小球兒，哪一位趙大爺，請給小婢引見引見。」

田文秀雖然能言善辯，此時卻有著口拙詞窮之感，正在爲難之際，趙天霄卻大步行了進來，道：「在下便是。」

碧桃打量了趙天霄一眼，突然躬身一禮，道：「小婢碧桃，見過趙大爺。」

趙天霄一搖手，道：「不用了，在下深夜來訪，驚擾姑娘，本來不應該，只因有一件重大之事，非得面詢水姑娘不可……」

碧桃道：「我家姑娘醉得人事不省，如何能答你趙大爺的問話。」

趙天霄一皺眉頭，道：「抬她出來，冷水澆醒。」

這幾句話斬釘截鐵，大有一方霸主的氣度，碧桃臉上神色一片平靜，毫無震動驚懼之意，淡淡一笑道：「趙大爺名重長安，欺侮一個小窯姐，就不怕別人恥笑嗎？」

趙天霄被這丫頭一句話說得臉上發燒，半晌答不出話。

田文秀接話道：「碧桃姑娘倒是沉著得很。」取出一方絹帕，拭去臉上的易容藥物，恢復了本來面目，接道：「在下不叫小球兒……」

碧桃嬌聲笑道：「嗯！田少堡主！」

田文秀愣了一愣，道：「你如何知我姓氏？」

碧桃道：「少堡主風流瀟灑，名傾長安花街柳巷，別說小婢了，雨花台中姊妹們，哪一位不認識你白馬堡的少堡主？」

田文秀冷笑一聲：「姑娘的耳目，倒是靈敏得很。」

章寶元道：「這丫頭利口如刀，田世兄不用和她囉嗦了。」

左手一探，疾向碧桃右腕扣去，右手掌力暗蓄內勁，只要那碧桃避過一擊，露出武功，右手立時將以排山倒海之勢劈出。

哪知事情大出章寶元的意外，那碧桃不但沒有閃避，竟是毫不抗拒，讓章寶元扣住了右腕上脈門要穴。

章寶元呆了一呆，道：「你不會武功嗎？」

田文秀冷冷接道：「不要被她騙過。」

章寶元長歎一聲，緩緩鬆開了扣在碧桃腕上的左手，說道：「我章寶元是何等人物，豈肯傷害一個毫無抗拒力的弱女子。」

田文秀突然側身而上，一掌拍下。

他劈出掌力去勢勁急，微帶嘯風之聲，顯然是大有一掌擊斃碧桃的用心。

碧桃眼看掌勢近身，力道不衰，再也沉不住氣，嬌軀一閃，纖指點出，指襲田文秀的腕上脈穴。

田文秀腕勢一沉，避開點來一指，冷冷說道：「原來你很怕死。」

兩掌連連拍出，連攻八掌，這八掌出手極快，而且招招都攻向碧桃要害穴。

但碧桃嬌軀閃轉，異常靈活地避開了田文秀的八招急攻。

田文秀不待碧桃反擊，就收掌而退，冷冷說道：「姑娘武功不錯。」

趙天霄、章寶元實未想到這個嬌弱的少女，武功竟然是如此之高，閃避身法的快速靈巧極是罕見，心中暗驚道：「奴婢如此，主人那是更厲害了。」

只見碧桃臉色大變，粉臉眉目間，如罩一層寒霜，冷冷說道：「彼此保持顏面，什麼話都好商量，田少堡主既然一定要把臉撕破，那也是沒有法子的事，不知少堡主意欲何爲？」

趙天霄哈哈一笑，道：「姑娘可做得了主嗎？如果做不了主，還望請水盈盈姑娘出來談談。」

只見繡簾輕挑，一個豔絕天人的少女緩步走了出來。她披著一身簡單的白衫、白裙，脂粉未施，長髮披垂，顯然剛從床上起來。

素服淡妝，掩不住天生麗質，只是眉宇間微泛起一股慍意。

碧桃急急躬身說道：「小婢該死，被迫還手，犯了姑娘約言，願領責罰。」

白衣少女緩緩說道：「你站開。」

目光轉注到趙天霄等身上，冷冷說道：「諸位找我有何見教？」

趙天霄濃眉一揚，道：「無事不登三寶殿，趙某想請教姑娘一件事。」

水盈盈道：「夜寒風冷，三更已過，雨花台雖然是人人可來，但風塵中也有風塵規矩，趙堡主有事，明日請早……」目光一轉，望著碧桃，道：「送客。」

章寶元怒聲喝道：「咱們又不是嫖窯子來，誰要聽你這些規矩。」

水盈盈臉上更是冷肅，一對圓圓的大眼睛中，暴射出冷電一般的神光，逼注在章寶元的臉上，緩緩說道：「出口傷人，可是活得不耐煩了？」

章寶元只覺她雙目神光如刀，不可逼視，怔了一怔，怒道：「臭丫頭口氣可真不小。」

水盈盈冷笑一聲道：「趙堡主，這位是什麼人？」

趙天霄道：「在下結義兄弟。」

水盈盈道：「這等狂妄，要不給他一點教訓，他不知道天高地厚了，我要代你管教管教，碧桃，打他兩個耳刮子。」

碧桃早已躍躍欲試，聞聲出手，側身而上，左手虛攻一掌，一引章寶元的掌勢，右手疾快地伸了出去，左右開弓，啪啪兩聲脆音，章寶元兩頰紅腫，指痕宛然。

她動作之快，出手之奇，章寶元明明看她揮掌擊來，就是無法閃開。

趙天霄、田文秀雖想救援，但心念剛動，還未及出手，那碧桃已然得手而退。

章寶元在趙天霄威名翼護之下，西北武林道上朋友，人人都讓他幾分，一生之中，從未受過此等之辱，只覺羞忿交集，怒火高燒，大喝一聲，一拳擊向碧桃。

碧桃一閃避開，也不還手。

水盈盈冷笑一聲道：「這不過是略施薄懲，如再放肆，可不要怪我手下無情。」

趙天霄目睹那碧桃出手之快，實爲武林之中罕聞罕見的手法，心中暗生震駭，沉聲喝道：「二弟住手。」

章寶元一生中最是敬服那趙天霄，聞他呼喝，果然停下了手。

趙天霄拱手說道：「姑娘身負絕技，隱身於風塵之中，倒叫在下等失敬了。」

水盈盈冷冷道：「不勞誇獎。」

趙天霄道：「在下等今宵打擾，只想向姑娘打聽一件事情，水姑娘乃巾幗英雄，想必是不會虛言掩遮。」

水盈盈道：「什麼事？快些說。」

趙天霄道：「成都鎮遠鏢局中一趟暗鏢，在長安被人劫去，而且還傷了三人，不知是不是姑娘所爲？」

水盈盈道：「不是。」

趙天霄怔了一怔，道：「不是姑娘所爲，哪一個還有這個膽子？」

水盈盈道：「不知道。」

她每句話，都說得短暫堅決，截釘斷鐵，趙天霄一時間，倒也想不出措詞。

田文秀輕輕咳了一聲，道：「在下也有幾句請教姑娘。」

水盈盈冷冷道：「我不願再回答你們問話了。」回身步入臥室。

田文秀道：「姑娘止步。」

水盈盈渾似不知，頭也不回地走回室中。

碧桃突然望著紗燈，道：「我家姑娘今夜已對諸位百般忍耐，諸位還不快走！」

趙天霄看今宵形勢，已難和平談判，當下說道：「我爲暗鏢被劫而來，在暗鏢未有確訊之前，我等決然不走……」

碧桃接道：「你們不肯走，等在這裏幹什麼！」

田文秀接道：「咱們要等那水姑娘，答覆得明明白白。」

碧桃怒道：「我家姑娘從不打誑語，說沒有就是沒有，難道還要欺騙你們不成？」

田文秀道：「她會知道內情。」

碧桃怔了一怔，道：「這個，我就不知道了，得問問我們姑娘才行。」

田文秀一抱拳，道：「那就有勞碧桃姑娘了！」

碧桃一聳雙眉，道：「現在還不知道你所問的，姑娘她肯不肯說？你別歡喜得太快了。」
田文秀心中一動，暗道：「聽這丫頭口氣，那水盈盈是一定知道那劫鏢人了。」
只見碧桃放下手中紗燈，緩步走入了水盈盈臥室之中。
大約過一盞熱茶工夫，碧桃緩緩走了出來。
田文秀一抱拳，道：「水姑娘怎麼說？」
碧桃道：「我家姑娘說，她雖無法說出是什麼人，但卻可以指示你們一條明路。」
趙天霄道：「我等感激不盡！」
碧桃道：「你先別太歡喜，我的話還未說完呢！」
田文秀聽出口氣不對，急急接道：「水姑娘怎麼說？」
碧桃道：「我家姑娘說你們今夜來得太突然，不但驚吵了她的好夢，而且還出言不遜，還有那一批窮叫化子，日夜守在這雨花台的四周，雖然沒有輕舉妄動，但卻是討厭得很。」
田文秀道：「因此姑娘遷怒我等，又不肯說了。」
碧桃道：「也不是絕對不肯說，但今晚你們沒法聽到了！」
田文秀回顧了趙天霄一眼，道：「明天如何呢？」
碧桃道：「你們明天中午來吧！」
田文秀道：「好！咱們就此一言為定，在下等明日中午來訪！」
碧桃目光一掠章寶元，道：「最好別帶他一起來了。」
章寶元正待發作，卻被趙天霄暗中阻止。
田文秀雙手抱拳，說道：「吵擾姑娘了。」轉身大步行去。

碧桃提起手中紗燈，說道：「諸位慢走，恕我不送了！」

群豪離開了雨花台幽靜的後院，金嘯川早已在外等候，大步迎了上去，道：「趙堡主，可曾見到那水盈盈？」

趙天霄道：「那丫頭不肯承認。」

章寶元搶接道：「趙大哥慈悲爲懷，不肯對那小窯姐主婢們動武，唉！咱們去了四條大漢，卻被那小窯姐幾句話給攆了出來。」

金嘯川道：「有這等事？」

田文秀道：「金舵主如是一定想知內情，在下就實說了，因爲咱們四個人，一起出手，也未必是那小窯姐主婢的對手。」

金嘯川肅然說道：「這麼說來，我們丐幫失藥的事，也可找那小丫頭談談了？」

田文秀沉吟了一陣，道：「這次雨花台之行，一切反應，都大大地出了在下的意料之外，不過，那水盈盈已答允明日午時，給咱們一個滿意的答覆，也許她真能告訴咱們一些追索的蛛絲馬跡。」

章寶元道：「如是那丫頭明日午時，不肯告訴你，該當如何？」

田文秀道：「破釜沉舟，全力一戰。」

金嘯川抬頭望望天色，道：「諸位半夜奔行，也該養息一下精神，也許明日午時，還有一場大戰，此地由老叫化和我丐幫弟子招呼，用不到幾位再費心了。」

田文秀道：「好！就依金舵主的安排。」

三 短兵相接

天色將近中午時分，田文秀首先坐起，催促三人動身，趕赴中午之約。

行近雨花台時，已可見丐幫中弟子三兩成群，環布在雨花台的四周。

但見一個身著灰布褲褂的丐幫弟子，大步行到眾人身側，低聲說道：「雨花台中一切安靜，諸位如有差遣，儘管吩咐在下。」

趙天霄看這丐幫弟子，年約三十三、四，一臉精明之色，兩目奕奕有神，一望之下，即可看出是一位內外兼修的高手，心中暗道：「丐幫長安分舵中，從未見過此人。」

當下問道：「金舵主哪裏去了？」

那人微微一笑道：「金舵主適被幫主令諭召去，臨去之際，詳細說明了和諸位相約之事，因此在下不揣冒昧，特來迎接諸位。」

田文秀爲人機警，當下說道：「是啦！兄台可是已接了長安分舵主之位。」

灰色叫化點頭一笑，道：「不錯，以後還望諸位多多指點。」

田文秀一抱拳，道：「失敬失敬，還未請教舵主的大名？」

那灰衣叫化道：「兄弟藍光璧。」

趙天霄失聲叫道：「藍兄就是被譽爲丐幫後起三秀之一的摘星手嗎？」

藍光璧道：「區區微名，如何及得趙堡主威鎭一方的盛名。」

章寶元突然插口道：「怎麼？那老金可是因爲失藥，被免除了長安分舵的舵主之位？」

藍光璧笑道：「金舵主告訴在下，諸位和他，都是肝膽相照之交，丐幫中事，也不敢欺瞞各位，金舵主甚得敝幫幫主的器重，失藥之事，雖然對敝幫聲譽影響甚大，但也不能怪到金舵主的頭上，只因敝幫主對長安四周形勢不熟，必得金舵主隨侍，才把他調帶身邊，以備垂詢，兄弟奉命，暫代行長安分舵舵主的職權。」

章寶元道：「原來如此。」

田文秀淡淡一笑，道：「藍舵主請在此地小候，我等要趕赴那雨花台之約了。」

藍光璧望望天色道：「中午約時已到，兄弟也不打擾諸位了。」言罷，抱拳一揖而去。

田文秀道：「咱們得去見那水姑娘了！」當先舉步而行，直入雨花台後院之中。

豔婢碧桃早已在廳外相候，見眾人如約而來，立時一嘟小嘴巴，冷冷說道：「那些臭要飯的，可是和你們一道的嗎？」

趙天霄自負一方雄主，不願說謊，點點頭，道：「不錯，那是趙某的朋友。」

碧桃冷笑一聲，道：「哼！那些叫化子，不停地在我們四周繞來繞去，不是我們家姑娘心地好，我早就讓他們吃苦頭了。」

田文秀生恐章寶元聽不入耳，出言質問，又和那碧桃衝突了起來，急接道：「水姑娘既約了我等，自是有所指教……」

碧桃目光一掠章寶元道：「不要你們帶他來，爲什麼又帶來了？」

章寶元只覺一股忿怒之氣，直沖上來，正待反唇相譏，趙天霄卻搶先道：「我趙某人已再三忍讓，姑娘也不可欺人太甚了。」

田文秀眼看局勢又將鬧事，心中大爲焦急，接口說道：「有勞通報水姑娘，就說我等如約來訪。」

碧桃微微一笑，嬌軀一側，欠身道：「諸位請進吧！」

田文秀當先而行，步入大廳。

只見水盈盈滿臉莊肅之色，端坐在廳中，眼看幾人步入大廳，也不過微一頷首，道：「諸位請坐！」

群豪依言落座，碧桃已緊隨入廳，手奉茶盤獻上香茗。

趙天霄強忍滿腔怒火，輕輕咳了一聲，道：「打擾姑娘了！」

水盈盈一揚秀眉，淡淡一笑，道：「好說，好說！」

田文秀欠身道：「姑娘約咱們今日中午到此，咱們是如約而來……」

水盈盈接道：「如若就事而論，諸位這趟跑得很值得了……」

星目流轉，掃掠了群豪一眼，接道：「不過我事先要說明白，那劫鏢的人不像我，諸位找上門去，可能遭殺身之禍，生死之間，任憑幾位選擇！」

趙天霄豪氣干雲地說道：「這倒不勞姑娘費心，但得能指明我們一條去路，在下等已感激不盡。」

水盈盈凝目沉吟了一陣，突然伸出細細玉指，伸入茶杯中，沾水寫道：「慈恩寺內大雁塔。」緩緩站起身子，轉身入室。

趙天霄、田文秀退出大廳之後，碧桃卻悄然追出廳外，低聲說道：「我家姑娘面冷心慈，爲指點兩位這條明路，可能要開罪於人，諸位切不可透露出是自我家姑娘所示。」

趙天霄道：「請上覆水姑娘，說趙某人對她俠骨豪氣，感佩異常，但等此事了斷，在下定當函邀西北武林同道，設宴爲姑娘慶功。」

趙天霄是何等老於世故之人，悄然一扯章寶元和譚家奇，退了出去。

田文秀低聲道：「姑娘，還有什麼指教？」

碧桃道：「指教倒不敢當，只是我受人之托，傳個口信給你。」

田文秀詫道：「哦？」

碧桃道：「紅杏妹妹……」

輕輕歎息一聲，接道：「水盈盈和桃、杏二婢，都是我們主婢化名，但得日後再見君面，自當以真實姓名相告，此時此刻，少堡主還是把我們看成這小窯姐吧！」

田文秀心中暗道：「三個大姑娘家，竟然跑到窯子裏客串窯子姑娘，這玩得也未免太放縱了，就算是白璧無瑕，但清名已受玷污。」

口中卻微笑說道：「不知那紅杏姑娘轉告什麼？」

碧桃道：「她要我告訴少堡主，最好自掃門前雪，莫管他人瓦上霜。」

田文秀道：「恭敬不如從命，有勞轉告紅杏姑娘，就說田文秀已拜領了她的盛情，異日有緣再見，在下再面致謝意，姑娘珍重，在下就此別過了。」

碧桃輕輕歎息一聲，道：「少堡主定要管此事嗎？」

田文秀道：「不錯，在下是非過問不可。」

碧桃櫻唇啓動，數度欲言又止，終於低頭說道：「少堡主多多珍重，遇事且不可奮勇爭先。」言罷轉身而去。

田文秀心中暗忖道：「她這般諄諄告我，難道那盜鏢之人，果然是一位非常的人物不成。」心中念頭轉動，人卻急步追上了趙天霄等。

章寶元大聲嚷道：「田世兄，那妞兒和你談些什麼？」

田文秀道：「她告訴那盜取暗鏢之人，武功十分高強，要咱們小心對付。」

一直很少說話的譚家奇，突然接口說道：「既然有了眉目，在下理應通知東主一聲，一同趕往大雁塔去。」

趙天霄道：「那是應該，但在下此刻心中有一件疑難之事，不知該如何是好？」

田文秀道：「什麼疑難之事？」

趙天霄道：「那水盈盈只告訴我們到那大雁塔中去尋失鏢，卻未言明丐幫中失藥如何？咱們是否應該通知丐幫中人？」

田文秀沉吟了一陣，道：「這的確使人爲難……」

正自猶疑難決間，瞥見那摘星手藍光璧大步走了過來，行近眾人身側，一抱拳道：「諸位可會見過那水盈盈嗎？」

趙天霄道：「見過了！」

藍光璧道：「她說些什麼？」

趙天霄沉吟了一陣，道：「她只說出慈恩寺中大雁塔。」

藍光璧道：「你們相信嗎？」

趙天霄道：「雖不全信，但也該去一趟，瞧瞧再說。」

藍光璧道：「趙堡主可曾提過我們丐幫失藥之事？」

趙天霄道：「沒有提過，那水盈盈也未和我們談起失鏢的事，她只是說出『慈恩寺中大雁塔』短短一句，就未再多言。」

田文秀眼看秘密盡洩，心中暗自焦急，輕輕咳了一聲，接道：「在下等立時趕往慈恩寺大雁塔去，查個明白，不知藍兄意下如何？」

藍光璧道：「金舵主臨去之際，交代得十分明白，諸位都是他知己好友，如若需在下效力之處，只管吩咐一聲。」

趙天霄拂鬚沉吟了一陣，道：「那水盈盈也只是告訴我等慈恩寺中大雁塔，短短一言，但那大雁塔乃是長安名勝，浮屠七級，雁塔題名，傳爲儒林佳話，終日裏遊人如梭，慈恩寺香火茂盛，應該是極不可能隱藏強人才是，此事真相未明之前，不敢再勞動貴幫弟子枉駕。」

藍光璧微微一笑道：「在下來此之時，曾奉幫主面諭，長安城中事，要多和趙堡主商量、請教，堡主既是如此吩咐，在下恭敬不如從命了。」

趙天霄道：「不敢當，承蒙貴幫主如此看重在下，趙某人榮寵得很，見著貴幫主時，請代我趙天霄敬候安好。」

藍光璧一抱拳，道：「在下代幫主先領盛情，諸位行程急促，在下也不打擾了。」言罷轉身大步而去。

譚家奇道：「敝東主在那連雲客棧之中，想必早已等待得心急如焚，既有大雁塔這條線索，不知是否該去通知敝東主一聲？」

田文秀道：「在下之見，目下大可不必，王老鏢頭志存拚命，此行旨在探道，訪查真相，以暗中行事最好，王老鏢頭傷心激動之中，只怕有過火之行，待咱們究明真相，再約他同去不遲。」

譚家奇道：「少堡主說得是。」

一行人急步而行，奔向大雁塔。

抬頭看去，只見浮屠七級，高可十丈，古意盎然，一派莊嚴。

趙天霄低聲說道：「田世兄，咱們可要上去瞧瞧嗎？」

這幾日來，田文秀才華畢露，已使趙天霄暗為心折。

田文秀點頭應道：「咱們得留下一至二人，守在塔門處，最好能把身子隱起，監視形跡可疑之人。」

趙天霄略一沉吟，道：「好！章兄弟、譚鏢頭，請留在塔門外面，世兄請隨我到塔上瞧瞧吧！」當先舉步行去。

田文秀緊行兩步，隨在趙天霄身後，緩步向上行去。

這大雁塔整日開放，任人觀賞，但此際午時過後不久，遊人甚少。

趙天霄連登上三層階梯，未見異徵，不禁心中生疑，低聲說道：「想這大雁塔上遊人無數，終日裏穿梭不絕，豈是盜匪容身之地，也許咱們上了那丫頭當了。」

田文秀神色堅決地說道：「以晚輩的看法，那位水姑娘絕不會欺騙咱們，咱們直登塔頂瞧瞧。」

趙天霄道：「好吧！」放步直登七層塔頂。

這七層塔頂之上，遊人甚少，靠四壁處，垂著一片黃緞神幔，但那神幔似已年久未換，顏色已褪，變成了蒼白顏色。

田文秀仔細瞧了一眼，緩步行到靠南面一個窗子上，仔細地查看了一陣，緩緩退了回來。這頂層面積不大，一目了然，仍是瞧不出一點可疑之處。

趙天霄道：「果然上了那……」

田文秀急急搖搖手，趙天霄霍然驚覺，忙把未說出口之言，重又嚥了回去。

田文秀輕輕咳了一聲，道：「在下聽聞人言，大雁塔頂這座佛像，出自天竺第一名家之手，咱們既登上塔頂，豈能不開開眼界，」

暗運功力戒備，陡然跨進了兩步，掀開那黃緞神幔。

只見一座金色的佛像，高約兩尺，盤坐蓮台之上，雙手合十，閉目而坐，雕工精緻，栩栩如生。

田文秀目光轉動，打量了那神龕一眼，不見有何異狀，而後放下神幔。

趙天霄一皺眉頭，道：「已登七級頂層，上無去處了。」

田文秀仰臉向上望去，但見一道平整的頂蓋，延伸數尺，有如張傘，不禁心中一動，暗道：「若是那人藏在這塔簷蓋之上，豈不是十分隱秘。」

趙天霄眼看田文秀望著那塔頂簷蓋出神，心中暗暗忖道：「這頂伸出數尺，想是不讓風雨飄入塔中，但如在那簷蓋頂上，加蓋上一間小室，豈不是隱秘異常？」

只是那頂簷十分平整，毫無可資攀握之物，除非由窗口提氣躍出，認定方位，出手抓住那伸出的塔簷，翻上塔去，但此行十分險惡，輕功、膽氣和出手的時間，都要配合得恰到好處，稍有不當，那將直跌塔下，摔得粉身碎骨。

田文秀望著那伸出的塔簷，出了一會兒神，道：「老前輩助我一臂之力，我要到那塔頂去瞧瞧！」

趙天霄急急搖頭：「使不得，使不得！頂簷伸出數尺，無物可攀，下臨實地數丈，太過凶險了。」

田文秀正待答話，突聽人聲接道：「阿彌陀佛，塔頂凶險，施主不登也罷。」

轉頭望去，只見一個四旬左右，滿臉紅光，身著灰白僧袍，頸間垂著檀木念珠的和尚，停身在梯口之處，望著兩人微笑。

趙天霄、田文秀同時感到胸前被人重重打了一拳，心頭震駭不已，暗道：「這和尚精巧的輕功，就憑我們兩人耳目，竟然不知他何時到了身側。」

田文秀輕輕咳了一聲，故作鎮靜地說道：「大師父剛剛到嗎？」

灰袍僧人淡淡一笑，道：「貧僧到了一會兒。」

田文秀呆了一呆，道：「大師如何稱呼？」

灰袍僧人笑道：「貧僧天雨。」

田文秀道：「失敬了，大師剃度在慈恩寺中嗎？」

天雨笑道：「貧僧苦修行腳，路經長安，暫時住錫在慈恩寺中。」

趙天霄道：「大師駐此好久了？」

天雨淡淡一笑道：「不過月餘時光。」

田文秀心中暗自盤算道：「丐幫失藥，鎭遠鏢局失鏢，都不過是月內中事，如這和尚參與其事，時間上倒是配合得很好。」

信口問道：「大師是少林門下高僧？」

天雨笑道：「何以見得？」

田文秀道：「大師武功不弱。」

天雨道：「佛門廣大，奇人輩出，會武功也未必一定要出身少林門下。」

田文秀呆了一呆，一時間竟然想不出回答之言，心中卻是暗自盤算，道：「這和尚詞鋒犀利，武功高強，確非好與人物，但也是一條很好的線索。」

當下輕輕咳了一聲，道：「在下常聽人言，凡是出家人，大都淡薄名利，不問俗事，但大師父看上去，確實有些不同。」

天雨雙目神光一閃，笑道：「哪裏不同了？」

田文秀道：「大師名利之心，似乎很重，身在三界外，心在五行中。」

天雨冷笑一聲，道：「由來忠言最逆耳，施主如是不肯聽信我良言相勸，不信那塔頂凶險，儘管請便就是。」轉身而去。

田文秀冷冷說道：「站住！」

天雨緩緩回過身來，淡淡一笑道：「施主還有什麼見教？」

田文秀回顧了趙天霄一眼，說道：「大師怎知那塔頂浮蓋之上，潛藏凶險？」

趙天霄亦覺出這和尚有些疑問，橫裏跨了一步，擋住了去路，暗中運功戒備。

天雨大師回頭望了趙天霄一眼，緩緩說道：「貧僧只不過好意示警，施主如若不信，儘管自便。」

田文秀道：「如是大師不肯見告，說不得只好動強了。」

天雨大師臉色流現出輕蔑神色，笑道：「貧僧雖已皈依我佛，但倔強之性，尚未化除，兩位如是想恃技動強，只管出手就是。」

田文秀冷笑一聲，右手一揮，疾向天雨大師右腕上扣去。

天雨右腕微微一挫，借勢反擊，食、中二指反向田文秀脈門上點去。

田文秀道：「好手法！」

右臂一沉讓避開去，反掌一招「手撥五弦」斜裏拍出。

天雨大師疾退兩步，避開一掌，冷冷笑道：「施主當真要迫貧僧出手嗎？」

田文秀道：「大師可是自命清高，不屑和在下這凡夫俗子動手嗎？」

天雨大師道：「好說，好說，白馬堡的田少堡主，家學淵博，貧僧有幸一會。」說罷，連劈兩掌。

田文秀這身裝束，早已掩去他少堡主的身分，聽那天雨大師，開口叫了自己的姓名、來歷，心中大為驚愕，一拱手，道：「大師暫請住手。」

天雨大師微微一笑，道：「貧僧原本就沒有和田少堡主動手之心。」

田文秀歎道：「大師何以認得在下，就在下記憶之中，和大師似是初次相見。」

天雨大師笑道：「少堡主既是記不起來，也不用苦苦思索，像少堡主這等人物，華衣駿馬，招搖過市，何處不引人注目？」

田文秀暗道：「這倒也不錯，如是他從道聽塗說而來，記下我的姓名、面貌，亦是不無可能。」

趙天霄雖然是靜靜地站在一側，默然不語，但他心中的難過，尤過田文秀數十百倍，平日西北武林中人擁戴，譽爲領袖西北武林雄主，但這次尋鏢的艱苦和尷尬，使他生出了無比的慚愧。他緩緩抬起頭來，打量了天雨大師一眼，黯然歎道：「大師可認得在下嗎？」

天雨大師道：「鼎鼎大名的趙天霄趙堡主，西北武林道上的領袖，江湖上有誰不識？」

趙天霄垂首說道：「尋著了失鏢之後，我趙某人也閉門謝客，退出江湖了。」

天雨笑道：「兩位也不用這般難過，可知貧僧在暗中，兩位在明處，這一明一暗的差別，相差何止千里，何況兩位受了盛名之累，貧僧豈不是很容易瞭解兩位的姓名、身分嗎？」

田文秀心中也在盤算著，道：「聽這和尚口氣，似又不是敵人，究竟是何來歷？實叫人不解。」

當下輕輕咳了聲道：「大師既然識出了我等身分，而且又當面叫穿，足見未存敵意，但是我等尚未瞭解大師身分，不知可否見教？」

天雨笑道：「貧僧幼小出家，法名天雨，苦修行腳，居無定址，這不是很清楚了嗎？」

田文秀心中暗自怒道：「你這般閃爍其詞，縱然非敵，亦不算友，我不信逼不出你的用心。」當下一抱拳，道：「大師既不願把出身見告，在下等是亦不便追問，大師的警告，我等心領了，如若再無別言賜教，大師儘管請便了。」

天雨微笑道：「少堡主雖有逐客之心，可惜這慈恩寺不是白馬堡，貧僧卻無離去之意。」

田文秀冷冷說道：「大師要如何才能離開呢？」

天雨似是已被田文秀犀利的詞鋒，迫得無法再借遁詞，不禁微微一皺眉頭，道：「如果兩位肯離開此塔，貧僧亦不願在此久留。」

田文秀哈哈一笑，道：「大師終於無法掩遮了，據在下所見，還有一個辦法，可以使大師離開。」

天雨似是自知失言，索性不再掩飾，接道：「少堡主可是想以武迫走貧僧。」

田文秀道：「在下尚未想出其他妙策，彼此話已叫明，大師也不用客氣，我田文秀先行領教，如不是大師敵手，趙堡主再助我出手，大師既然追蹤到此，咱們決不要大師失望就是。」

他生恐趙天霄拘泥身分，一開口就把事叫明，也無疑告訴那天雨大師，一動上手，儘管各出絕學，反正這一戰，非要分個勝敗出來不可。

天雨單掌立胸，道：「田少堡主……」

田文秀不容天雨開口，搶先接道：「大師慈悲為懷，決然不肯先行出手，在下有僭了！」呼的一掌劈了過去。

天雨大師被迫還招，兩人立時展開一場惡戰。

這次動手和上次大不相同，田文秀旨在求勝，盡展所學，左拳右掌，著著迫進。

不大工夫，雙方已惡戰了三十餘回合，仍然保持個平局。

激鬥中，突聽田文秀高聲喝道：「大師留神了。」喝聲裏，突然攻出一拳。

這一拳看上去並無什麼奇異之處，但哪知天雨和尚卻是大感駭然，只覺對方攻來的一招拳勢，籠罩了全身十幾處大穴、要害，叫人無法預測他實攻之處。

就這一猶豫間，田文秀的拳勢，已然直逼前胸。

形勢迫急，拳快如風，眼看拳勢就要擊中天雨大師的胸上，突見天雨身子一側，讓過拳勢。這一招凶險萬分，田文秀的掌勢，疾掠天雨和尚的僧袍而過。

天雨大師右手一抄，五指箕張，反向田文秀脈穴之上抓來。

這一招應變制敵，恰到好處，趙天霄只瞧得一皺眉頭，暗道：「田文秀只怕難以躲開這一招出其不意的擒拿手法。」

當下長長吸一口氣，舉起右掌準備援救，只要天雨和尚拿住田文秀的脈穴，立時將以迅雷不及掩耳的手法劈出掌勢。

田文秀左掌急襲而出，拍的一聲，擊在天雨和尚的右臂上。

天雨大師右臂中掌，五指一沉，田文秀藉機收回了右手，躍退一步，拱手說道：「承讓。」

這一掌攻出之快，勢道之奇，連那趙天霄也瞧得暗暗讚道：「白馬堡有著如此精奇的武功，我竟然是一點不知，看將來我領袖西北武林的招牌，真該是交給田文秀了。」

只見天雨大師垂著一條手臂，神情冷肅地說道：「少堡主武功高強，貧僧領教了。」

身子一側，舉步向門口奔去。

田文秀一橫身，攔住去路，道：「大師請留步。」

天雨臉色一變，道：「少堡主可是要逼迫貧僧拚命嗎？」

田文秀道：「大師突然而來，考較了在下武功，就匆匆而去，一言未留，不覺得太過分嗎？」

天雨道：「你要貧僧如何？」

田文秀道：「大師追蹤在下等，到這七層塔頂，難道是無因而來嗎？」

天雨沉吟一陣，道：「少堡主想問什麼？」
田文秀先是一怔，繼而淡淡一笑，道：「大師可知丐幫失藥的事嗎？」
天雨大師雙目中神光一閃，冷冷地說道：「少堡主和丐幫有何關連？」
田文秀道：「在下和丐幫雖然談不上什麼關連，但此事發生在長安地面上，勢將在此地掀起一場風波，趙堡主既被西北武林同道擁做領袖人物，豈能坐視不管。」
天雨大師目光回轉，望了趙天霄一眼，說著：「田少堡主是應趙堡主……」
突然一陣鴿翼劃空之聲，傳了過來。
田文秀霍然警覺，回目望去，只見一雙健壯的白鴿，疾飛而去，不禁臉色一變，冷冷說道：「大師的心願已然完成了，可喜呀！可賀。」
天雨大師微微一笑，道：「少堡主果然是智力過人，既然你已猜出個中內情，那也不用貧僧再說什麼了……」
田文秀雙目暴射冷電一般的神光，接道：「大師心願雖償，卻忽略了一件事情。」
天雨大師那冷肅的神情，突然間變得十分輕鬆，似已不把適才落敗之事，放在心上，笑道：「貧僧不知忽略了什麼？倒得田少堡主賜教了。」
田文秀臉上滿是激忿之色，一字一句地說道：「在傳訊飛鴿還未為大師邀約來援之前，在下等卻有足夠的時間殺死大師。」
天雨冷笑一聲。道：「少堡主智謀過人，貧僧也想奉勸幾句……」
田文秀長長吸一口氣，探手從懷中摸出一把鋒利的匕首，說道：「大師最好是快些動手，在下時間不多。」突聞砰然一聲，轉臉望去，只見那樓梯出口處，突然合了起來。

趙天霄失聲叫道：「這塔頂上，有機關。」

天雨笑道：「不錯，有機關，可惜的是兩位覺悟得太晚了。」

趙天霄怒喝一聲，揮手拍出一掌。

天雨大師閃身避開，卻是不肯還手。

田文秀道：「這和尚陰險毒辣，處處用詐，咱們也不用和他講什麼武林道義了。」

天雨大師單獨拒敵趙天霄，已然有些力不從心，再加上一個田文秀更是相形見絀，不到十招，已被迫得險像環生，只有招架之功。

眼看那天雨大師即將傷在趙天霄和田文秀的迫攻之下，突然一個冰冷尖厲的聲音，傳了過來，道：「住手！」

回頭望去。只見一個全身紅衣、面如童子的人，手中握著一把摺扇，倚窗而立。

這人衣著、相貌，雖和童子無別，但在神態之間，卻有著一股老氣橫秋的味道，使人一眼之下，已覺出此人的年歲不小。

天雨大師對那紅衣短小之人，似是極爲恭敬，遙遙合掌拜見。

那紅衣童子卻是大模大樣地一擺手，道：「不用多禮了。」

田文秀亦早停下手來，看來人只有一個，膽氣壯了不少，冷笑一聲，道：「閣下可是從塔頂下來的嗎？」

那紅衣童子淡淡一笑，道：「不錯。」

趙天霄看他一身裝束，似乎是聽人說過，只是一時間卻又想不起來，忍不住問道：「閣下何人？」

那紅衣童子唰的一聲，打開摺扇，高高舉了起來。
田文秀目光一轉，只見那雪白的扇面上寫著「追魂拘魄」四個血紅的大字。
趙天霄凝目沉思，臉上突泛現出驚愕神情，道：「閣下可是號稱紅孩兒的呼延光嗎？」
紅衣童子冷冷說道：「那是老夫二十年前的名號了。」
趙天霄急急抱拳一禮，道：「想不到息隱江湖二十年的呼延兄，竟然重出江湖……」
呼延光一揮手，冷冷說道：「住口！你是什麼人？也配和老夫稱兄道弟。」
趙天霄道：「在下趙天霄。」
呼延光搖搖頭，道：「老夫從未聽過這個名字。」
趙天霄心中忖道：「這紅孩兒呼延光盛名正著之日，我還未成名於武林，那也難怪他不知我的姓名了！」
當下說道：「呼延兄退休過早，兄弟那時還未在江湖上闖出萬兒。」
呼延光冷冷一笑，道：「既是彼此間素不相識，那也用不著攀交情了。」
趙天霄雖然震駭於紅孩兒昔年的凶名，但對方這等冰冷的漠視，也是難以忍受，不禁怒火大起，說道：「呼延兄出道較兄弟早了一些，兄弟只不過是稍表敬慕之情，並無攀交之心。」
呼延光道：「那很好……」
雙目中寒芒暴閃，緩緩由趙天霄和由文秀臉上掠過，道：「兩位已經是別無生路，除非肋生雙翼，飛出大雁塔，看在你們還能記憶起老夫的份上，老夫給你們一個選擇的自由，你們設法自絕了吧！」
趙天霄知道這紅孩兒昔年的凶名，這番話，並非全是誇口之言，但田文秀卻是早已忍耐不下，冷笑一聲，說道：「閣下好大的口氣。」

呼延光道：「難道還要老夫動手不成。」

田文秀道：「彼此動手相搏，目下還難定鹿死誰手。」

呼延光一皺眉頭，道：「不知死活的娃兒，老夫讓你三招，快些出手吧！」

田文秀道：「不用相讓，要打咱們就各憑所學打上一場，在下傷死無憾，不過……」

呼延光道：「不過什麼？」

田文秀道：「不過在未動手之前，還有幾句話還望閣下據實回答。」

呼延光道：「你年紀不大，膽子倒不小，好，你問吧！」

田文秀道：「鎮遠鏢局所失的暗鏢，可是閣下奪取嗎？」

呼延光道：「如果老夫告訴你，那你就算死定了。」

田文秀道：「但得知其所以，死而無憾。」

呼延光道：「兩位視死如歸的豪氣，倒叫老夫佩服得很。」

語言微微一頓道：「好！兩位既是有不畏死的勇氣，老夫答應讓兩位明白就是，鎮遠鏢局的鏢，確已為老夫所取。」

趙天霄道：「丐幫失藥呢？」

呼延光道：「亦和老夫有關。」

田文秀悄然取出暗器，扣在手中，運功戒備。

呼延光神目如電，目光一掠田文秀，道：「閣下手中扣的何種暗器？」

田文秀道：「三枚金錢鏢。」

呼延光冷笑一聲，道：「看起來，兩位還圖作困獸之計了。」

他右手一揮，呼的一掌，疾向田文秀劈了過去。

田文秀早已戒備，運功待敵，呼延光掌勢劈出，立時向旁側閃去，右手一揚，一枚金錢鏢疾向呼延光前胸射去。

呼延光冷然一哂，道：「雕蟲小技，也敢賣弄。」

左手抬起，食、中二指一合，竟把一枚金錢鏢生生夾住。

田文秀怒聲喝道：「好手法。」右手一揚，兩支金錢鏢，並排射出。

呼延光舉手一拂，兩枚射近身側的金錢鏢，突然無聲無息地消失不見。

只聽呼延光冷笑一聲，說道：「你們還有什麼暗器，儘管施展出來，老夫要你們輸得心服口服，死得瞑目九泉。」

田文秀雖然年輕氣盛，但智力超人，心知今天遇上了生平未遇的勁故，這一戰必敗無疑。回目望去，只見趙天霄凝神而立，全身的衣衫，都起了一種漣漪般的波動。

顯然，趙天霄已然暗中運集功力，準備一拚。趙天霄領袖西北武林，受盡武林同道恭維，自然非泛泛之輩，田文秀對趙天霄的武功成就，亦是莫測高深。

呼延光久久不聞人答話，又冷然一笑，接道：「兩位既然不肯出手，老夫也不耐煩再等待下去。」身子一側，疾向田文秀衝了過去。

忽然趙天霄舌綻春雷地大喝一聲，揚手一拳，劈了過去。

這一聲大喝，聲如獅吼，震得人耳際嗡嗡作響。音波傳開去，塔下可聞。

呼延光眼看趙天霄拳風如嘯，直擊過來，力道之猛，甚是罕見，不禁收起了輕敵之念，右袖疾拂而出，推出一股暗勁，一擋拳勢，兩股暗勁一接，呼延光不由自主地退後一步。

趙天霄雙肩晃動了一陣，竟能穩住馬樁未動。

呼延光的狂傲之氣，也因這一招硬拚，一掃而光，臉上神色凝重，目光炯炯，望著趙天霄，準備再接他的拳勢。

只是，趙天霄連發數招神拳，氣力消耗甚大，呼延光出手又準又快，待趙天霄警覺時，已然遲了一步，呼延光的掌指，已然拍中趙天霄穴道。

趙天霄長歎一聲，靠在壁上，垂下雙臂。

呼延光右手連揮，連點了趙天霄四處穴道，回手兩指又點田文秀的穴道，才放開田文秀被扣的右腕，冷笑一聲，道：「兩位不信老夫之言，現在後悔已晚。」

探手從懷中摸出了一個白色玉瓶，托在掌心之上，接道：「這瓶中是化屍藥粉，傾這一瓶之量，可以在一個時辰之內使兩位化成一灘清水。」

趙天霄、田文秀心知所言非虛，不禁暗自一歎，道：「完了，如若連屍體也被化去，豈不是死無對證，連一點線索也難留下。」

只見呼延光輕輕一掌拍在天雨大師身上，道：「你傷在他們手下，那就由你動手吧！」

傷勢甚重的天雨大師，被呼延光一掌擊中之後，精神忽然振作起來，雙目暴射出仇恨憤怒的火焰，信步向兩人逼來。

田文秀暗暗歎息一聲，道：「想不到我田文秀會悄無聲息的死在這大雁塔上。」閉上雙目，不再多看，只聽一聲鳥翼劃風之聲，傳入耳際。

但聞呼延光低聲喝道：「住手，快退回來。」

田文秀聽得心中一動，睜眼望去。

只見一隻全身彩羽的奇鳥，站在窗口之上，呼延光手中正拿著一張素箋閱讀，天雨大師已然退回原處，靠壁而立。

呼延光看完素箋，隨手放入懷中，抽出時，右手已多了一張便箋，橫跨兩步，由爐中取出了一個燒殘香頭，就便箋上寫了「敬遵上命」四個字，折疊起來，走到那彩禽身旁，恭敬地說道：「有勞仙禽帶上在下回令。」

那彩禽似是通達人言一般，突然張開雙翼。

呼延光把手中折好的便箋，塞入那彩禽左翼下暗藏的一個竹筒中，合上塞子，才後退一步，抱拳說道：「仙禽慢走，在下不送。」但見那彩禽轉過身子，張翼飛去，眨眼不見。

呼延光目光投注到趙天霄和田文秀的身上，冷笑一聲，道：「兩位命不該絕，敝上傳下法諭，今夜要拘提兩位，親自盤問，兩位可以多活上半日了。」突然舉步欺近兩人身側，右手揮指，點了兩人的暈穴。

醒來時已是景物大變。

田文秀長吁了一口氣，睜眼望去，但見一片黑暗，有如置身深夜之中。

當他再睜開眼，果然已隱隱可以分辨出當前的景物。

這是一座兩間大小的暗室，四面都是黑色牆壁，趙天霄就坐在身側不遠處一張太師椅上。

趙天霄似是早已醒來，正在運氣調息。一顆顆的汗珠兒，不停地滾了下來，顯然他正以本身真氣，強衝傷脈，忍受著很大的痛苦。

田文秀輕輕歎息一聲，道：「老前輩，不要枉費心了，這是自找苦吃。」
趙天霄慢慢睜開雙目，道：「田世兄也醒來了……」
田文秀還未來得及答話，突聞一個冷漠的聲音，傳了進來，道：「敝上寬大仁厚，不願在兩位身上加刑具……」
田文秀高聲接道：「這是什麼所在，閣下又是何人？」
那冷漠的聲音，重又傳了過來，道：「不用問老夫的姓名，要緊的是別動妄念，需知一念動錯，追悔莫及……」
語聲微微一頓，接道：「敝上即將大駕親臨，盤問兩位幾句，兩位如能據實回答，敝上或可網開一面，放兩位一條生路，這是兩位唯一的生機，還望三思老夫之言。」
趙天霄冷笑一聲，接道：「閣下把趙某看成何等人物，生死的事，豈放在我趙天霄的心上。」語聲甫落，瞥見火光一閃，暗室一角，突然裂現一座門戶，一個手舉紗燈的青衣女婢，緩緩走了進來。
只見那青衣女婢高舉手中紗燈，道：「哪一個叫田文秀？」
田文秀目光一瞥，掃掠那青衣女婢一眼，不禁心中一呆。
原來此女一張冷漠的怪臉，和她那窈窕的身材，大不相稱。
她的臉並不見有何缺點，只是肌肉僵硬，毫無表情，怎麼看也不像一張活人臉。
她緩緩把目光移注田文秀的臉上，道：「你可是田文秀嗎？」
田文秀道：「不錯，就是區區在下。」
青衣女婢道：「好！你跟我來吧！」轉身向外行去。

四 絕頂詭秘

那青衣女婢帶著田文秀出了暗室後，回手關上室門，轉向另一座房中行去。

田文秀目光轉動，四下打量了一眼，發覺停身之處，是一座地下宅院，門戶之處似有不少的房間。

青衣女婢行到一處室門口，回頭衝著田文秀盈盈一笑，道：「你自己進去吧！」

只聽砰然一聲，那高舉紗燈的青衣女婢，把室門關了起來。

室中陡然間黑暗下來。

田文秀停下腳步，閉上眼睛休息了一會兒，再行睜開雙目，只見這座暗室，不過兩間房子大小，正中擺著一張大桌，桌上擺著座石鼎，靠北面牆壁間，放著兩張木椅。

田文秀正感猶豫，突聞一聲冷漠低沉的聲音，傳了過來，道：「請坐。」

話雖說得客氣，但聲音冷漠威重，聽來有咄咄逼人之感。

田文秀轉臉尋望，一無所見，那聲音似是由壁間透了出來。

突覺亮光一閃，那關閉的室門，突然大開，一個綠衣少女，手執紗燈，大步行了進來。她渾然不覺室中有人一般，頭不轉顧，目不斜視，直行到那木桌前面，點燃火摺子，向桌上石鼎之中一探，石鼎之中突然冒起來一陣煙氣。

綠衣少女點燃起那石鼎中煙氣之後，轉身而去。

突然一陣幽香，撲進了鼻中，霎時間煙氣彌漫，視線不清。

但那撲鼻沁心的香氣，卻愈來愈濃。

突然間，那冒出白煙的石鼎中，升起一縷藍色的火焰，倏忽冒起來半尺多長。

這時，室中的煙氣更加濃烈，被那藍色火焰一照，幻出一種迷濛之感。

田文秀用足了目力，也不過隱隱可見到五尺之內的景物。

只聽那冷漠威重的聲音又傳入耳際，道：「敝上的大駕，即刻就到，你要小心一些了！」

一陣交錯的步履聲混入了那飄渺而來的樂聲中。

田文秀已為動人的樂聲吸引，但又感覺到有人進入室中。

正待轉過臉去瞧瞧，那樂聲突然停了下來，陡然間，恢復了死一般的靜寂。

只聽那冷漠威重的聲音傳了過來，道：「田文秀，敝上聖駕已到，還不行禮拜見。」

田文秀抬頭望去，只見那火焰映照的迷濛煙氣之下，端坐著一個全身黃衣，頭戴金冠的人。

在那黃衣人的左邊，站著一個青袍鶴髮，長鬚垂胸，背插寶劍，手執拂塵的道人，右邊是一個頭挽宮髻，身著白衣，懷抱金牌的中年婦人。

那端坐的黃衣人距離較遠，煙霧迷濛中，無法看得清楚。

那青袍道人和白衣婦人，站的距離較近，但也只隱隱可見五官，難見真實容貌。

這迷濛、詭奇的環境中，使那黃衣人愈顯得神秘，田文秀卻有著一種茫然無措的感覺，不自覺地抱拳一禮。

只聽那青袍道人說道：「田少堡主和那鎭遠鏢局王子方是遠親還是近故？」

田文秀道：「一不沾親，二不帶故……」

青袍道人道：「非親非故，少堡主爲何要幫他找尋失鏢？」

田文秀道：「咱們武林中人，講的是義氣血性，家父和趙堡主，往來數十年，交誼深厚，情同手足，在下受邀尋鏢，豈不是名正言順。」

青袍道人嗤地一笑，道：「你的口才很好，亦有過人智謀，衡情度勢，態度倒也不錯。」

聲音突轉嚴厲接道：「敝上心地仁慈，不願妄殺無辜，但卻最恨人說謊言。」

田文秀道：「道長有何指教，儘管請說，實在不能奉告的事，縱然刀劍加頸，也是一樣不說。」

青袍道人道：「少堡主找上那大雁塔去，是受何人指示？」

田文秀心中暗道：「他們把我姓名、家世調查得清清楚楚，何以不知我受何人指示而去？看來水盈盈隱蹤雨花台中一事，他們是不知道的了，事情關係甚大，還是守密的好。」

心念一轉，緩緩說道：「這個恕難奉告。」

青袍道人冷厲地說道：「爲什麼？」

田文秀道：「在下如若謊言相欺，說出我自行找上大雁塔去，道長信是不信？」

那青袍道人冷然一笑，道：「如是你們只是找上七層，那也罷了，絕不致妄生奇念，找上塔頂。因此，必然有人洩露了其中內情，貧道料斷，這洩露之人，定然是我們之間中人，敝上震怒，非要查出此人是誰不可，只要少堡主能夠說出得自何人指示，敝上不但不會傷害你田少堡主，且將對兩位破例優待……」

田文秀沉吟了一陣，道：「如我洩漏了那傳話之人，道長定然不會放過他了？」

青袍道人道：「那是不錯。」

田文秀略一沉吟，道：「田某人縱然身受重懲，也不能說出那人是誰。」

只見那道人袍袖一拂，那案上鼎中的藍色火焰，突然熄了下去。室中陡然間恢復了黑暗，煙氣迷濛中，伸手不見五指。

凝目望去，室中哪裏還有人影，桌上石鼎中白煙早停。

田文秀心中暗自奇怪，道：「這是怎麼回事，難道真如青袍道人所說，這位神秘首領，當真是一位心地仁慈、不願妄事殺生的人，所以，這樣輕輕地饒過我……」

他呆呆地坐想思索，不知過去了多少時間。

突然呀的一聲，暗門大開，一陣燈光照射進來，一個青衣童子，左手提著紗燈，右手端著一個木盤，盤上放著兩個炒菜和一疊熱餅，緩步走了進來。

只見他緩緩把木盤放在木案之上，說道：「你腹中想已饑餓，請進些食物。」

那青衣童子靜靜地站在一側，直待田文秀吃完了一疊熱餅，兩盤炒菜，才收拾了碗筷，笑道：「吃飽了嗎？」

田文秀道：「飽了，多謝小兄弟。」

青衣童子道：「不必謝了。」端起木盤，回身向外行去。

田文秀突然想起了趙天霄，不知他此刻情況如何，何不問這童子一聲。心念轉動，起身說道：「小兄弟，請稍留片刻，在下有事請教。」

青衣童子已行近門口，回頭說道：「什麼事？」

田文秀道：「在下那位同伴，此刻在何處？」

青衣童子搖頭道：「不知。」砰然一聲帶上室門，大步而去。

田文秀望著那關上的室門，呆呆出了一陣神，心中暗道：「那童子眉清目秀，小小年紀，未言先笑，十分和氣，爲何這般暴躁起來？」

進了一些食用之物，精神振作了，暗道：「我也不能就這般坐以待斃，得設法逃走才是。」心念一轉，緩緩站起身子，行近牆壁。

伸手摸去，只覺壁間冰冷，原來牆壁都是堅牢的青石砌成。

對方既然不點自己穴道，又不派人看守，想來那室外之路，不是由高手防守，便是有極厲害埋伏。

他想得雖是周到，但一股強烈逃走之念，促使他情不自禁地行近室門。

伸手一拉，室門竟呀然大開，室外景物清楚可見。

這似是一座地下宅院的出口，三面都是牆壁，門戶重重。

一道階梯向上通去，階梯前是塊兩丈見方的平地，一片寂靜，不見防守之人。

田文秀心中怦然一動，道：「長安城內的大家宅院，大都有很廣大的地窖，難道我還在長安城中？」

心念轉動間，人已緩步出室，暗中運功戒備，踏上階梯，心中暗自盤算，先行上去瞧瞧，如是確有逃走之望，再去邀約趙天霄，聯袂逃出，如是被人發覺，自己一人，也不致累及那趙天霄了。

剛剛踏上了兩層階梯，突然間一陣令人毛骨悚然的怪笑聲傳了過來，道：「站住，快些退回室中，面壁跪下，思過一日。」

語聲和笑聲一般怪異，有如傷禽悲鳴，刺耳動心。

田文秀停下腳步，目光轉動，四下尋望，但卻瞧不到那說話之人，當下輕輕咳了一聲，道：「閣下是何等人物？何不請出來一見。」

只聽那傷禽悲鳴般的聲音，傳了過來，道：「快些退下階梯，再要拖延，可別怪老夫出手無情了。」

田文秀回目一顧，一丈左右處，就是出口，估計自己輕功，一躍之間，足可穿出梯口，只要那上面無人適時堵擊，不難搶出地窖。他心裏打著如意算盤，忘記了回答那人喝問之言。

只聽那怪異冷漠的聲音接道：「老夫如出手，那是非得傷人不可，但老夫寧可傷你，也不能讓你逃走。」

田文秀爲人聰明多智，不願冒毫無把握之險，當下回過身子，緩步下梯，直對那暗角人影走了過去。

只見那人長髮披肩，仰頭靠在壁上，臉上膚色甚黑，幾乎和身上衣衫一般，但那交錯在胸前的一雙玉手，卻是白玉一般的瑩晶，纖長的十指上，留著半寸長短的指甲。

田文秀打量了一陣，也無法估計那人的年歲，當下輕咳了一聲，道：「兄台如何稱呼？」

那人原姿未動，冰冷道：「老夫姓名已恥於告人，不必多問，快回房中去吧！」

田文秀暗道：「那首腦人物故作神秘，金冠黃袍，還要在煙霧繚繞的暗室中和人相見，想不到他的屬下，竟然都是怪怪奇奇的人，他既開口拒我千里，再問亦是無益。」

正待回身去，突然想起趙天霄來，忍不住問道：「兄台在此守候很久了嗎？」

那黑衣人冷哼一聲，道：「你這人怎麼這等囉嗦……」

語聲一頓，接道：「老夫等兩人，奉命守這地窖中囚禁之人。」

田文秀目光流動，四下打量。

那黑衣人雖然靠在壁間未動，雙目未睜，但對那田文秀的舉動，卻是瞭若指掌，冷笑一聲，道：「你瞧什麼？」

田文秀道：「我要瞧那人身在何處？」

黑衣人道：「老夫和他分成兩班。」

田文秀暗數地窖中的門戶，共有九個之多，就記憶所及，趙天霄囚禁之處，似是在左側第三個門內，口中嗯了一聲，道「原來如此……」

語聲微頓，接道：「在下有一位同伴，就在左側第三室中，不知可否讓在下去瞧瞧？」

黑衣人道：「你那同伴生得什麼樣子？」

田文秀道：「修軀、長鬚、氣宇軒昂。」

黑衣人道：「可是叫趙天霄嗎？」

田文秀道：「不錯啊。」

黑衣人道：「他不聽老夫勸阻，已傷在老夫手下了。」

田文秀吃了一驚，道：「現在何處，傷勢如何？」

黑衣人沉吟了一陣，道：「好！你去瞧瞧吧！」

田文秀急急奔進第三座門戶之內，推開室門，大步而入。

室中雖然黝暗，但田文秀已然逐漸的適應，只見趙天霄盤膝倚壁而坐，似正在運氣調息。

田文秀放緩腳步，行了過去，低聲說道：「老前輩傷得很重嗎？」

趙天霄緩緩睜開雙目，道：「那人不知練的什麼毒掌，擊中了我的左肩。」

田文秀道：「有何感覺？」

趙天霄道：「唉！我右臂穴道被點，左臂中了毒掌，看將起來，只怕已難生離此地……」

田文秀急急接道：「老前輩一生急公好義，吉人天相，但望安心療傷，容晚輩慢慢籌思脫身之法。」他口中雖然說得輕鬆，但心中明白，如沒有意外的變化，絕難脫離此地。

趙天霄道：「我已覺出臂上毒傷十分厲害惡毒，就算他們不殺咱們，我也是早晚免不了毒氣攻心而死，你來得正好，在我毒傷未發作前，把那破山十拳傳授給你。」

田文秀急道：「老前輩快請運氣閉住左臂穴道，別讓毒氣內侵，晚輩去問他是何等毒。」

趙天霄道：「不用了，大丈夫死而何恨，豈可求人賜命。」

田文秀道：「據晚輩觀察所得，此事已非咱們的力量和鎮遠鏢局所能夠應付得了，必得借重丐幫失藥的消息，傳出此地……」

只聽那暗室之外，傳進了嬌脆的聲音，道：「那姓田的也在此室嗎？」

室門大開，緩步走進來一個高舉紗燈的青衣女婢。

此時，田文秀已完全鎮靜下來，抬頭打量那婢女一眼，並非適才所見的婢女，當下輕輕咳了一聲，道：「在下田文秀，姑娘有何見教？」

那青衣婢女舉起紗燈，在田文秀臉上照了一陣，笑道：「你就是田文秀？咱們行令堂金堂主有請大駕。」

田文秀一抱拳道：「有勞姑娘帶路。」

那青衣女婢微微一笑，道：「我要先和你商量一件事。」

田文秀道：「姑娘有何見教？但請吩咐就是。」

青衣女婢笑道：「你為人講不講信用？」

田文秀怔了一怔，道：「咱們在江湖上行走之人，講求的行義立信，一諾千金。」

青衣女婢道：「那很好……」

微微一頓，接道：「我帶你去見那金堂主，你有脫身逃走的機會，你要不要逃？」

田文秀暗道：「哪有這等問法，彼此既屬敵對，哪有不逃之理，但被對方坦然地一問，反覺難以答覆。」沉吟了一陣，道：「逃又怎樣，不逃又如何？」

青衣女婢道：「你如要逃，我就給你戴上刑具，但你若不逃，就不用戴了。」

田文秀凝目沉思良久，仰天歎一口氣，道：「我瞧姑娘還是替在下戴上刑具的好。」

青衣女婢笑道：「你很老實，但你既然說了，那就對不住啦。」

田文秀雙手一合，伸了出去，道：「姑娘請動手吧！」

青衣女婢左手探入懷中良久，突然一抖，燈光下只見一片黑光閃動，田文秀還未看清楚，雙腕上突感一緊，已被結結實實地捆了起來。

田文秀心中大感奇怪，暗道：「什麼刑具，竟然這樣快速的捆住了我的雙腕？」凝目一望，不禁驚呆了。

原來手腕之上，纏的是細如小指，白身黑點小蛇，蛇尾和蛇頭，兩面蹺起，蛇身卻在田文秀雙腕之上，繞了三匝。

田文秀一皺眉頭，暗道：「當真是匪夷所思，竟然用毒蛇來當刑具。」

但聞那青衣女婢嬌聲笑道：「這是很少見的玉帶墨鱗蛇，蛇身鱗甲，柔中帶堅，雖利刀利劍，亦難斬斷，齒利毒重，中人必死，但已被我調理得十分馴服，只要你不存掙逃之念，絕不會隨便傷你。」

田文秀輕輕咳了一聲，道：「姑娘這刑具倒是別致得很。」

青衣女婢笑道：「誇獎，誇獎，現在咱們可以走了。」舉著紗燈，當先帶路而行。

田文秀回顧了趙天霄一眼，低聲說道：「老前輩多多保重。」隨在那青衣女婢身後，向前行去。

登上了二十八層石級，眼前是一道緊閉的鐵門。

那青衣女婢伸手在鐵門上輕輕一叩，緊閉的鐵門呀然大開。

一道強烈的日光，直射下來，再睜眼望去，只見佳木蔥蘢，花氣芬芳，亭台花軒，水聲潺潺，敢情是一座廣大的花園。

田文秀暗道：「好嚴密的佈置，當真是天衣無縫，如非此中人，實是不易尋找。」

青衣婢女突然從懷中掏出一塊白布，掩在田文秀雙手之上，扶著田文秀的左臂緩步前行。

田文秀道：「姑娘這是何意？」

青衣婢女道：「在這座花園之外，難免有行人，如果是被他們瞧到了你雙手被捆，豈不要引起他們的多心，這樣用絹帕罩上你的雙手，我再相依身邊而行，不但別人瞧不出可疑之處，而且你就算有什麼詭計，也是不能施展。」

行過一片花畦，景物忽然一變，只見水波蕩漾，眼前是一座廣大的荷花池。

一座彎曲的小橋直通往湖中一座水閣上，橋身狹窄，僅可容一人通過，兩邊紅色欄杆，極盡曲纖玲瓏之妙。

田文秀道：「姑娘請！」

青衣女笑道：「你是客人，自然是該走前面了。」

田文秀知她心中多疑，怕自己走後面暗施算計，不再多言，舉步跨上小橋。

青衣女緊隨田文秀身後，登上木橋，說道：「金堂主外貌溫和，但他脾氣卻是很壞，問到你什麼話，最好要據實而言，惹他動了火，那就有得你的苦頭吃了。」

田文秀道：「多謝姑娘指教。」

說話之間，已然走到小橋盡頭，浮閣門外。

青衣女突然大跨一步，搶到田文秀身前，舉手在緊閉的木門上，輕輕彈了三下。

兩扇閣門應聲大開，一個眉目清秀的道裝童子，迎門而立，望了那青衣女一眼；道：「原來是燕姑娘。」

青衣女道：「有勞傳報一聲，就說紫燕奉命求見。」

田文秀心中一動，暗道：「原來並非金堂主找我，這丫頭奉命把我送來此地。」

那青衣童子對紫燕似甚恭順，欠身道：「燕姑娘請稍站，家師行功未醒。」

只聽浮閣中傳出一個清朗的聲音，道：「要他們進來吧！」

青衣童子閃身退到一側，道：「燕姑娘請！」

青衣女嬌軀一側，道：「田少堡主請啦！」

田文秀大邁一步，進入閣中。

這座水上閣台，並不很大，方圓也不過兩丈大小，但卻打掃得纖塵不染。

靠北邊長窗，放一張檀木雲床，雲床上盤坐著一個青袍鶴髮，長髯垂胸的道長，隱隱可識，正是適才地窖暗室中見過的人。

紫燕伸出了雪白的皓腕，纖指兒輕輕地取下覆蓋在田文秀腕上的絹帕，微微一躬腰，說道：「婢子奉了上命，把這位少堡主送交金堂主。」

青袍道人就木榻一合雙掌，道：「上命有何教示？」

這丫頭雖是一名女婢，但權威似是不小，連那堂堂的金堂主，對她亦甚敬重。

紫燕收好絹帕，舉手一招，櫻唇中，同時發出一聲低嘯，纏在田文秀雙腕上那條玉帶墨鱗蛇，突然自田文秀雙腕上鬆了開來，蛇身一躬一長，直向紫燕竄過去，就在紫燕玉掌中，盤成一卷，縮頭閉目，狀至馴服。

田文秀從心底冒上一股涼意，暗道：「一個如花似玉的大姑娘，竟是調玩長蟲的能手，姑不論此蛇是否真如她所言的那般惡毒，單這種驚人的勇氣，就夠恐怖了。」

紫燕緩緩把盤成的小蛇，放入懷中，才欠身一禮，笑道：「回金堂主的話，萬上去時匆急，只叫婢子把田文秀交給金堂主，怎麼處理他，卻是沒有交代，既然萬上無命，金堂主自行做主就是，殺了、剮了都是一樣。」

那金堂主點點頭道：「青兒，快替燕姑娘倒杯茶來。」

紫燕一欠身，道：「不敢勞動小哥兒，婢子這就告辭了。」

金堂主就雲榻一合掌，道：「燕姑娘慢走，本座不送了。」

紫燕道：「不敢勞動金堂主。」轉過嬌軀，姍姍蓮步而去。

青袍道人目送紫燕背影消失，才冷冷對田文秀道：「三條路任你選擇，第一條是投入我萬上門下，戴罪立功……」

田文秀接道：「請問道長，那二、三條路呢？」

青袍道人道：「一是生離，一是死別。」

田文秀一皺眉頭道：「何謂生離？何謂死別？」

青袍道人道：「生離就是留下你一條命，放你離此……」

田文秀接道：「太簡單輕鬆，在下不敢相信。」

青袍道人點頭，道：「你很聰明，本座最喜愛有才智的人物……」微微一頓，接道：「你離開此地之後，要口不能言，手不能寫，以免洩露出所見聞的事。」

田文秀道：「口不能言，那是割去舌頭，手不能寫，是要挑斷腕上主筋……」

青袍道長笑道：「田少堡主果然聰明，猜得一點也不錯。」

田文秀道：「那死別可是把在下一刀殺了？」

青袍道人道：「你仍有選擇機會，敝上生性仁慈，雖對要死之人，亦是不忍獨斷專行。」

田文秀道：「不知有幾種死法可供在下選擇？」

青袍道人道：「自然是別處難有的死法。」

田文秀道：「願聞其詳。」

青袍道人道：「咱們萬上門下，養有幾隻巨鳥，和幾頭奇獸，鳥食獸吃，任君選擇。」

田文秀心中暗道：「這些人處處透著古怪，口口聲聲說敝上是如何的仁慈，如何的寬大，但懲人方法，卻又是殘忍異常，這鳥食獸吃的死法，倒確實新奇得很。」

只聽那青袍道人說道：「貧道今日講話已然過多，少堡主如何決定，還望快作主意。」
田文秀心中暗道：「看情勢，縱然想辦法再拖延一時半刻時間，也是難有幫助。」
當下說道：「在下三思之後，覺得道長劃出的三條路，在下是一條也不願去走。」
青袍道人笑道：「有這等事？」
田文秀道：「不錯，因此，在下倒想出了一條第四條路。」
青袍道人道：「嗯！你想憑藉武功衝出此地，是嗎？」
田文秀道：「形勢雖然對在下不利，但這卻是在下唯一的可行之路。」
青袍道人道：「好！貧道先讓你三招，也好讓你死得瞑目無憾。」
田文秀道：「在下是恭敬不如從命，道長要小心了。」一提真氣，緩緩舉起右掌。
他心中明白，對方的武功，強過自己甚多，這三招相比，實是僅有逃生機會。
那青袍道人雖和田文秀說了很多話，但人卻一直坐在雲榻上面未動，眼看對方舉起掌勢，仍是大而化之，恍如不見。
田文秀陡然一躍，直逼雲榻，呼的一掌，劈了過去。
那青袍道人微微一笑，也不避讓。
田文秀勁蓄掌心，輕輕一掌，拍在那青抱道人的左肩之上，道：「道長怎不讓避？」
青袍道人道：「貧道要試試你的掌力如何？」
田文秀陡地吐氣，一股暗勁，直湧過去。
只覺那道人左肩處，柔若無骨，軟似棉絮，應手塌陷了一寸多深。
田文秀吃了一驚，急忙收回掌勢。

那青袍道人微微一笑，道：「少堡主怎麼收回了掌勢？」

田文秀道：「道長果然是武功高強，在下還有兩招。」

青袍道人笑道：「只管出手。」

田文秀暗把真力運集於食、中二指上，突然一伸，疾向「天池穴」上點去。

只聽砰然一聲，田文秀食、中二指，有如擊在堅石精鋼之上，震得筋骨發麻，二指劇痛。

那道人卻是面不改色的微微一笑，道：「你服是不服？」

田文秀道：「在下還有一招，不甘放棄。」口裏強硬，心中卻是大爲驚震。

他一直在用心思考著傳出訊息之策，遲遲不肯出手。

那青袍道人已然等得不耐，冷冷說道：「你如不敢出手，那就是自甘棄去這最後一招。」

田文秀正待答覆，突聞鳥翼劃空之聲，一隻健壯的白鴿由浮閣一角穿洞而入，繞室而飛。原來那浮閣壁問，開有可容健鴿出入的小洞，只是裏面有白幔掩去，不留心很難看得出來。

但見金道長伸出左掌，口中咕咕兩聲怪叫，那健鴿突然飛到金道長左掌之上。

那素衣童子急急奔了過來，從那鴿翼下一個細小的竹筒中，抽出一張捲疊的白箋，恭恭敬敬地遞了過去，然後伸出雙手，抱走健鴿。

金道長展開手中白箋，匆匆瞧了一遍，突然皺起了眉頭。

田文秀凝聚目力望去，但那箋大部被金道長指掌擋去，只瞧到「緊急……速示」四個字，雖然沒頭沒尾不知說的什麼？但田文秀從四字之上，瞧出了一點蛛絲馬跡，定然是萬上門派在外面的弟子，遇上了什麼爲難，飛鴿傳訊，請求救兵……

金道長突然抬頭望了田文秀一眼，道：「這西北道上武林人物，你都很熟嗎？」

田文秀略一沉吟，道：「十九相識！」

金道長道：「在這西北道上，長安附近，可有一個黑袍用劍的人？」

田文秀笑道：「道長不覺這話問得太籠統嗎？武林用劍的人，何止千百，單是這長安左近，在下就可列出十人以上……」

金道長接道：「他喜愛穿著一襲黑衫？」

田文秀道：「這就更籠統、含糊了，衣色無定，武林穿黑衣的，那是數不勝數，叫在下如何去猜。」

金道長望望手中白箋，道：「他年紀很輕，武功奇高……」

田文秀搖搖頭，道：「不行，不行，既無姓名，又無特徵，如何一個猜法？」

金道長冷冷說道：「如果貧道知他姓名，那也不用問你了……」

語聲微微一頓，接道：「他生像俊美，胯下白馬，這總該有點眉目了吧？」

田文秀心中暗道：「黑衣白馬，年少英俊，長安左近，哪裏有這樣一個人物？」

只聽金道長說道：「你想到沒有？」

田文秀搖搖頭，道：「想不出來，除非在下能夠見他一面。」

金道長道：「他胯下白馬，奔行如風，乃世界極少見之千里馬，總該知道了吧？」

田文秀忖道：「這倒是一個逃走的機會，至低限度，可把他們取鏢、劫藥的消息，傳遞出去。」當下說道：「這人來歷，在下實難想出……」

金道長道：「黑衣俊貌，你想不出情有可原，但他胯下千里駒，卻是極爲少見，分明是存心推諉，不肯明言。」

田文秀道：「白毛千里馬，咱們西北道上，倒是有的……」
金道長急急道：「對了，就是那白馬主人，他叫什麼名字？」
田文秀笑道：「不過，那白馬的主人，已是五十開外之人，生得五短身材，乾枯瘦小，而且他也用的長劍，和道長說的年少英俊，黑衣用劍，卻是無一相同，因此在下未提到他。」
金道長怒道：「難道他不會娶妻生子嗎？他把千里駒送贈愛子，豈不是順理成章。」
田文秀笑道：「那人習練童子功，終生不能娶妻。」
金道長怔了一怔，道：「難道他就沒有一位侄兒、徒弟嗎？」
田文秀道：「有。」
金道長道：「這就是，那人姓什麼？來歷如何？」
田文秀拱手一笑，道：「道長說的就是區區在下。」
金道長臉色一變，冷冷說道：「你膽敢戲耍本座，那是自找苦吃了。」
田文秀道：「在下句句實言，寒舍被稱作白馬堡，就是因那匹白毛千里駒而得其名。」
金道長道：「你說那五十開外，乾枯瘦小的人，又是誰？」
田文秀道：「是在下一位叔父。」
金道長啊了一聲，道：「原來如此，那白馬現在何處？」
田文秀道：「白馬堡中。」
金道長道：「那白馬主人何在？」
田文秀道：「家叔已然三年未回過白馬堡了。」
金道長沉思片刻，突然行到靠西側壁間一張木桌旁邊，打開抽屜，取過紙筆，寫了一張字條，低聲說道：「抱過健鴿。」
那青衣童子應聲奔去，接過白箋捲好，塞入那健鴿翼下的竹筒中，打開室門，放去健鴿。
田文秀雖然暗中留神那金道長的手勢，但因相隔過遠，無法瞧出那金道長寫的什麼。
金道長緩步走了過去，笑道：「本座有一件事，實是想它不通。」
田文秀道：「什麼事？」
金道長道：「閣下不似膽小畏死之人，不知何以不肯逃走？」
田文秀一時揣摸不透他言中之意，緩緩應道：「在下答應了那位燕姑娘，絕不逃走……」
金道長低聲說道：「可是那位燕姑娘早已不在此地了。」
田文秀心中暗道：「聽他口氣，倒是有著鼓勵我逃走之意，這萬上門中人物，當真是神秘難測，叫人猜不出他用心何在？一時間，倒是不便接口。」
金道長笑道：「你和咱們萬上門無怨無仇，敝上又是一位心地仁慈的人，殺你雖然無害，可是也無益，只要你今後不和萬上門作對，不洩漏今日所見之秘，你就可以走了！」
田文秀一向智計過人，但此刻卻是有些茫然不知所措，呆了呆，道：「道長之意，可是說在下此刻可以走了？」
金道長道：「正是如此，但最好是從今以後別再和咱們萬上門作對，嚴守所見之秘。」
言罷，登上雲床，一揮手，道：「可以去了。」閉上雙目，盤膝而坐。
但聞呀然一聲，室門大開，那青衣童子站在門口，說道：「閣下請吧！」
如是換了旁人，必然會借機急走，生恐那金道長夜長夢多，改變了主意，但田文秀爲人精細，不肯鹵莽從事，覺得這金道長在片刻之間，態度忽然大變，這其間必然是別有緣故，關鍵就在那健鴿帶來的一封密函之上。

他愈想愈覺不對，只覺其間疑竇重重，費人猜測，不可不小心從事……

只聽那青衣童子說道：「此等機緣，甚是難得，閣下怎的還不走呢？」

田文秀淡淡一笑，道：「在下還有一位同伴，被囚於那假山之下的密室中，咱們武林中人，講求是義同生死，患難與共，他既然被囚，在下豈可獨自離去？」

青衣童子怒道：「你這人敬酒不吃吃罰酒，放你一個也就是了，還要來管別人生死。」

田文秀道：「如是只放在下一人，在下是寧可不走。」

青衣童子道：「不走也就算了。」

田文秀突然向後退了幾步，坐在一張木椅之上，閉起雙目，連望也不再望那青衣童子一眼。這當兒，突聞一陣急促的步履聲，傳了過來。

只聽浮閣門外，傳進來一個嚴肅低沉的聲音，道：「大護法呼延光，求見行令堂主。」

田文秀心頭一震，暗道：「看來這行令堂主的身分不低。」

那青衣童子面色冷肅，望著田文秀欲言又止。

田文秀低聲說道：「在下和那呼延大護法十分熟悉，不知在下在此方不方便？」

那青衣童子還未來得及答話，室外又傳來一個急促的聲音，道：「第一路總探，萬里追風劉飛，有緊急大事，求見行令堂主。」

田文秀心中暗道：「難道丐幫已然查出失藥之事，為萬上門所為了嗎……」

心念轉動之間，室外又響起一個沉重聲音道：「長安行宮四周，已發現武林人物出現，恭請行令堂主裁決。」

片刻之間，連續傳來了警報，那青衣童子顯然有些慌張失措，不知如何處理才好。

但他卻有他的對付辦法，未想出處理辦法之前，對這些連續傳來的緊急警報，一概不理。

田文秀心中大感奇怪，暗道：「這等緊急之事，難道那金道長，就聽而不聞嗎？」

田文秀心中一動，一個新起的念頭，突然由腦際間閃過，忖道：「那金道長怎的入定如此之快，適才還好好和我談話，何以在眨眼工夫之間，就進入禪定之境，這只怕是有些古怪？」

他心思縝密，任何微小之事，亦是不肯放過，當下低聲對那青衣童子說道：「情勢緊急，你怎麼不叫金堂主呢？」

青衣童子白了田文秀一眼，仍是一語不發。

田文秀不聞那青衣童子回答之言，又道：「兄台為何不叫醒那金堂主呢？」

青衣童子怒道：「誰要你多管閒事……」

他說話雖滿臉怒意，但聲音仍然很低，顯然怕驚醒了那金道長。

田文秀緩緩站起身來，直向那金道長走了過去。

青衣童子突然一橫身，攔住了田文秀，道：「你想要幹什麼？」

田文秀道：「閣下既然不便喚醒金道長，在下只有替你代勞了。」

青衣童子雙手亂搖，道：「不要驚動他，快些給我坐好。」

田文秀聽他口氣突然間變為十分柔和，心中更是奇怪，暗道：「他不但不敢和我動手，甚至連說話，也不敢大聲一些，這其間定然有什麼奇怪之處，難道和這金道長入定有關嗎？」

心念轉動，人卻向前大邁一步，暗運功力，身子直向青衣童子撞去。

那青衣童子突然一閃避開，低聲說道：「不要亂動，快坐下去。」

田文秀心中雖然覺得事情有些奇怪，但也明白自己的處境，仍然十分險惡，如若是這青衣童子真動了火，只要招呼一聲，那室外等候的高手，即可蜂擁而入，自己就不是敵手了，因此，也不敢過度的激怒那青衣童子。

那青衣童子年紀幼小，只不過十三、四歲，看上去眉目清秀，倒也聰明伶俐，可是一時遇上大事，就有著不知所措之感，呆呆地站著不動。

田文秀目光轉動，心中暗作盤算道：「我如出其不意，點了這童子穴道，再設法收拾了那金道長，就可從容而去了，這萬上門既有著很森嚴的戒規，諒那閣外高手，未得允准，不敢擅自進入閣中。」

只聽浮閣外又傳來那沉重的聲音，道：「東、北兩方，都已發現了逼近的武林人物，而且已經接近了咱們埋伏在四周的暗樁，是否要出面拒敵，小人難作主意，還望堂主裁決。」

那青衣童子注目望著靜坐不動的師父，目光之中，流露出焦急之情。

田文秀心中一轉，低聲說道：「小兄弟，令師幾時可以清醒過來。」

那青衣童子顯然是方寸已亂，竟然應道：「不一定啊！」

田文秀道：「大勢緊急，強敵已然逼近了行宮，令師不傳令下去，下屬不敢作主張，這樣乾耗下去豈是良策。」

青衣童子眨動了一下眼睛，道：「話是說得不錯，可是，我要說些什麼呢？」

田文秀笑道：「可要在下教你嗎？」

青衣童子道：「我如何能相信你？」

田文秀道：「小兄弟聰明絕倫，這好與壞，真和假，總應該聽得出來。」

青衣童子道：「好吧！你先告訴我怎樣對付那些迫近行宮的武林人物。」

田文秀道：「在下之意，不可出手抗拒，以免洩漏隱秘……」

青衣童子點點頭道：「這話不錯。」

突然走到室門口處，說道：「嚴小青代師傳諭，長安行宮守衛之人，盡量隱起行蹤，不可和來人抗炬。」

只聽一人應道：「敬聽法諭。」

田文秀心中又是好笑又是佩服，暗道：「這萬上門的規令，當真是森嚴得很。」

只見那青衣童子回身行了過來，低聲對田文秀道：「那呼延大護法，有事要求見家師，要如何答覆於他？」

田文秀說：「令師幾時能醒？」

那青衣童子冷冷說道：「隨時可醒。」

田文秀知他心中已動了懷疑，暗自提高警覺道：「田文秀啊！田文秀，只有遣走浮閣外面之人，你才有逃走的機會。」當下故作鎮靜，道：「在下只不過隨便問上一句罷了！」

微微一頓，接道：「小兄弟可以告訴他今夜二更時分再來。」

那青衣童子沉吟了一陣，道：「好吧！但那第一路總探萬里追風劉飛，緊急要事，求見家師，又該如何才是？」

田文秀道：「你要他權宜處理，如是遇上了特別棘手的事，明天再來請命，也是一樣。」

嚴小青點點頭，道：「眼下只有這個辦法，先把他們遣走就是。」

大步行到室門口處，依照田文秀之言，吩咐了一遍。

田文秀目光流動，望了盤坐在雲榻上的金道長一眼，只見他閉目而坐，像是對浮閣中發生的事物，毫無所覺，心中暗忖道：「這人不是打坐入定，這其中，定是別有原因，以他在萬上門的權位之重，如若能先把他制服，不難使萬上門受一次大挫折，如若是以他交換那趙天霄的命，自是輕而易舉了。」

心中忖思之間，那嚴小青已緩步走來，抱拳一禮，道：「多謝你從中相助。」

田文秀道：「不用客氣。」

田文秀心中暗道：「這娃兒不知真正武功如何？」

但聞嚴小青長歎一聲，說道：「這樣吧！我拿出刑具，你自己戴上吧！」

探手入懷，摸出一條紅索，接道：「你自己捆住兩隻手吧！」

田文秀望那紅索一眼，只不過細如燒香，忍不住微微一笑，道：「這區區一根紅索，豈能捆得住在下嗎？」

嚴小青道：「這也不過是做個樣子。」

田文秀伸出手緩緩接過紅索，說道：「很好，在下倒是試試這條小小的紅索，如何能夠綁得住武林高手。」暗中運集功力，用力一扯，那紅索竟然是未被扯斷。

嚴小青道：「怎麼樣？可是夠牢的嗎？」

田文秀還未來得及答話，突覺腰間一麻，雙手登時失去了作用，手中紅索脫手落地。

嚴小青撿起地上紅索，微微一笑，道：「對不住啦！少堡主。」

田文秀被他點了麻穴，全身不能動彈，但口齒卻仍可說話，心中暗道：「想不到此人小小年紀，竟是這般的陰險。」口中卻冷冷地道：「你這是什麼意思？」

嚴小青道：「我知道你心中不服，但此刻情勢不同，我縱然有放你之心，但事實卻不容我放你，只有暫時委屈你了……」

田文秀道：「爲什麼？」

嚴小青道：「你剛才教我代師傳諭，不准他們和來人抗拒，我越想越覺不對，如果強敵入了我們這長安行宮，則行宮之秘，豈不洩漏無遺……」

他伸出手去，又點了田文秀的啞穴，接道：「你心中不用不服，待過了這段險惡時光之後，我解了你的穴道，咱們各憑武功比試一陣，那時總叫你心服口服就是。」

突聞一陣急促的步履之聲，傳了過來，片刻間已到了浮閣室外。

一個低沉的聲音傳了進來，道：「屬下已遵從堂主之令，傳諭行宮四周護衛，不可和人抗拒，目下來人已分兩路進入行宮，恭請堂主裁示。」

嚴小青皺起眉頭，沉吟了一陣道：「嚴小青代師傳令，既然行宮未作抗拒，索性不要理會他們了，只要嚴守各處機密所在。」

那室外的聲音又道：「如是侵入要地呢？」

嚴小青道：「那就出手搏殺，不許留下活口。」

室外聲音應道：「屬下領命……」

但聞一陣輕微的步履之聲，逐漸遠去，想是那人已離浮閣而去。

嚴小青伸手抱起了田文秀，緩緩把他放在榻上，低聲說道：「你害我不淺，你也只好受些委屈了，如是今日這長安行宮有什麼大變故，第一個就先殺你，也好出了我胸中一口惡氣。」

嚴小青放好了田文秀的身子，把他擺成了一個盤膝而坐的姿態，從懷中摸出一副人皮面具，套在田文秀的臉上，低聲笑道：「雖然你騙了我，但我心中也有些喜歡冒險，家師常說，一個人愈歷困苦艱難，愈能奮發向上，但我自知事以來，從未遇過什麼艱難困苦的事，今日倒是可以大大地見識一番了。」

田文秀心中暗自悔恨道：「這行令堂主一坐如此之久，並未醒過，我該早些下手才是，想不到陰溝裏翻船，被一個稚氣未脫的孩子，玩弄於掌股之上，這件事如若傳揚江湖之上，當真羞見江東父老了。」

只見那嚴小青迅快地取過懸掛在壁間的長劍藏入雲榻之下，卻從榻下取出兩把鋒利的匕首藏入懷中。

田文秀一面暗中運氣，試行自解穴道，一面卻留神看那嚴小青的舉動。

只見嚴小青伸手在壁間一拉，開啓了一扇門來，從中抱出一個古色古香的小玉鼎，然後又取出幾個玉瓶，拔開瓶塞，倒出一些藥物，加入那石鼎之中，把石鼎搬在那金道長的身前放好，又從壁櫥內搬出了兩個密封的瓷罐，放在室角，關好壁櫥輕輕掩上室門，這才停下手來，坐在一側木榻之上，閉上雙目休息。

大約過了有頓飯工夫，室外突然響起沉重急促的步履之聲。

只聽一個宏亮的聲音道：「有人在嗎？」

嚴小青一躍而起，道：「找哪一位？」

砰然一聲，室門大開，一個黑面大漢，大步走了進來。

五　急管繁絃

在那大漢身後，緊隨著三個鶉衣百結的丐幫弟子，田文秀看得真切，那黑衣大漢正是章寶元，不知何以和丐幫弟子們走在一起。

章寶元雙目炯炯，望著嚴小青問道：「你是什麼人？」

嚴小青緩緩說道：「幾位無緣無故，侵入人家宅院，登堂入室，難道不怕王法嗎？」

章寶元向無辯才，心中一急，更說不出個名堂來，沉吟了一陣，才大聲吼道：「那木榻上坐的老道是誰？」

他忽然間改變了話題，問得那嚴小青也爲之呆了一呆，望了望木榻上的師父，道：「我家老爺的上賓。」

章寶元道：「他來此作甚？」

那三丐似是早已商量好了搜查之地，兩個奔向屋角，一個奔向木桌。

田文秀暗暗忖道：「丐幫中弟子，果是人人都有著量敵查事之能，嚴小青這小狐狸……」忖思之間，突聽嚴小青說道：「那屋角太過黑暗，我替你們燃起火燭，請諸位仔細的瞧瞧吧！」說著點燃火摺子，直向石鼎之中探去。

田文秀大吃一驚，暗道：「要糟，那石鼎之中，只怕是放的什麼藥物，如被點了起來，章寶元和丐幫中三個弟子，只怕要吃大虧。」

只見章寶元回頭望了嚴小青一眼，竟是不理不問。

田文秀急急暗自罵道：「這粗人，當真是粗而無細。」

他寄望於丐幫三人中能有一個人及早發覺，阻住嚴小青的舉動，但他失望了。

只見一縷彩色的火焰，由石鼎中冒了起來。

這時兩個奔向屋角的丐幫弟子，已然各自抱起了一個瓷罐。

其中一個問道：「這罐中放的什麼？」

嚴小青慢吞吞地說道：「我說了你們也不信，何不放在地下，打開蓋子瞧瞧！」

兩個丐幫弟子，相互望了一眼，似是覺得嚴小青說的有道理，果然依言而做，放下手中瓷罐，伸手去揭罐上封蓋。

嚴小青突然沉聲喝道：「不能動！」

兩個丐幫弟子手指已然觸到封蓋，停下手來，問道：「爲什麼？」

嚴小青道：「那兩個瓷罐之中，都是放的絕毒之物，你們如不小心，被咬傷一口，那可是必死無疑。」

兩個丐幫弟子，似是被嚴小青言詞駭住，雖未停手，但已留上了心，長長吸了一口氣，暗自戒備，只覺一股奇異的香味直入內腑，這兩個丐幫弟子，都是久年在江湖走動之人，聞得異香，立生警覺，急急說道：「撲熄那五色火焰。」

章寶元也聞到一股奇香，撲入鼻中，但他爲人素來是大而化之，也未覺出有異，直待聽到了丐幫中弟子呼叫之言，才生警覺，揮手一把，疾向嚴小青抓了過來。

嚴小青哈哈一笑，手腕一翻，輕巧異常地抓住了章寶元右腕。

章寶元呆了一呆，道：「這是怎麼回事？」

嚴小青道：「你們都中了五色煙毒，全身力道盡失。」

說話間，隨手一抬，點了章寶元的穴道，果然，章寶元眼看他一指點來，卻是閃避不開。

嚴小青點了章寶元穴道之後，突然縱身一躍，撲向屋角二丐。

二丐眼看嚴小青飛撲而來，齊齊揮掌拍出。

嚴小青哈哈一笑，雙手伸出，抓住了二丐的手腕，向前一帶，二丐立足不穩，一齊摔了個大馬爬。

二丐料不到那五彩毒煙竟然是如此的厲害，一身功力，突然片刻間不知不覺失去，而且竟是毫無感覺。

嚴小青雙手齊出，點了二丐穴道，縱身一躍，直向木桌旁邊另一名丐幫弟子撲去。那人眼看二丐和章寶元全無抗拒之力，心中大是驚訝，不敢再出手拒敵，轉身向外奔去，準備招呼同伴，趕來相援。

哪知腳步一抬，才覺到腿上虛弱無力，竟有著舉步維艱之苦，暗暗歎息一聲，正待大聲呼叫，嚴小青已點了他要穴，頓時半身麻木。

突聞一個洪亮的聲音傳了過來，道：「章老二，那浮閣中可曾發現了可疑的事物嗎？」

一聽之下，立時辨出是石一山的聲音，田文秀心中暗暗叫道：「這石老三和章老二，一般莽撞，糊糊塗塗的闖了進來，豈不是自投羅網？」

儘管他心中焦急如焚，卻是無能爲力。

室外小橋上，響起了急促的步履之聲，想是那石一山不聞章寶元相應之聲，尋了上來。

眼下唯一的希望，就是有幾個精明過人的丐幫弟子，和那石一山一齊找來，能查覺這彩煙繚繞的浮閣之可疑。

只聽砰然一聲，虛掩的浮閣木門，被一腳踢開。

面孔赤紅的石一山，出現在室門之外。

室中煙霧繚繞，石一山似看不情楚，探入腦袋，四下望了一陣，喝道：「喂！小娃兒，這裏有人來過沒有？」

嚴小青道：「一位黑臉大個子，帶了三個叫化子……」

石一山接道：「不錯啊！就是他們，現在哪裏去了？」

嚴小青搖搖頭，道：「那黑衣大個子帶三個叫化子，在敝東主這水閣中，翻了半天，又自行走去，到了何處，小的卻是不知。」

石一山忽然細心起來，回頭一顧道：「這裏面東西一點不亂啊！」

嚴小青道：「剛由小的整理好。」

這時，陣陣彩煙，由室中湧了出來，石一山鼻息之間雖然聞得了異香，但卻別無感覺，也未放在心上。

嚴小青突然站起身，緩步行了過來，一面說道：「你不信那就不如進入室中搜查一下。」

田文秀暗自怒道：「這小娃兒愈來愈可惡了，大約是瞧瞧石一山身後是否有人，準備動手。」

此時，石一山兩道目光，投注在盤坐雲榻上的田文秀，沉聲問道：「那人是誰？」

原來，田文秀那身上衣著，他是十分熟悉，但田文秀早已被嚴小青給套上一副人皮面具，面目全非。

嚴小青已然行近浮閣門口，目光一掠石一山身後，並無隨行之人，膽氣一壯，笑道：「那一位嗎?小的卻不認識。」

石一山道：「你說什麼?」

嚴小青道：「那人是敝東主的朋友，小的不認識他。」

石一山只見田文秀身上衣服，越看越是熟悉，突然舉步向浮閣之中行去。

嚴小青右手一指，疾如電火地點了過去。

石一山怒聲罵道：「好小子竟敢暗算石三爺。」說話之間，縱身向旁閃去。

哪知全身的力道，突然失去，這一用力，突然雙腿一軟，幾乎栽倒地上。

嚴小青指去如風，正點中石一山的肋間要穴。

石一山已知再無抗拒之力，正待張口大叫，招呼同伴，卻不料嚴小青早已料到此著，揮手一指，點了石一山的啞穴。

這時，石一山的神志，仍很清醒，只是已身不能動，口不能言。

嚴小青微微一笑道：「黑臉大漢，和三個叫化子嗎?現在你會見他們吧！」

石一山心情激動，雙目怒火暴射，瞧著嚴小青，卻是無可奈何。

嚴小青抱起石一山，得意地塞入雲榻下，一回頭，瞥見一個紫臉青年當門而立。

田文秀認出來人，正是鎮遠鏢局的鏢頭譚家奇，他心中暗道：「希望這人能細心些，不要中了那五彩毒煙……」

嚴小青雖然聰明刁蠻，但他究竟是年紀幼小，沉不住氣，看到譚家奇，微現驚慌之色，伸手去扭動那石鼎上的機紐。

原來，此時石鼎中噴出的彩煙，極爲細弱，已然無法傷人。

譚家奇右手一揚，一點寒芒疾射而來，口中冷冷喝道：「住手！」

嚴小青疾快地縮回右腕，一枚金錢鏢噹的一聲，擊在石鼎之上。

只見那石鼎中一縷上升的彩煙，突然間完全熄止。

原來，譚家奇無意一鏢，正好擊中了那石鼎上的樞紐，那金錢鏢乃旋轉而去，擊中鼎上機關的方位，又正是關閉一方，是以彩煙立刻熄止。

田文秀心中一喜，暗道：「毒煙威力既除，他縱然走進室中，也是不礙事了。」

那譚家奇十分謹慎，毒煙雖然熄止，但是不肯冒險而入，兩道目光，緩緩掃掠了浮閣一周，冷冷說道：「那雲榻上坐的什麼人？」

嚴小青道：「是位觀主。」

譚家奇目光轉注到田文秀的臉上，道：「那一位是什麼人？」

嚴小青道：「是這位觀主的朋友。」

譚家奇看那人衣著和田文秀一般模樣，心中有些動疑，假聲說道：「叫他醒來，我要問問他。」

嚴小青搖搖頭，道：「這位觀主是我們東主的貴賓，這位是觀主的好友，小的乃僕僮身分，不敢放肆。」

譚家奇舉步直行，直走到了田文秀的身側，伸手向田文秀右腕之上抓去，嚴小青眼看情勢緊迫，生恐拆穿內情，不禁大急，一挫腰，直向譚家奇撲了過去，右手駢指如戟，點向譚家奇的穴道。

譚家奇已暗中戒備，聞得衣袂飄風之聲，回手拍出一掌。

嚴小青爲形勢逼迫，不得不出手硬接一掌。

雙掌接實，響起了砰然輕震，譚家奇只覺腕骨一麻，身不由己地向後退了一步。

他心中吃了一驚，暗道：「這娃兒，小小年紀，竟有著如此深厚的內功。」

嚴小青心知如若放走了譚家奇，不但使萬上門中隱秘盡洩，而且自身還將受到萬上門中森嚴的門規制裁，因此，出手惡毒異常，招招都是襲向譚家奇的要穴。

譚家奇不料這青衣小童，武功竟然是如此高強惡毒，雖盡全力抗拒，亦無法挽回失去先機，僅僅是一個勉可自保之局，他想出言招呼浮閣外同伴進來助戰，但他全心全意應付嚴小青的攻勢，不敢稍分心神，竟是連呼叫說話的機會也沒有。

田文秀眼看兩人纏鬥惡戰，嚴小青占盡了優勢，他心中雖是如焚，但卻是身不能動，口不能言，只有空自焦灼。

正激鬥之中，突聞衣袂飄風之聲，兩個身著褸衣的丐幫弟子，飛躍而入。

左面一人，年約三旬，正是丐幫中後起三秀之一的藍光璧；右面一人五旬以上，瘦小身材，留著一綹山羊鬍子，身上揹了一個白色的布袋。

藍光璧冷眼看兩人交手四招後，才陡然欺身而上，一掌拍出。

嚴小青正自焦急間，突然身側勁風擊到，藍光璧掌勢，已然劈了過去，當下想也未想，右掌迎出，硬接一招。

藍光璧料不到對方年紀輕輕竟然功力十分深厚，劈出掌力腕骨一麻。

譚家奇低聲說道：「藍兄，這童子武功高強，不可輕敵。」

藍光璧微微一笑，道：「不礙事。」橫跨一步，攔在了嚴小青的身前。

嚴小青大概自知憑藉一人之力，難和群豪抗拒，自動停下手來。

藍光璧冷笑一聲，道：「小兄弟貴姓大名？」

嚴小青目光一掠金道長，只見他毫無醒來之徵，不禁大急，口裏卻應道：「我姓嚴。」

藍光璧道：「小兄弟在這座豪華廣大的宅院之中，是何身分？」

嚴小青道：「小的是個書僮。」

藍光璧道：「小小一個書僮，有此武功，本宅中的東主，定然是一位了不起的人物了？」

嚴小青心中已打主意道：「散佈在浮閣四周的暗樁或可瞧到他們進浮閣的事，如是久久不見動靜，定會趕來相援，此刻只有和他們拖延時刻了……」

心中念轉，口裏應道：「敝東主不會武功。」

藍光璧道：「令東主不會武功，你是從那裏學得了武功？」

嚴小青道：「從本宅中護院教師學得。」

藍光璧淡淡一笑，道：「不知貴宅有幾個護院教師？」

嚴小青道：「兩個。」心中忖道：「現在只有和他胡說八道，拖延時間了。」

藍光璧目光一轉，望了左面一個身負白袋的丐幫弟子一眼，笑道：「貴宅中兩位護院教師，現在何處？」

嚴小青雖然聰明，但如何能鬥過久走江湖的藍光璧，呆了一呆，道：「他們回家探親了，如果兩人在此，豈容你們侵入本宅……」忽然尖聲叫道：「不要動他。」縱身向雲榻旁衝去。

原來左面那丐幫弟子，得了藍光璧的示意，伸手向那金道長左腕抓去。

藍光璧疾發一掌，擋住了嚴小青，笑道：「小兄弟和這位道長也有關連嗎？」

兩掌揮動，封架嚴小青四招快攻。

要知藍光璧被譽爲丐幫中後起之秀，武功自是非同小可，適才因輕敵發出一掌，幾乎吃了暗虧，此刻出掌，卻是蓄勁強猛，招招凌厲，嚴小青被硬生生地震退原位。

這時，那身負白袋弟子，已然查過了雲榻上的金道長和田文秀，高聲報道：「這道長呼吸微弱，若斷若續，不知是何原因，那大漢卻是被人點了穴。」

藍光璧低聲說道：「解開那大漢穴道。」

目光一轉，望著嚴小青道：「想不到小兄弟這點年紀，心機倒是深沉得很。」

嚴小青隨師習藝以來，一直追隨在金道長的身側，在這位武林高手的翼護之下，學得了一身武功，但江湖上的經驗，卻是一竅不通，突出意外，立時就沒有了主意，打又不是藍光璧的敵手，頗感無計可施，呆呆地站在當地。

那丐幫中白袋弟子，施展推宮過穴手法，在田文秀身上一陣推拿，解開了田文秀的穴道。

田文秀長長吁一口氣，忽然站了起來，舉手在臉上一抹，取下了人皮面具，一躍下榻。

藍光璧微微一怔，抱拳說道：「原來是田少堡主。」

田文秀臉上一紅，笑道：「多謝藍兄相救。」

藍光璧道：「少堡主不用客氣。」

一直站在一側，久未開口的譚家奇，突然接口道：「田兄，那趙老堡主安好嗎？」

田文秀微微一皺眉頭道：「他也許很好，咱們只要生擒這位金道長，那就不怕他們了……」語聲微頓，接道：「趕快點了他的穴道，別讓他醒了過來，只怕咱們都非他之敵……」

藍光壁正待接口，田文秀又搶先說道：「這雲楊之下，藏有貴幫中的弟子。」

他雖然是極有條理的人，但此刻心中湧集幾件大事，恨不得一句話能說得明明白白，言來亦有著紊亂之感。

那白袋弟子一伏身，果見雲榻下擠滿了人，除了三個丐幫弟子外，還有章寶元和石一山。

嚴小青眼看機密盡洩，心中急怒交加，大喝一聲，直撲上來。

藍光壁右掌一揮，接下嚴小青的掌勢，兩個人立刻打在了一起。

田文秀急急轉過身子，暗運功力，一指點向金道長的要穴。

哪知指尖到處，如擊在鐵石之上，只震得手指麻疼，不禁一呆。

田文秀低聲道：「這道人不知練的什麼武功？禪定之後，仍是全身堅如鐵石。」

譚家奇口雖未言，心中卻暗自忖道：「有這等事？」

反手一掌，拍向那道人右肩。只聞砰然一聲，擊個正著。

果然，這一擊，有如打在鐵石之上，掌指頓感一麻，不禁一皺眉頭。

田文秀低聲說道：「他在入定調息之時，仍有著此等功力，醒來之後，那還得了，必得早先想個辦法才行。」

譚家奇道：「不錯，此事從未聽人說過。」

田文秀一沉吟，道：「他既能運氣閉住穴道，只怕一樣的也能抗抵兵刃，咱們如何才能傷得到他？」

譚家奇道：「只有使兵刃試一試了。」探手入懷，摸出一把匕首，去了皮鞘，握在手中，對準那金道長肩窩要穴刺了下去。他吃了一次苦頭，這一擊，用上了九成內力，那金道長武功再高一些，在渾然忘我的禪定期中，也是無能受此一擊，只見譚家奇手中那閃閃鋒芒，就要刺中金道長，忽然手腕一沉，匕首也脫手落地。

忽聽譚家奇驚呼道：「我中了暗器。」凝目望去，果見譚家奇右腕之上，釘著一根銀針，露出手腕外面的一半銀針，閃動著一片藍汪汪的顏色，一望之下，立時可以辨出那是浸過劇毒之物。

田文秀心中明白，此刻是唯一能制服那金道長的機會，錯過了，今生一世，再也難以遇上，這是冒險的一擊，但那無聲無息，不知來自何方的毒針，既然能擊中了譚家奇的右腕，也同樣將傷害第二個刺向金道長的人……

突然藍光璧沉聲喝道：「還不給我躺下。」只聽嚴小青叫道：「只怕未必。」緊接著砰砰兩聲，如擊敗革，嚴小青身不由己地向後退了兩步。藍光璧雖然仍站在原地未動，但也未再出手攻向那嚴小青。顯然，在他震退嚴小青的瞬間，自己也暫時沒有了再攻擊的力量。田文秀手中的匕首已然舉起，和那金道長前胸平齊，只差伸臂送出匕首。他輕輕咳了一聲，想引起那藍光璧的注意，哪知藍光璧正在提聚真氣，準備和嚴小青作全力一搏，竟是聽而不聞。

田文秀暗暗歎息一聲，看準了金道長肩窩要穴，兩道目光，卻突然轉注到丐幫那白袋弟子身上，同時，迅快地送出了手中的匕首。

果然，那白袋弟子在田文秀匕首遞出時，突然一抬右手。

兩縷銀線，疾如閃電一般，疾射而來。

田文秀早已戒備，右腕一沉，疾快地避開了兩枚銀針。

那白袋弟子，似是已覺到身分已洩，左手一抬，又是三縷銀線飛出。

田文秀料不到他在身分洩露之後，竟敢施出辣手，在這等距離下，閃避不及，右腿上一麻，中了一針，這不過是一瞬間的事情，那白袋弟子銀針出手的同時，人已躍飛而起，直向田文秀撲了過去。

譚家奇在田文秀示意之下，也對那白袋弟子動了懷疑，暗中留神監視，只因情勢變化得太快，連出言揭破的時間都沒有。

田文秀右手匕首倒轉，一招「天女揮手」，反向那白袋弟子刺了過去。

那白袋弟子一側身，讓開匕首，右手一伸「天王托塔」，疾向田文秀右腕托去。

田文秀右腿中了一針，行動不便，匆急間，突施辣手，匕首揮轉，忽的一招「西風捲簾」，幻起數點寒芒，刺了過去。

那白袋弟子吃手中沒有兵刃之虧，不敢硬接田文秀的匕首，被迫向後退出三尺。

田文秀冷冷喝道：「住手，閣下身爲丐幫弟子，怎的吃裏爬外，反向我等下手，施放毒針，傷在下和那位譚兄？」

這幾句話聲音甚高，意思就在讓那藍光璧聽到。

果然，藍光璧聞聲轉頭，兩道炯炯目光，直逼那白袋弟子身上。那白袋弟子，臉上仍是一片平靜，並未因藍光璧的注視而有驚慌之感，兩道目光望著田文秀，一副準備出手之狀。

藍光璧似是突然受了一下重擊，心神震動，暗道：「原來我們丐幫之中已經有奸細，這位白袋弟子，乃幫主由總舵中帶來的隨身護衛之一，有一個怎麼擔保沒有第二個呢！」愈想愈覺害怕，直覺著整個丐幫，都處在一種險惡無比的情勢之下。

藍光璧被譽作丐幫中後起三秀之一，不只是武功上有著過人的成就，而是機智才能方面，都有著人所難及之處。

他鎮定了一下心神，道：「田兄請多多留心一下室外情形。」

言下之意，那是否定了白袋弟子出手傷人的事。

譚家奇心中大怒，暗道：「這等情勢，一目了然，難道咱們冤他不成，想不到丐幫中人，竟是如此護短。」

田文秀卻是思慮較多，想到可能藍光璧故示淡然，暫安白袋弟子之心。

藍光璧表面上雖然仍能保持著鎮靜，但內心中的憂慮，卻是波翻浪湧。

就目下情勢而論，只有先把嚴小青制服再說。

心念一轉，揮掌直撲過去，雙掌連環劈出，一掌強過一掌。

嚴小青雖然全力反擊，但內力要比藍光璧遜上一籌，經幾招硬拚後，已有氣力難及之感。

藍光璧全力施爲，逐漸地控制了大局。

可是嚴小青每在將要落敗的當兒，就突然用出一、二招奇詭莫測的拳招，脫出險惡。

是以，雙方的勝敗之勢，雖然十分明顯，但藍光壁竟是一時間無法取勝。

田文秀暗中運氣，閉住了右腿穴道，單腿一躍，陡然間向前欺進了兩尺，攔住了那白袋弟子去路，右手匕首投向譚家奇道：「譚兄，我擋此人，快些收拾那金道長。」

譚家奇應了一聲，接過匕首。

那白袋弟子，右手一揚，一蓬銀雨，直飛了過去。

田文秀被那一把毒針，鬧得手忙腳亂，自顧不暇，眼看著白袋弟子，由側身掠過，卻是無能分手阻擋，心中大是著急，喝道：「譚兄小心。」

譚家奇左手執著匕首，已經刺向金道長，聽得田文秀的招呼，右腳又陡然踢出，封住了右面門戶。

這是同歸於盡的打法，踢出一腳，旨在一擋敵勢，不讓他阻礙刺向金道長的匕首。

只見銀芒一閃，數枚銀針，電射而至。

譚家奇吃過一次苦頭，右腕上的毒針，尙未拔下，眼看毒針飛到，不禁急急一縮手腕。只覺右腿一疼，吃人一掌震開，身不由己的打了一個轉身。

原來白袋弟子，打出兩枚毒針的同時，右掌也拍了出去，擊中了譚家奇踢來的右腿。

這出掌、發針到譚家奇右腿中掌，不過是眨眼間的功夫，那白袋弟子，已然借勢欺上，揮手一招「飛鈸撞鐘」，硬向譚家奇的前腿擊去。

譚家奇匕首疾揮，封開掌勢，左腕伸縮，反擊三招。

他原本要運氣閉住右臂上的穴道，以免毒氣侵入內腑，但右腿中掌，被迫而退之後，心中急怒交集，不顧毒氣內侵，全力展開反擊。

剎那間寒芒流動，招招指向白袋弟子要害大穴。

譚家奇這等不顧生死的打法，迫得那白袋弟子連退了四、五步，離開了雲榻。

田文秀眼看機不可失，單腿一躍，直向雲榻衝去，運氣蓄勁，揮手一掌，疾向金道長前胸迫去。

只聽砰然一聲，擊個正著。

這一掌落勢奇重，那盤膝而坐的金道長，身子被震得飛了起來，摔下雲榻。

田文秀心中暗道：「這一掌就算不能置你於死地，至少可使你身受重傷。」

轉身望去，只見盤膝而坐的金道長就地打一個翻滾，仍然是原姿原樣，毫無損傷。

田文秀暗暗歎息一聲，道：「天外有天，果是不假……」

只聽一陣急促的喘息之聲傳了過來，原來譚家奇經過一陣惡鬥之後，行血加速，針上之毒，已隨行血內侵，漸感半身麻木，手腳不靈。

但他生性好強，雖知已經再難撐過幾回合，竟仍是咬牙苦鬥，不死不休。

田文秀眼看場中形勢不利，一咬牙，右手一按雲榻，飛躍而起，看準那金道長前胸要穴，用盡全力踢出了左腳。

這一腳乃他全身勁力所聚，其威勢足以碎石開碑，那金道長武功再高，但他在坐息禪定期間，無能運功抗拒，只怕是也難擋受這等重大一擊。

眼看田文秀飛起的一腳，即將要踢中那金道長的前胸之上，突見金道長雙目啓動，揮袖一拂。

一股柔和的勁道，湧了過來，撞在田文秀的身上，田文秀身不由己地打了兩個轉身，一腳踢在雲榻之上。

只聽砰然一聲大震，雲榻整個飛了起來，木屑、被褥橫飛，散落一地。

田文秀疾沉真氣，穩住了身子。

轉眼望去，只見金道長緩緩站了起來，沉聲喝道：「住手。」

嚴小青正感不支，已被藍光璧迫得手忙腳亂，聽得師父呼喝之言，心中大喜，縱身一躍，退了開去。

金道長冷峻的目光一掠田文秀等，投注在藍光璧身上，道：「你是丐幫中人？」

藍光璧道：「不錯，道長怎麼稱呼？」

金道長淡淡一笑，道：「你在丐幫中是何身分？」

藍光璧道：「丐幫總舵中護法香主。你是何人？」

金道長道：「你還不配和貧道論名道姓！」

藍光璧道：「道長的口氣不小。」

金道長不再理會藍光璧，目光卻轉到那白袋弟子身上，道：「你今日暴露了身分，那是無法回丐幫去了。」

那白袋弟子答道：「情勢危殆，屬下不能不出手了。」

金道長點點頭，道：「我知道。」

目光由田文秀、藍光璧等臉上掠過，道：「你們今日發覺了萬上門中不少隱秘，貧道雖有好生之德，也是不能放過你們。」

藍光璧心情激動，目光直是要噴出火來，冷冷地向那白袋弟子道：「我丐幫一向是忠義相傳，江湖提起丐幫中人，誰不敬重，想不到我幫中竟然會有你這等害群之馬，須知本幫中執法長老，神目如電，諒你也難逃過幫中規法制裁！」

那白袋弟子微微一笑，道：「藍光壁，老夫要鄭重奉告一事，萬上神功絕世，金堂主和四燕八公，都是當代中奇才異子，丐幫中人雖多，不過是烏合之眾，豈能擋得萬上的神武，你如聽老夫良言相勸，投效我萬上門下，老夫當在金堂主面前，代為求情……」

藍光壁怒聲喝道：「叛徒找死。」縱身一躍，直撲過去。

金道長袍袖一拂，一股暗勁，撞了過來，硬將藍光壁向前撲去的身子，生生給震退回來。

藍光壁被對方一擊之勢，震得血翻氣浮，不禁心頭大駭，暗道：「這牛鼻子老道好深厚的功力，今日之局，只怕是凶多吉少了。」

只聽金道長冷冷說道：「你們自己動手呢，還是要貧道動手？」

藍光壁長長吸一口氣，暗自戒備，雙目凝注在金道長的臉上。

他雖然明知非敵，但亦不願束手就縛。

金道長步履從容，緩緩行到藍光壁的身前，舉手點出。

他舉手一擊，來勢甚緩，但藍光壁卻有無從招架之感，不禁心頭大駭，一閃身向後退出兩步，避開一擊，金道長陡然踏前一步，左手一長，原勢不變地點了過去。

藍光壁右手疾翻而起，一招「腕底翻雲」，幻起了一片掌影，護住前胸所有大穴要害。

原來，金道長那伸手一點之勢，竟是遍罩前胸各大要穴，不知他要點向何處，藍光壁只有護住前胸所有大穴要害。

只聽一陣啵啵輕響，藍光壁那重重掌影，竟是無法封住那金道長的來勢。

藍光壁掌勢擊在金道長的臂指之上，如擊在鐵石之上一般，不但未能封擋開那金道長的掌勢，反而把自己的手掌震得劇疼難忍。

金道長點出的一指，有如破石之錐，擋開了藍光璧的掌影，直逼在藍光璧前胸玄機大穴之上，冷笑一聲，道：「你是想死呢?還是想活？」

藍光璧道：「苟安求命，非我幫中弟子所願，道長儘管出手。」

金道長道：「你不用向我求命，咱們只要做一筆很公平的交易。」

藍光璧雖然有著視死如歸的豪氣，但並非是已無貪生之意，忍不住問道：「什麼交易？」

金道長笑道：「對你而言，簡單得很……」

目光轉到那白袋弟子身上，接道：「只要你重回丐幫之後，不洩露今日之密。」

藍光璧哈哈一笑，道：「如在下答應了，道長就會相信嗎？」

金道長道：「自然是不會相信，但如答應了，貧道自有辦法使你不說出來。」

藍光璧奇道：「你既有使我不說之法，何用再來問我？」

金道長道：「貧道爲人向不強人所難，雖然有制服你的手段，但仍要你事先有所承諾，日後你爲我屬下，才能夠心服口服。」

一語甫落，突然浮閣外一個清冷的聲音，接道：「放手。」

金道長抬頭看去，只見一個全身黑衣，身佩長劍，臉上包著黑帕的人，當門而立。

這人來得突兀至極，以室中幾人的武功，竟然未聽到他如何過了那室外木橋。

田文秀心中一動，暗道：「這人定然是那金道長適才探詢的人了。」

凝神望去，只見他雙目閃動逼人的神光，除了雙目之外，一張長臉盡在那黑帕掩蓋之下。

金道長先是一怔，繼而淡淡一笑，道：「貧道雖未見過閣下，但卻已經聞名。」
那黑衣人冷冷接道：「我要你先放手下的人。」
金道長淡淡一笑，道：「貧道一生中，只聽過兩人之命，還未有第三個人能命令我。」
黑衣人手臂一抬，突然間寒光暴閃，手中已多了一柄寒光閃爍的長劍。
他拔劍的動作，快速無比，全室中人都未看清楚他是如何拔出背上的長劍。
金道長臉色微微一變，道：「好快的拔劍手法。」
黑衣人冷漠地道：「在下不願動手傷人，但如道長不肯罷手，在下只好出手了。」
金道長見多識廣，只瞧那黑衣人拔劍的手法，已知遇上了前所未遇的勁敵，一面暗作戒備，一面冷冷說道：「閣下既然和本門作對，何以又不敢以真正面目見人。」
黑衣人道：「在下並無和你們作對之心，只是受命而來……」
他似是自覺說得太過坦白，說到中途，霍然住口不言。
雖只短短兩句話，但經驗廣博的金道長，已然聽出這位黑衣人是位初出茅廬，毫無江湖經驗的人。
這一瞬間，金道長突然下定決心，準備以武功試試這位來歷不明的黑衣人劍上的奇異招數，正待運功先把藍光璧傷在手下，忽聽一聲縹緲琴聲，傳了過來。
那琴聲似有著一定節奏，若斷若續。這是萬上門中另一種傳達令諭的方法，那斷續的琴聲中，指示了金道長對敵之策。
金道長一皺眉頭，緩緩放開了按在藍光璧前胸的掌指，微微一笑，道：「你既未存和本門為敵之心，貧道亦不願迫人過甚。」

回頭望了嚴小青一眼，道：「解開他們身上的穴道。」
嚴小青不敢違命，大步行去，解開了章寶元、石一山和三個丐幫弟子的穴道。
章寶元雙臂伸動，一躍而起，道：「好啊！你們竟敢暗算章二爺……」
目光一掠，看清楚了室中之人，不禁一呆，下面的話，竟自接不下去。
那黑衣人緩緩把手中一把寒光奪目的長劍還入鞘中，一拱手道：「多謝道長。」金道長笑道：「不用客氣。」
田文秀心中暗道：「目下情勢，變得十分詭異難測，這黑衣人拔劍手法，雖是快速異常，罕聞罕見，但這金道長也未必就怕了他，何以突然這般的馴服起來，這其間只怕另有緣故？」
他雖然覺出事不平常，但一時之間，卻想不出原因何在？
只見那黑衣人銳利的目光，掃向田文秀和譚家奇，問道：「兩位中了暗器。」
田文秀道：「咱們中了有毒暗器。」
黑衣人目光凝注到金道長臉上，道：「道長既肯看在下面上放人，還望賜給解毒之藥。」
金道長目光轉注那白袋弟子的臉上，道：「你的身分已然洩露，也不用再回丐幫去了，把解藥給他們吧。」
那白袋弟子恭恭敬敬的應了一聲，探手懷中，摸出一個玉瓶，倒出了兩粒白色的解毒丹丸，遞交在田文秀的手中。
田文秀接過丹丸，分給了譚家奇一粒，自己當即服下一粒。
對症下藥，神效立見，兩人服下解藥後，傷處的麻木之感頓然消失，紅腫也逐漸退去。
只聽那黑衣人冷冷的聲音，傳了過來，道：「諸位也該走了！」

藍光璧當先而行，譚家奇和三個丐幫弟子，魚貫相隨，出了浮閣。

田文秀走在最後，行出浮閣之後，回頭對黑衣人一拱手，道：「田文秀永記今日之情。」

黑衣人未還禮，卻高聲說道：「諸位中，可有鏢遠鏢局的人嗎？」

譚家奇道：「在下便是。」

那黑衣人一拱手，道：「見著那王老英雄之後，就說在下三、五日內即當趨晤拜見。」

譚家奇道：「兄弟當遵照吩咐，原話轉告。」轉身行過小橋。

藍光璧低聲問道：「譚兄認得黑衣人嗎？」

譚家奇搖頭，道：「不識，但他既然識得敝東主，想來或是敝東主的故舊。」

藍光璧道：「但願如此。」

目光回掠三個丐幫弟子一眼，問道：「你們可有人識得那白袋弟子的來歷嗎？」

左首一個年紀較長的弟子道：「弟子只是知之不多。」

藍光璧舉步而行，一面低聲說道：「你說說他的來歷。」

那左首弟子道：「弟子只知他屬於護法堂下，至於他的來歷，卻是不甚了解。」

藍光璧只聽得一怔。他乃智勇雙全的人，心知此時光，不但是丐幫遇上了從未有過的險惡，整個武林亦正在醞釀著一次狂大的風暴。

他必得及早見到幫主，告訴他丐幫中正隱伏無數的危機，險惡的內奸，如不能及早清除，不用外來的強敵出手，丐幫即將在不知不覺中土崩瓦解……

六 針鋒相對

眾人退出大宅後，藍光璧流目四顧，打量了一下周圍的形勢，伸手指著東北一座突起的土嶺，道：「咱們到那土嶺之上，傳出火急金鈴，求見幫主。」

田文秀心中暗道：「久聞丐幫傳訊之術，神奇莫測，今日倒要開開眼界，什麼是火急金鈴？」

他本想把身歷經過，所見所聞，說給那藍光璧聽，但藍光璧恃才傲物，不肯詢問，也就忍下不說。

這時，群豪已放開了腳步，直奔東北行去。

石一山搶前數尺，和田文秀並肩而行，低聲問道：「少堡主和趙大哥同行，可知那趙大哥現在何處嗎？」

田文秀道：「趙老前輩已陷入萬上門中，據我的觀查，近日之內，還不致有何凶險，那萬上門高手如雲，絕非咱們之力能夠救出。」

石一山道：「在下和章老二與趙大哥義結金蘭，生死與共，縱然是明知事不可為，也要一盡心力，豈能坐視不管。」

田文秀道：「此時此情，只有借重丐幫大力，石三爺暫請忍耐一二。」

石一山知他所言非虛，長歎一聲，默然不言。

群豪腳程快速，片刻工夫，已到了那土嶺之下。

抬頭看去，只見亂石堆積，荒草叢生，原來是一座亂石崗。

藍光璧忖度了一下形勢，道：「咱們到那片雜林中去。」當先舉步而行。

這是一片荒涼的雜林，茅草、雜樹，混生於亂石之中。

藍光璧奔入林中，找了一片平坦的草地，坐了下去，道：「傳出火急金鈴。」

只見四個丐幫弟子，突然站了起來，分向東西南北四個方向行去。

突聞一陣不急不緩的鈴聲，由四面傳來。

但聞那鈴聲由緩轉急，去勢加速，片刻間，已然不可聽聞。

藍光璧回顧了身後兩個丐幫弟子一眼，道：「你們去弄點食用之物來。」

兩個弟子應了一聲，轉身而去。

藍光璧回望金嘯川一眼，道：「金兄，咱們也該藉此機會，運氣調息一下。」

田文秀低聲對章寶元等說道：「咱們也該藉這機會，好好地休息一下。」

幾人剛閉上眼睛，突然一陣急促的步履聲傳了過來，緊接著肉香撲鼻。

睜眼看去，只見兩個丐幫弟子，一個捧著烤好的兔兒，一個捧著幾隻燒烤嫩雞，大步行了過來。只見那兩個丐幫弟子，行到藍光璧的身前，欠身說道：「弟子獵得兩隻野兔。」

藍光璧微微一笑，道：「那很好。」

另一個弟子接道：「弟子在山後農家，拿了四隻嫩雞。」

藍光璧道：「咱們丐幫弟子不能私自取人之物。」

那人應道：「弟子不敢，弟子以一兩碎銀拿得四隻嫩雞。」

藍光壁道：「這就是了。」

目光一轉，望著田文秀等說道：「諸位請進點食用之物。」

田文秀忖道：「丐幫中人看似稱兄道弟，舉止隨便，實則規戒森嚴，尤過武林中各大門派。」心中念轉，口裏卻答道：「諸位先行食用，在下等還可支撐一時。」

藍光壁舉手一揮，那兩個丐幫弟子送過了一隻烤好的山兔和兩隻嫩雞。

群豪雖然未能個個吃飽，但腹中的饑火已被抑止。

除了夜風吹打著枯草，發出輕微的沙沙聲外，亂石崗上，一片靜寞。

突然間，響起了一聲長嘯，劃破了夜的沉寂。

坐息中的群豪，都被這聲長嘯驚醒。

群豪心中，還未及轉動念頭，又是一聲長嘯傳來。

這兩聲長嘯，有著顯然的不同，那最初一聲，尖銳刺耳，這第二聲卻是沉穩豪邁，如鳴金鐘，顯然，這是兩個人發出的嘯聲，只是無法辨別出來，兩人是友是敵？

藍光壁突然站起身子，低聲說道：「金兄請代兄弟守住門戶，我去瞧瞧來的是什麼人？」

金嘯川道：「這個讓老叫化去瞧瞧也是一樣。」

藍光壁微微搖頭，道：「我去，幾位請留在此處，兄弟去去就來。」

也不容金嘯川再接口，起身疾奔而去。

章寶元低聲對金嘯川道：「這位藍兄很驕傲……」

石一山突然伸出手去，輕輕拉了章寶元一下，接道：「金兄，咱們和貴幫中人，走在一起，不知是方不方便？」

金嘯川道：「敝幫主亦是久聞趙堡主的大名，老叫化亦曾在幫主面前提過諸位，自是沒有什麼不方便了。」

幾個人說話的聲音很低，距離稍微遠一點，就不易聽得清楚。

一提起趙天霄，田文秀心中突然感覺一陣惶惶不安，他身受重傷，被困密室，自己雖然目睹其情，卻是無能相救。

章寶元脾氣雖然急躁一點，但他並不是傻子，石一山撞了他一下，立時停口不言，卻轉臉望著田文秀道：「田世兄，趙堡主現在何處？」

田文秀心知如若據實說出，以這章寶元和石一山的個性，必定要趕去相救，但此行無疑以卵擊石，只好昧著心，道：「我們分別被囚……」

章寶元接道：「怎麼？你不知道？」

他心中焦急之下，這句話卻是說的聲音不小，靜夜中傳出了老遠。

只聽一個沉重聲音傳了過來，道：「什麼人？」

緊接著響起了步履之聲，直向幾人停身之處走了過來。

章寶元似已自知闖下了禍，陡然站起身，直向旁側行去。

石一山和他久年相處，知他心意，準備把來人引往別處，以免牽累他人，當下隨著站了起來，隨去助拳。

金嘯川突然起身攔住了兩人，道：「兩位意欲何往？」

章寶元道：「我要去瞧瞧來的什麼人？」

金嘯川笑道：「不用兩位，他也會自己找上門來。」
語聲剛落，正西草叢中已然出現了一條高大的身影，直對著幾人停身之處行來。
田文秀回目一顧，不禁心頭一動，暗道：「這人好大的個子。」
只見那黑影搖動，一個龐大身軀，直行過來。
田文秀忖道：「此人如此高大，必是天生臂力過人，不能和他硬拚力道。」
只見那高大黑影，愈來愈近，片刻間，已然走到幾人身前。
金嘯川凝目望去，只見他巨目海口，顎下無鬚，顯是年歲不大，當下一抱拳，道：「兄台深夜到此荒僻之地，不知為了何事？」
那高大漢子目光緩緩由幾人臉上掃過，道：「我來找人！」
金嘯川道：「找什麼人？」
高大漢子道：「我家公子。」
田文秀心中暗道：「此人口快心直，原來帶有幾分渾氣。」當下接口說道：「你家公子是何等模樣？說給我等聽聽，我等也許可以指明你一條去路。」
哪知高大漢子，突然冷冷問道：「你們都是些什麼人？」
田文秀心中暗道：「如是常年在江湖走動的人，一眼間，就可瞧出丐幫弟子了。」心中念頭轉動，人卻抱拳說道：「在下田文秀。」
那大漢竟然抱拳說道：「小的名叫大虎兒。」
田文秀微微一笑，道：「你家公子和你一起來此的嗎？」
大虎兒道：「不錯，我家公子要我在那廟中等他，哪知一等就等了一夜，還不見他回來，我帶的乾糧早已食用完了，再不找他只好餓肚子了。」
田文秀道：「你家公子，什麼樣子？」
大虎兒突然睜著眼，仔細在田文秀臉上瞧了一陣，道：「你這人不似壞人，告訴你不妨事！」語聲微微一頓，接道：「我家公子穿黑衣，騎白馬，背上插劍。」
田文秀突然心中一動，暗道：「難道就是在那宅院之中，遇到的黑衣人嗎？」轉目望去，只見金嘯川、石一山等，都露出滿臉渴望之色，希望他再追問下去。
田文秀心中暗道：「那黑衣人自秘身世，看來只有從大漢口中套取了。」但他心中明白，這大漢人雖有渾氣，但他忠心為主，卻又非人能及，只要被他覺出在套問主人身世，定也是死不肯說。
心中思頭轉動，口中卻轉著彎子問道：「大虎兒，你貴姓啊？」
大虎兒道：「我姓岑啊！」
田文秀心中暗道：「不知他是否隨主人的姓氏。」當下接道：「那你家公子也姓岑了？」
大虎兒搖搖頭，道：「不對，不對，我家公子不姓岑……」
他似是陡然間有了警覺，望了田文秀一眼，不肯再說下去。
田文秀心想已然惹起了他的疑心，多問亦是枉然，但如想了解那黑衣劍客的身世，必從此人身上著手不可，當下笑道：「你家公子一向言而有信，既要你在此相候，那是一定會來！」
大虎兒喜道：「你怎麼知道呢？」
田文秀道：「岑兄渾厚誠樸，今東主能和岑兄處得，定然是一位英雄人物。」
這當兒，陡聞蹄聲得得，一騎快馬，疾馳而來。

夜色中，只見那快馬全身雪白，轉眼間奔馳到群豪身側。

馬上人黑衣背劍，臉上罩著黑紗，正是在水上浮閣中見到的黑衣人。

田文秀等雖然未見他廬山真面，但他卻有著一股特殊的手儀、氣質，一見之下，即使人覺得與眾不同。

只見黑衣人一勒馬僵，白馬驟然間停了下來，兩道炯炯眼神掃掠了群豪一眼，緩緩說道：「大虎兒！咱們走吧！」帶著馬頭，放轡奔去。

大虎兒望著田文秀一拱手，道：「我要走了。」

也不容田文秀答話，放開步子，緊追那快馬而去。

那大虎兒身軀高大，看上去有拙笨之感，但奔行起來，卻是快如飄風，只見他步履如飛，緊追那白馬之後，眨眼間人馬俱遝。

金嘯川低聲說道：「田兄，浮閣中相救你們的人，就是這位黑衣人嗎？」

田文秀道：「不錯！兄弟曾目睹他拔劍手法，當真是快捷如奔雷閃電，使人目不暇接。」

金嘯川正待接口，突然一陣急奔的步履之聲傳了過來。

凝目望去，夜色中只見一條人影，疾如飛鳥而至。

田文秀暗暗道：「這人好快的身法……」

心中讚語未絕，那人已到了幾人身前，只見那人灰衣百結，正是丐幫弟子。

以金嘯川爲首的丐幫弟子，齊齊以幫中禮拜見來人。

田文秀雖然不太瞭然丐幫中輩分、禮法，但見金嘯川等恭敬神情，顯示來人的身分不低，但來人還了一禮，說道：「幫主已得知你們金鈴，特命本座趕來，召請諸位去見幫主。」

金嘯川道：「有勞護法香主大駕了。」

那人目光四下轉動了一陣，低聲問道：「怎不見藍舵主？」

只聽數丈外一人遙遙應道：「兄弟在此。」

藍光璧隨聲奔了過來。

金嘯川低聲問道：「藍兄可曾瞧到了什麼？」

藍光璧凝重地說道：「很意外，想不到一向出沒在江南的哭笑二魔，竟會在此地出現。」

金嘯川道：「就是剛才那兩聲厲嘯？」

藍光璧道：「不錯，兄弟趕到，二魔已連袂東去。」

田文秀暗暗忖道：「好啊！想不到一向平靜的長安城，突然熱鬧起來，俠魔雲集，龍蛇會聚，難道這些人，都是爲了那王子方保的暗鏢而來嗎？」

只聽那灰衣人道：「幫主急待召見兩位，想必有要事垂詢，不可拖延時間。」

藍光璧道：「咱們立刻動身，兄弟亦有著很多事，必得面報幫主，恭請裁決。」

田文秀一抱拳，道：「諸位既然有事，在下也就此別過。」

那灰衣丐望了田文秀一眼道：「這位是……」

金嘯川接道：「白馬堡的田少堡主。」

那灰衣人轉身一抱拳，道：「敝幫主早欲一見少堡主，不知是否可以屈駕同往一行？」

田文秀道：「黃幫主的大名震動江湖，在下心慕已久，能得晉謁，足慰生平。」

那灰衣丐微微一笑，道：「敝幫主爲人謙和，少堡主肯予賞光屈駕，老叫化先行謝過。」

回目一掠藍光璧和金嘯川，道：「咱們快些趕路吧！」當先放步行去。

藍光璧交代了幾個隨行，要他們先回分舵去，然後和金嘯川聯袂而行。
田文秀低聲對章寶元道：「諸位先行回趙家堡去，我見那黃幫主後，立時趕回趙家堡。」
章寶元道：「好！咱們在趙家堡恭候田世兄。」
田文秀放步追上金嘯川，幾人一同施展提縱術，全力奔馳。
足足行了半個時辰左右，到了一處低矮的茅舍前面。
那灰衣丐低聲對田文秀道：「少堡主請稍候片刻，在下通報幫主一聲。」
田文秀道：「老前輩請便。」
灰衣丐微微一笑，緩步行入茅舍。
田文秀目光一轉，只見金嘯川和那藍光璧，整整身上衣服，垂手站在茅舍門外，崇敬之態，流現於神色之間。
大約有盞茶時光，茅舍中突然亮起了燈光。
一個身著月白長衫，年約五旬的清瘦之人，緩步行了出來。
藍光璧和金嘯川齊齊欠身作禮說道：「見過幫主。」
那清瘦長衫人微微一笑，道：「不用多禮。」
目光轉注到田文秀的身上，道：「這位想是田少堡主了？」
田文秀心中一陣惶然，暗道：「原來威震江湖，大名鼎鼎的丐幫幫主，竟然是這樣一位斯文人物。」趕忙抱拳一揖，道：「晚輩田文秀見過幫主。」
那清瘦人拱手還了一禮，笑道：「在下黃十峰，田少堡主請入屋裏坐坐吧！」

田文秀道：「幫主先請。」

黃十峰也不客氣，當先入室。田文秀緊隨身後而入。

只見室中空空蕩蕩，除了幾張竹椅之外，就是一張木榻，和一張木案，再無其他陳設。兩個身負黃色袋的老叫化子，倚壁而立，見兩人走入，微微欠身作禮。

黃十峰低聲道：「田少堡主請坐。」

田文秀知在這等高人面前，謙遜多禮，反見俗氣，依言坐了下去。

黃十峰手一揮，兩個黃袋長老，悄然退了出去。

田文秀心中暗道：「這位黃幫主摒退左右，難道還會有什麼緊要之事，和我講嗎？」忖思之間，黃十峰拱手笑道：「丐幫長安分舵，數年來，得承少堡主和那趙天霄趙堡主照顧，本幫中人，無不感謝。」

田文秀急急說道：「幫主言重了，金舵主和我等相處至親，彼此照應，如若說我等有助貴幫，那是反不如說受貴幫之幫助恰當了。」

黃十峰微微一笑，道：「這次鎮遠鏢局失鏢，引起一場風波，目下為止，似是已鬧得滿城風雨，看來此事波及江湖的範圍，已在逐漸擴大，少堡主對此事的看法如何？」

田文秀應道：「晚輩亦有同感，鎮遠鏢局的失鏢，似乎已不是一件江湖上普通的劫鏢事件，那被劫之物，也不是為了金錢價值，劫鏢之人，當不是一般江洋大盜或武林盜匪可比。」

黃十峰一直很用心地聽著田文秀說話，看他突然停了下來，點頭一笑，道：「田少堡主的高見？」

田文秀接道：「幫主可識得一位金道長嗎？」

黃十峰道：「金道長！」
沉思片刻，搖搖頭，道：「未曾聽過此人之名！」
田文秀道：「也許那金道長是他的俗姓，或者是他用的化名，……」
略一沉吟，又道：「有一位紅孩兒呼延光，幫主可曾識得？」
黃十峰道：「那人可是面如童子，施用陰陽扇？」
田文秀道：「不錯。」
黃十峰點點頭，道：「在下還未接掌丐幫幫主之位時，曾和他有過一面之交。」
田文秀道：「那人就在萬上門下……」當下把經過之情，很仔細地說了一遍。
黃十峰聽得不停點頭，道：「田少堡主這番話，使得在下得了不少寶貴之見。」
語聲微頓，接道：「田少堡主見過那水盈盈，不知對她的看法如何？」
田文秀道：「江湖奇女子，神秘難測。」
黃十峰道：「有一件奇變橫生的事，還未告訴少堡主！」
田文秀道：「什麼事？」
黃十峰道：「就是你們離開那巨宅一個時辰之後，那巨大宅院，已然成了一座空宅，走得一人不剩。」
田文秀吃了一驚道：「當真嗎？」
黃十峰肅然說道：「不錯，人去樓空，未留下一點可資追究的蛛絲馬跡……」
田文秀道：「在下被他們囚禁那假山之下的密室中，曾經稍做觀察，發覺室中門戶重重，想他們經營這座巨宅時，必然是費盡了心血，豈會就這般甘心棄之而去？」

黃十峰微微一笑，道：「那座巨宅，乃是當今一位炙手可熱的王爺故居，王爺遠在北京，故居府第，只留下座空宅，有幾位看守宅院的奴僕，負責守門打掃，那萬上門以巨金賄賂幾個守門奴僕，租了下來。把一座王府宅院，暫做了萬上門發號施令之所，但當機密外洩之後，立時全部移走。」

田文秀只聽得目瞪口呆，暗道：「這丐幫果是不可輕視，自己土生土長，竟然不知內情，這黃十峰來此，竟能調查如此詳盡……」

黃十峰笑道：「那個守門的奴僕只不過是貪圖一點銀錢而已，那租屋的客人，是何來歷，諒他們也不知底細……」語聲微微一頓，又道：「眼下只有水盈盈那一條線索可循……」

說至此處，卻突然住口不言。

田文秀知他自恃身分，不肯明言，略一沉吟，道：「幫主可有要在下效勞之處嗎？」

黃十峰道：「正要偏勞田兄！」

田文秀道：「但得力能所及，無不全力以赴！」

黃十峰道：「勞田兄再去一次雨花台，在下派我丐幫中兩位高手，隨行相護，順便查一下看那水盈盈是何來歷？」

田文秀道：「好！不知何時動身？」

黃十峰道：「咱們丐幫中人，天下無處不可去得，本是不敢勞請田兄出馬，但唯恐那水盈盈不肯接見，田兄生長斯地，聲威重長安，諒那雨花台中人，也不敢藉故刁難。」

田文秀知這不過是一半原因，就算不能明訪，為什麼不能暗查，其間定然還有別情，但對方不肯說出，也就不好追問，微微一笑，道：「幫主這般看得起我田文秀，田某幸甚，幾時前去，田某恭候吩咐。」

黃十峰道：「此地荒蕪，一無酒食，二無宿住之處，少堡主還請趕回長安城中，在下已爲少堡主備下了快馬，不知少堡主是否願意立刻登程？」

田文秀心中雖有些懷疑，但仍起身說道：「在下立刻上路。」

黃十峰起身接道：「在下送少堡主上馬。」

田文秀道：「怎敢有勞幫主。」

黃十峰已然站起身子，緩步向外行去。

出了茅舍，只見三個丐幫弟子，各人牽著一匹健馬，肅然而立。

黃十峰舉手一招，一旁暗影中突然走過一老一少兩名丐幫弟子，兩人齊齊欠身一禮，道：「見過幫主。」

黃十峰道：「你們跟著田少堡主，諸事都聽他之命而行。」

回目望著田文秀，道：「少堡主恕在下不送了。」

田文秀暗中觀察黃十峰，雖是神態從容，但卻是外弛內張，眉宇間隱現出重重憂苦，顯然是這稱雄江湖的第一大幫，正遇上極大難題，凝目四下流顧，暗淡月色下，只見人影幢幢。這低矮茅舍的四周，似是有著很多的人，表面上雖是看不出什麼戒備，實則守備十分森嚴。

這時，兩個丐幫弟子，都已經上了馬背，雖未催促田文秀早些上馬，但四目炯炯，卻凝目在田文秀臉上瞧著，田文秀霍然警覺，翻身上馬，放轡疾行。

三騎快馬一陣緊趕，到達長安城，已然是四更過後時分。

兩個丐幫弟子直奔向一座巨大宅院中，輕輕叩動門環，一個勁裝少年，啓門迎入三人。

那年老的丐幫弟子低聲說道：「此宅主人，乃我們幫主一個好友，早已經退出江湖，不和武林同道往來，但他和我們幫主交情深厚，在我們幫主情商之下，只好答允下來。」

那勁裝少年打量了三人一眼，也不多問，把三匹健馬，叫人帶入馬棚，自己卻帶著田文秀和二丐，穿堂過院，行入了一座跨院中，推開一扇房門，低聲說道：「三位請委屈一下，不要點燃燈火，以三位的目光，雖在夜暗中，亦不難看到室中景物，木榻早已備好，安睡坐息，悉聽尊便，有事咱們天亮之後再說。」也不待田文秀和二丐說一句謙遜感謝之言，就轉身而去。

二丐和田文秀，都有著甚高的警覺，也不多言，各自登上木榻，盤膝而坐，運氣調息。

田文秀卻無法使波動的心情平復下來，那趙天霄十數年來，一直被西北武林道上視作領袖人物，誰知一旦發生大變之後，才知道長安城中，另外隱居著很多武林高人，這些人息居此地，不知已過了多少年，自己竟然一點不知，連那領袖西北武林的趙天霄，竟也是毫無所知。

忖思之間，突然一陣輕微的衣袂飄風之聲，傳入耳際。

田文秀霍然驚覺，一躍下榻。

回目看兩個丐幫弟子正在閉目運氣，恍如未聞。

田文秀輕步走向室門，悄然拉開，閃身而出。

正待躍上屋面瞧瞧，突聞一個蒼勁的聲音，傳了過來，道：「閣下請回室中，蝸居中事，不敢有勞大駕。」

田文秀循聲望去，但見夜色幽暗，不見人蹤。

但聽那人的口氣，似是這院中的主人，田文秀略一忖思，悄然退回室中。

這時，他緊張的心情，逐漸平息，睏倦襲來不覺酣然入夢。

待他醒來，已然麗日中天，快近午時時分。

兩個隨來的丐幫弟子，都換著一身長衫打扮，靜坐室中。

田文秀急躍下榻，拱手說道：「在下睏倦不支，不覺入夢，有勞兩位久候了！」

那年長之人笑道：「少堡主醒來的時間正好……」

語聲微微一頓，接道：「在下等奉命護伴少堡主，同去雨花台，還請少堡主賜個名字，呼喚起來，亦可藉機掩人耳目。」

田文秀心中暗道：「這兩人在丐幫之中，不知是何等身分，但既承黃幫主派往雨花台，必然是學有專長了，丐幫中藏龍臥虎，不可輕視兩人。」

當下一抱拳，道：「這個兄弟如何敢當？兩位自行取個名字就是了。」

那年長之人笑道：「僕從之人大都福祿排名，在下就叫田福，我這個兄弟，暫叫田祿，少堡主叫起方便，咱們也容易記。」

田文秀道：「好！就依兄台之見……」微微一頓，接道：「在下究應如何效勞，還請吩咐！」

那年長之人，眼看田文秀言詞謙和，心中甚是歡喜，暗道：「此人年輕持重，必有大成，日後有機會，老叫化倒要助他一臂之力……」心中念頭轉動，口裏應道：「到了雨花台後，少堡主儘管吃喝玩樂，其他的事，不用少堡主煩心就是。」

田文秀暗道：「好大的口氣，不知兩人有何能耐，這般的大言不慚。」

他心中對那水盈盈早已敬服，知她爲人精明多智，混跡風塵，旨在玩世，這兩個丐幫弟子，不論鬥智鬥力，恐怕都非那水盈盈的敵手。

心中雖然懷疑，但口中卻是不好說出，只好旁敲側擊地說道：「據在下所知，那水盈盈不但身懷絕技，而且智謀過人，就是那身側二婢，也是文武兼備的高手。」

那自號田福的年長弟子笑道：「不妨事，咱們又不和她們動手，就是她乃當今第一高手，也不要緊。」

田文秀半信半疑，不知這兩個丐幫弟子，究竟要到那雨花台去搞什麼鬼？但見對方語氣堅定，似是成竹在胸，只好不再言語。

田文秀匆匆換了衣服，帶著兩個丐幫弟子，直奔雨花台。

這時，午時過後時分，妓館還未開門，田文秀一身華衣，直向後面闖去。兩個當值的龜奴，眼看田家堡的少堡主，哪裏敢出手阻攔。

田文秀輕車熟路，直闖到水盈盈那跨院中去。

小圓門緊緊閉著，門上掛了不見客的白木牌子。

田文秀回顧了兩個丐幫弟子一眼，低聲說道：「怎麼辦？」

那老者才低聲應道：「咱們非得設法進去不可！但卻不能硬行闖進去。」

田文秀略一沉吟，舉手向門上拍去。

忽見人影一閃，那假扮田祿的年輕人，突然搶在前面，舉手擊動門上銅環。

那門環響了足足有一盞熟茶工夫之久，仍不聞有人相應之聲。

田文秀低聲說道：「兩位在此稍等，在下越牆過去瞧瞧。」

聲音甫落，突聞那步履聲響起，緊閉的小圓門，呀然而開。

田文秀只覺得眼睛一亮，當門站著一個全身綠衣的美姑娘，綠衣綠裙綠繡鞋，頭上紮辮子，繫了兩個綠色的蝴蝶結；圓圓的一對大眼睛，彎彎的兩條柳葉眉，雙眉秀削，櫻唇菱角，襯著那粉頰瑤鼻，看上去動人至極。

田文秀目光一轉，心中暗暗讚道：「此女美是美到極點，只是眉宇間那一股凜然肅殺之氣，絕非好與人物。」

田文秀淡淡一笑，道：「在下田文秀……」

那綠衣女道：「田文秀怎麼樣？姑娘病了不見客。」

田文秀道：「我找碧桃姑娘。」

那綠衣女已準備關上木門，聽得田文秀的話，停了下來道：「碧桃不在這兒了？」

田文秀抱拳一禮，道：「敢問姑娘，那碧桃姑娘去了何處？」

綠衣女顰揚了一下柳眉兒，道：「不知道！」

田文秀回顧了身旁兩個丐幫弟子一眼，緩緩說道：「紅杏姑娘在嗎？」

那綠衣女怔了一怔，道：「你都認識？」

田文秀微微笑道：「相熟得很。」

那綠衣女道，「好吧！那你就等在這兒。」轉身款步而去。

那年輕丐幫弟子，低聲說道：「這哪裏像是小窯姐，簡直比千金小姐還要兇嘛！」

那年長之人，以目示意，不讓他再說下去。

三人等候片刻，果見一個銀紅衣裙的美貌少女，急步行了過來，正是那豔婢紅杏。

只見她目光轉動掃了三人一眼，道：「哪一個要找我？」
田文秀一抱拳道：「區區在下。」
紅杏冷笑一聲道：「你是什麼人？」
田文秀道：「說出田文秀也許姑娘不識，在下有個小名叫作球兒。」
紅杏兩道清澈的目光，凝注在田文秀的臉上，冷冷說道：「你認為我們當真的不認識你？打從你進入雨花台起，我們已知你是白馬堡中的少堡主！」
田文秀微微一笑，道：「在下亦自知瞞不過諸位姑娘。」
紅杏冷冷說道：「你既然心裏有數，就不該存僥倖之心，我家姑娘脾氣雖好，但她的忍耐之心，也有限度，激怒她，你就別再想生離此地。」
田文秀別有用心，任那紅杏出言尖苛，竟都能容忍不計，淡淡一笑，道：「勞請姑娘稟告那水姑娘一聲，就說田某有要事求見，必得面見姑娘，一來致謝，二來請罪。」
紅杏眨動了一下圓圓的大眼睛，道：「什麼事？先對我說說看！」
此女機警過人，口裏對田文秀說話，一對眼睛，卻盯著田文秀身後兩個丐幫弟子打量。
田文秀回顧一眼，道：「此地說話方便嗎？」
紅杏揚起柳眉兒．道：「沒有什麼不方便，幾個冤魂纏腿般的叫化子，終日在雨花台四周打轉，惹起了我家姑娘怒火，都已吃足了苦頭而去，諒他們也沒有膽子再來。」
田文秀心中暗道：「原來如此，丐幫中人，似是已和水盈盈正面衝突，那難怪不能派人來了……」心中念轉，口裏應道：「在下見過萬上……」
紅杏食指按唇，噓道：「三位請進來吧！」轉身帶路而入。

紅杏目光一掠室中座位，冷冰冰地說道：「田少堡主請坐。」
兩丐幫弟子，那年長的留在室外，年輕的卻跟了進來。
紅杏望了那人一眼，道：「你是什麼人？」
那丐幫弟子應道：「小的田祿，乃是少堡主的長隨。」
紅杏道：「客室中沒有你的座位，給我退出去吧！」
田祿望了田文秀一眼，緩步退了出去。
紅杏一臉肅穆，冷冷問道：「你見了萬上門中什麼人？」
田文秀心中暗道：「此女一口能說出萬上門來，想必對那萬上門十分熟悉了。」
當下答道：「在下見到萬上門主和一位金道長。」
紅杏道：「這和我家姑娘何關？」
田文秀道：「金道長曾經再三誘迫在下說出，何以會找上大雁塔去，他以趙堡主的生死，來威迫在下……」
紅杏急急接道：「那你到底是說了沒有？」
田文秀暗中觀察，看她焦急之情，形露於神色之間，當下淡淡一笑道：「沒有！」
那紅杏微微一笑道：「其實就算你說了出去也不要緊．哼！諒那金道長，也不敢對我家姑娘有何失禮舉動。」
田文秀心中一動，暗道：「這麼看將起來，她們主婢，似是對那萬上門十分熟悉的了。」
心中念轉，口中說道：「不過，在下已被逼迫得無路可走，只好來和姑娘商討一下了。」
紅杏奇道：「你和我家姑娘商量什麼？」

田文秀道：「那萬上門以趙堡主的生死脅迫在下說出經過，在下至感爲難，如是不說，激怒那萬上門中人，只怕那趙堡主性命難保，如果說了出去，又深覺愧對那水姑娘。因此，只好來此驚擾姑娘，問個明白了。」

紅杏凝目沉思了一陣道：「這個我也不知道了。」

田文秀道：「那就勞請姑娘去問問那水姑娘吧。」

紅杏站起身子道：「好吧！你在此地坐著別動，我那位新來的翠蓮妹妹，脾氣很壞，你如在外面晃來晃去，只怕要引起她的怒火，你的樂子就大了。」

田文秀道：「就是那位穿綠衣的姑娘嗎？」

紅杏道：「不錯。」

田文秀心中暗道：「這水盈盈不知是何來歷，倒是不妨藉機多讓這丫頭說出一些內情。」當下說道：「怎麼？那位穿綠衣的姑娘厲害嗎？」

紅杏道：「她在我們姊妹之中，手段最是狠毒，武功也最高強，你要小心一點就是。」言罷，起身而去。

田文秀情急生智，編出一套經過，說得那紅杏十分相信，但想到那水盈盈的聰慧，這連篇鬼話，只怕騙她不過，兩個隨來的丐幫人，不知是否已經辦完了事情，如是兩人舉動間露出痕跡，今天只怕難免一場凶殺惡戰。

忖思之間，忽見那年長的丐幫弟子，走了進來。

田文秀急急問道：「怎麼樣？你們事情辦得如何？」

那丐幫弟子答道：「大致完成，咱們可要走了嗎？」

田文秀道：「眼下還難預料，要等那位紅杏見過那水姑娘後，才能決定……」
突聞一聲輕咳傳了過來。
那丐幫弟子低聲說道：「有人來了。」垂首肅立在田文秀的身側。
只見紅杏大步走了進來，冷冷說道：「田文秀，我家姑娘請你過去，她要親口問明白！」
田文秀心道：「糟了！」口裏卻微笑應道：「那很好，在下正想見見水姑娘。」
紅杏道：「你跟我來吧！」
田文秀道：「有勞姑娘帶路了。」

田文秀緊隨紅杏身後而行，穿過了一片花畦，進入一座雅室。
只見水盈盈一身白衣端坐室中，一臉肅穆之色，看上去有如一座觀音神像。
紅杏欠身說道：「田少堡主帶到。」
水盈盈冷峻的目光，一掠田文秀，冷漠地說道：「紅杏，你出去。」
紅杏欠身一禮，悄然而退。
水盈盈道：「田少堡主請坐。」
她神色端正，語氣冷得有如冰窖地獄中吹出來的寒風。
田文秀緩緩在旁側一張椅上坐下，說道：「姑娘召來在下，不知有何見教？」
水盈盈雙目凝注室外，冷冷地說道：「你見到了那萬上門中的主人？」
田文秀道：「不錯，還有一位金道長。」
水盈盈道：「他長得什麼樣子？」

田文秀道：「頭戴金冠，身著黃袍，室中煙霧繚繞，使人瞧不明白。」

水盈盈道：「你對他說些什麼？」

田文秀道：「你要據實而說，不許有一字虛言。」

語聲微頓，接道：「問我等何以會尋往大雁塔去？是受了何人指點？」

水盈盈道：「你怎麼說？」

田文秀道：「在下本不願說，但他們以趙堡主生死做爲要脅，在下被迫只好照實說了。」

水盈盈冷笑一聲，道：「你說出了受我指示？」

田文秀道：「不錯。」

水盈盈冷笑一聲，道：「你說得很好，無怪他們要派人來請我便飯，原來已經打算要如何對付我了。」

田文秀事實上，並未在萬上門主前，承認是受這水盈盈指示而去，但他默查形勢，如若不這般說，只怕要被那水盈盈轟出雨花台去。

田文秀心中一動，隨口應道：「如此說來，你對萬上門中一切，都很熟悉嗎？」

水盈盈道：「他們的來龍去脈，我可說瞭若指掌。」

田文秀恐怕急著追問下去，水盈盈必會察覺出來，自己在誘她洩露萬上門之秘，只好繞著圈子說道：「那萬上門中的首腦似是很少管事，大都是由那金道長決定。」

水盈盈突然起身說道：「你的話說完了嗎？」

田文秀一時間不解水盈盈問話之意，道：「說完了。」

水盈盈道：「那你該走了。」

田文秀聽她已經下了逐客令，只好站起身子道：「在下洩露了姑娘身分，甚覺不安。」
水盈盈道：「事已如此，我也懶得責怪你了，你去吧！不過有一件事，你得牢記在心。」
田文秀道：「什麼事？」
水盈盈道：「一個月之內，你別到雨花台來。」
田文秀暗道：「此女不知是何出身，似是對萬上門中一切，知道得十分詳盡，那黃十峰說得不錯，追查萬上門中人，只有從這位姑娘身上著手了。」
心中念轉，口裏應道：「一個月之後……」
水盈盈道：「隨你高興了，因爲那時，我已不在此地了。」
田文秀神志一清道：「姑娘要離開這裏嗎？」
水盈盈道：「有什麼稀奇了，我從別處來此，再往別處去，來來去去，哪裏不對嗎？」
田文秀道：「姑娘說得不錯。」
水盈盈右手一揮，道：「念咱們一番相識之情，洩露我身分之事，我也不再追究，但如你要妄自闖入雨花台來，那時，別怪我心狠手辣了。」
田文秀心中暗道：「那黃十峰只要我帶丐幫弟子，混來此地即可，既未辱命，那也不必橫生枝節了。」站起身子，道：「既是如此，在下就此別過。」
抱拳一揖，轉身而去，忽聽身後傳來水盈盈的聲音，道：「站住！」
田文秀緩緩回過身子，道：「姑娘有何見教？」
水盈盈道：「你識得王子方嗎？」
田文秀暗自奇道：「這丫頭怎的忽然提起了王子方來？」

口中應道：「可是成都鎮遠鏢局的總鏢頭，王子方嗎？」

水盈盈點點頭道：「正是王老鏢頭。」

田文秀道：「相交甚熟。」

水盈盈突的嫣然一笑，有如冰河解凍，春風回暖，只笑得一臉柳媚花嬌，說道：「田文秀你還想見見我嗎？」

饒是他智謀過人，也被這水盈盈突如其來的變化，鬧得不知如何措手，輕輕咳了一聲，道：「姑娘之意呢？」

水盈盈嬌聲說道：「你若還想見我，今宵二更過後，約請那王子方同來此地，妾身當備美酒佳餚款待佳賓。」

田文秀道：「這個要在下見過那王總鏢頭之後，才能決定。」

水盈盈臉色一整，道：「那趙堡主現在何處？」

田文秀看她那嬌媚動人的笑臉，突然間又恢復雪一般的冷肅，不禁一呆，暗道：「此女的喜怒之情，當真是瞬息萬變，實叫人莫測高深。」

口中應道：「趙堡主身陷萬上門，生死不明。」

水盈盈道：「你可想救他出險嗎？」

田文秀沉吟一陣，道：「在下自知無此能耐。」

水盈盈微微一笑，道：「不要緊，你如能在二更時分，約那王子方到此踐約，我就助你救回那趙天霄來。」

田文秀目中神光一閃，道：「姑娘之言，可是當真嗎？」

水盈盈道：「只要我說出口來，那就是一定能夠辦到。」
田文秀道：「好！咱們就此一言爲定，在下告辭了。」
水盈盈欠身一笑，道：「恕我不送了。」
三個人離開了雨花台，行過兩條大街，田文秀才低聲問道：「兩位可曾瞧出什麼？」
那年老的丐幫弟子道：「多謝田少堡主相助，在下等還得早些趕回，向幫主報告經過，在未稟告敝幫幫主之前，歉難說明，還望少堡主多擔待。」
田文秀微微一笑，道：「在下亦有要事待辦，咱們青山綠水，後會有期。」
兩個丐幫弟子一抱拳，道：「敝幫主最重情義，少堡主這番相助之情，敝幫主日後定有一報。」
田文秀道：「區區微勞，如何當得報償兩字。」
二丐齊聲說道：「少堡主多多珍重。」轉身大步而去。
直待二丐背影消失不見，田文秀才轉身放步，直奔趙家堡。
章寶元、石一山、譚家奇等，都在大廳之中等候。
田文秀進得大廳，群豪起身相迎，章寶元性子最急，不容田文秀坐下身子，已搶先說道：「你見過那丐幫幫主了？」
田文秀道：「見過了。」
章寶元道：「你可和他談到了趙大哥的事情？」他心中念念不忘趙天霄的安危。

田文秀目光流轉，答非所問地說道：「那王總鏢頭哪裏去了？」

章寶元不聞他回答自己之言，只找王總鏢頭，不禁大怒，冷冷說道：「以我章老二看來，眼下最爲緊要的事，該是先設法救出趙堡主來。」

田文秀笑道：「不錯啊，在下亦是這般看法。」

章寶元道：「田世兄一向智謀過人，不知有何高見？」

田文秀本想說明經過之情，但又恐洩露秘密之後張揚出去，有所影響，當下說道：「章老前輩如是信任在下，但望安心，七日之內，在下定當設法救出那趙堡主。」

章寶元、石一山知他爲人，向來不肯輕許諾言，見他許下重諾，也就安下心來。

田文秀突然站起身子，道：「譚兄可知那王總鏢頭現在何處？」

譚家奇道：「這個兄弟也不清楚。」

田文秀心中大爲焦急，暗道：「如是找不到這王子方，錯過了今夜的機會，再想找此援救趙天霄的機會，只怕不太容易了。」

譚家奇看他焦急之情，心知必定有事，突然站起身來，道：「在下奉陪少堡主去找找看。」

田文秀道：「事不宜遲，咱們立時動身。」

章寶元眼看田文秀這等焦急，也不便多問。

譚家奇道：「咱們先到連雲客棧中去瞧瞧吧！」

七　煙花奇女

兩人匆匆趕往連雲客棧，果然王子方獨坐在靜室中出神。

一見譚家奇帶著田文秀行入室中，立時起身對田文秀一禮，道：「為老朽之事，連累趙堡主陷落於萬上門中，王子方縱然是粉身碎骨，亦是難恕萬下之罪。」

田文秀道：「此事如何能怪得王總鏢頭。」

王子方愁眉深鎖，長歎一聲道：「不是在下失鏢，登門求救，趙堡主和田少堡主，也不會受此連累了。」

田文秀微微一笑道：「眼下倒有一個拯救那趙堡主的辦法，但得有勞總鏢頭大駕一行。」

王子方霍然而起，道：「王子方一把古刀，十二神芒，上天入地，進刀山，下油鍋，萬死不辭。」

田文秀回目望望天色，說道：「此刻時光還早，在下想奉陪總鏢頭喝上一壺，不知王兄如何？」

王子方道：「這些時日中，老朽日夜憂慮，久未貪杯中之物，如是田少堡主有興，在下倒要奉陪幾杯。」

田文秀道：「好！咱們暫借杯澆愁。」

譚家奇早已招呼店夥計送上酒菜，三個人就在客棧中對飲起來。

王子方酒量驚人，田文秀亦不弱，譚家奇也可以勉強陪飲。

三人邊喝邊談，縱論古今，談興所至，無所不論。

田文秀心中有所盤算，話題常扯到王子方的過往經歷之上，希望能從中找出一點蛛絲馬跡，怎會和那水盈盈攀上關係。

天到初更，王子方已有了七成酒意。

譚家奇是早已喝醉，田文秀一直暗保酒量，也喝了五成酒意。

田文秀看時光已經不早，站起身來說道：「王兄，咱們可以去了。」

王子方道：「我帶上兵刃。」

田文秀心中暗道：「此去雖是赴約，但亦難保沒有凶險搏鬥。」也不阻止他。

王子方佩好古刀，帶上神芒，吹熄室中燭火，隨著田文秀直奔雨花台。

行近雨花台時，忽發現甚多丐幫弟子，田文秀裝作不見，又低聲囑咐王子方，不用和丐幫中人招呼，大步直行而過。丐幫中人似是識得兩人，也不攔阻。

兩人放步一陣緊行，直逼雨花台後門所在。

只聽暗影中傳過一個嬌脆的聲音，道：「田少堡主嗎？」

田文秀道：「不錯，正是在下。」

王子方低聲問道：「老台弟，這是什麼所在？」

田文秀還未來得及答話，後門已呀然而開，紅杏迎了出來，道：「少堡主很守信用。」

田文秀微微一笑，道：「有勞姑娘通報一聲。」

紅杏道：「不用通報了，我家姑娘已經在房中候駕。」

王子方還待發問，田文秀已施展傳音之術，低聲說道：「此事關係至大，能否救得出趙堡主，全要靠你王兄了！」

王子方只覺肩上陡然加了一千斤重擔，酒意也驚醒了許多。

那紅杏當先帶路，田文秀、王子方魚貫隨行，直行入一座雅致的客室之中。

只見雅室中，早已擺好酒席，水盈盈盛妝等待。

田文秀一抱拳，道：「幸未辱命。」

水盈盈嫣然一笑，欠身說道：「有勞田兄。」

田文秀道：「彼此效勞，談不上什麼感謝。」

言下之意，那是無疑提醒水盈盈，別忘了承諾之言。

水盈盈冰雪聰明，如何聽不出田文秀言外之意，當下說道：「田兄放心，明天日落之前，妾身定可救出趙堡主……」

語聲微微一頓，繞頭望著王子方，道：「這位可是王總鏢頭，王老前輩了？」

一向冷傲的水盈盈，竟對王子方如此客氣，這就使田文秀不得不生出驚訝之感。

王子方抱拳了一禮，道：「老朽王子方。」

水盈盈緩緩站起嬌軀，道：「不敢當，老前輩這般多禮，快些請坐。」

目光轉到田文秀的身上，道：「少堡主請坐。」

田文秀、王子方齊齊落座，水盈盈才隨著坐下嬌軀。

王子方有著一肚子疑問，卻不知從何說起。
田文秀想不出水盈盈何以會請了王子方來，一時也不知說些什麼？
水盈盈欲語還休，幾度啓動櫻唇，說不出話來。
這尷尬的場面延續了足有一盞熱茶工夫之後，水盈盈才迸出一句話，道：「薄酒菲餚，有慢佳賓，兩位請多飲兩杯，賤妾這裏先乾爲敬了。」言罷，舉杯一飲而盡。
田文秀、王子方各自乾了一杯，王子方再也忍耐不住，輕輕咳了一聲，道：「姑娘找老朽來，不知有何見教？」
水盈盈秀目神凝，沉吟了一陣，道：「老前輩可有一位姓容的朋友？」
王子方口中連連複誦，道：「姓容的，姓容的，此姓不多，甚是易記，如是老朽有過這樣一個朋友，那是一定記得了。」
本是簡簡單單的一句話，他卻用四、五句話，還未說清楚。
水盈盈接道：「怎麼？老前輩沒有姓容的朋友？」
王子方道：「沒有！老朽從未和姓容的人有過交往。」
水盈盈顰起了柳眉兒，道：「這就奇怪了！你仔細想一想，認識過姓容的人嗎？」
水盈盈又道：「你可是王子方，三橫一豎的王，子曰的子，方圓的方？」
王子方道：「不錯啊！正是這三個字。」
水盈盈道：「你是成都鎮遠鏢局的東主？」
王子方道：「是啊！」
水盈盈道：「成都有幾個鎮遠鏢局？有幾個王子方？」

王子方道：「當今武林，三十年來，只有老朽一家名叫鎮遠鏢局，成都府，也只有我一個王子方。」

水盈盈道：「這就奇怪了，唉！我明明聽得清清楚楚，還瞧到書簡上寫的姓，那是一定不會錯了，但你又從未認識過一個姓容的人，這豈不是把我也鬧糊塗了？」

田文秀輕輕咳了一聲，道：「姑娘可否把經過之情，仔細地說上一面，或許能使王總鏢頭回憶起昔年的事。」

水盈盈粉頰上，泛升起兩朵紅暈，沉吟了一陣，道：「我也不知從何說起才是……」

田文秀道：「不用忙，王總鏢頭留居長安，還有一些時日，水姑服隨時召見，在下都可以請他來此，倒是趙堡主的生死，似是不容久拖。」

水盈盈道：「這個，我已經答應了，總要替你辦到。」

田文秀道：「不知姑娘準備幾時動身？」

水盈盈仰起臉來，思索了片刻，道：「今夜四更如何？」

田文秀道：「好！可要在下隨行？」

水盈盈冷冷說道：「我只答應救人，可沒答應保護你的安全，願否同去？悉由尊便了。」

王子方突然插口說道：「如是拯救趙堡主，老朽亦要算一份。」

水盈盈略一沉思，道：「老前輩能夠不去最好，如是定要隨行，妾身倒也不便堅拒。」

田文秀心中暗道：「不知這水盈盈有什麼重大之事求助於王子方，竟是這般對他容忍？」

熊熊燭火下，只見水盈盈秀目神凝，臉上神情不停地變化，良久之後，才突然一咬牙，道：「好！就這般決定了，兩位請稍候片刻，賤妾入內更衣之後，我們立刻動身。」

言罷，起身行入內室。
突見人影一閃，一個全身綠衣的少女，陡然間出現廳中。
只見她兩道清澈的目光，掃掠了全廳一眼，道：「我家姑娘哪裏去了？」
田文秀正待回答，突見軟簾啓動，水盈盈已緩步走了出來，道：「什麼事？」
那綠衣少女道：「幾個叫化子，一直在咱們宅院之外，擺來晃去……」
水盈盈道：「由他們去吧！」
那綠衣女道：「在宅院外面走動，也還罷了，竟然妄圖進入宅院竊看，小婢心頭火起，傷了他一個，活擒一個……」
水盈盈道：「傷的人哪裏去了？」
綠衣女道：「帶傷逃走？」
水盈盈道：「生擒之人呢？」
綠衣女道：「現在廳外，恭候姑娘發落。」
水盈盈目光轉注到王子方的身上，道：「王老前輩，看此事應該如何？」
王子方輕咳了一聲，道：「此事嘛，此事嘛……」此事了半天，仍是此不出個所以然來。
那綠衣女道：「姑娘請恕小婢多口，小婢倒有一個辦法。」
水盈盈道：「好！你說來聽聽！」
那綠衣女婢道：「咱們點了他的雙臂穴道，放他回去就是。」
水盈盈微微一笑，道：「翠丫頭果然是壞得很！」
田文秀心中暗道：「這主意，也不算歹毒啊？」

那綠衣女婢道：「小婢只是提請姑娘參考而已。」

水盈盈略一沉吟，道：「咱們和丐幫無怨無仇，點他一條手臂就是了。」

綠衣女婢應了一聲轉身而出，不久返回，笑道：「我點了他的右臂，放他走了！」

水盈盈道：「丐幫中人這些日子總是守在室前室後，困擾咱們，給他們一點教訓也好。」

田文秀和王子方，兩人呆呆地站在廳中，只聽她們主婢說話，此刻，田文秀卻突然接口道：「那點了臂上穴道，放他而去，也不算嚴刑峻法。」

那綠衣女婢冷笑一聲，道：「我們獨門點穴手法，諒他丐幫中人，也無人能解得，事情雖小，只怕要鬧到叫化子頭兒那裏。」

田文秀道：「原來如此……」

心中卻暗暗忖道：「只怕未必，丐幫中高手無數，那黃幫主更是博通天下武功，難道連一處點傷的穴道，也解它不開嗎？」

只聽那綠衣女婢說道：「姑娘要往何處？」

水盈盈說：「去救一個人。」

綠衣女婢道：「可是陷入那萬上門中的趙天霄嗎？」

水盈盈道：「不錯，正是那人。」

那綠衣女婢沉吟了一陣，道：「婢子代姑娘一行如何？」

水盈盈笑道：「咱們和萬上門談不上什麼交情，如是他們不肯放人呢？」

綠衣女婢道：「婢子就動手硬搶，不論能否救出那趙堡主，但婢子身分微賤，日後萬上門找姑娘理論，不過是責罵婢子一頓。」

水盈盈道：「你有把握能夠救得那趙天霄嗎？」

綠衣女婢道：「沒有，婢子聞聽人言，那金道長武功高強，手下高手無數，四燕八公，更是個個身負絕技，婢子一人，實力過弱。」

水盈盈目光一轉，望了田文秀一眼，道：「我已經答允他救那趙天霄，豈能食言，說不得只好自己走一趟了。」

綠衣女婢道：「姑娘一定要去，婢子也不敢攔阻，但望能帶婢子同行如何？」

水盈盈道：「好！你帶好兵刃，如是萬上門不肯放人，只怕要難免一場惡戰。」

綠衣女婢道：「姑娘最好能忍耐一二，不要鬧出流血殘局。」

水盈盈道：「我也無意和萬上門作對，但近日幾件小事，卻使萬上門中人，甚多不滿於我，此刻我再去要他們放人，只怕他們未必肯聽。」

那綠衣美婢笑道：「姑娘也不用太過多慮，想那金道長還不致藉故和姑娘刁難，據聞那金道長甚得那萬上器重，目下已大權在握，姑娘的面子，諒他還不致不給。」

水盈盈微微一笑，道：「但願如此，你快去換過衣服，咱們就要去了。」

那綠衣美婢應了一聲，款步入室。

王子方一拉田文秀，低聲說道：「老台弟呀！這是怎麼回事？她們主婢似是和那萬上門熟悉得很。」

田文秀道：「不錯，此時此情，咱們只裝作不知，任憑她們作主就是。」

片刻之後，那綠衣美婢已易裝而出，仍然是一身綠色衣服，綠衫綠褲，綠劍靴，背後斜斜揹了一柄綠鞘長劍，綠帕包頭，綠色鏢袋，全身上下，看不到一點雜色。

只見她一對圓圓的大眼睛掃掠了田文秀等一眼，道：「姑娘，可要帶著他們兩人同去？」

水盈盈點點頭，道：「帶著他們去吧！」

那綠衣美婢無可奈何地望了兩人一眼，道：「我家姑娘許下之諾，雖然事關重大，但卻是義無反顧，兩位隨同前往，見識一下可以，但卻不可擅自行動。」

水盈盈道：「咱們走吧！」當先向室外行去。

出得雨花台，只見紅杏早已備好馬車相候。

水盈盈登上馬車，低聲說道：「王老前輩、田少堡主請一齊上車吧！」

王子方還待推辭，卻被田文秀一把牽上車去。

只聽輪聲轆轆，馬車飛一般地向前奔行。四面篷幔低垂，田文秀和王子方都無法看到行往何處，但覺車身顛動甚烈，似是行馳在崎嶇的小道上。

只聽一聲厲喝傳了過來，道：「什麼人？快停車。」

奔行中的馬車，突然停了下來。

那綠衣美婢道：「已到了萬上門暫駐行宮，咱們下來吧！」扶著水盈盈下了馬車。

田文秀、王子方緊隨下車，抬頭看去，只見一片雜林，橫攔去路。

水盈盈回顧了馳車的紅杏一眼，說道：「你退後十丈，等我們。」

紅杏應了一聲，馳車自去。

水盈盈目光又轉注綠衣女婢身上，道：「翠蓮，去告訴他們，就說我要見那金道長。」

翠蓮應了一聲，轉身一躍，直奔那雜林中去。

一眨眼間，人已閃入林中不見。

王子方暗暗忖道：「一名婢子，武功尚且如此，這主人之能，可想而知了。」

三人等了足足有一盞熱茶工夫，還不見那翠蓮回來。

水盈盈似是已等得不耐，冷哼一聲，道：「這死丫頭，去了這麼久還不回來，咱們自己闖進去吧！」也不待王子方和田文秀答話，舉步向前行去。

此時此情，王子方和田文秀，只好以水盈盈的馬首是瞻，緊隨她身後而行。

這時，天色將明，東方天際，泛起了一片魚肚白色。

三人剛剛行進雜林，突見人影一閃，一個全身勁裝的大漢，由一株大樹後閃了出來，攔住去路，冷冷說道：「三位由何處來？」

水盈盈右手一揮，道：「閃開去。」

那人倒是聽話得很，一個觔斗，栽出去四、五尺遠。

田文秀吃了一驚，暗道：「這是什麼武功？舉手一揮間，竟使人無法招架。」

水盈盈一揮手，擊倒那攔路大漢，人卻若無其事一般地向前行去。

田文秀回目一顧，只見那大漢躺在地上，瞪著眼睛看三人走了過去，爬不起來，想他不是受傷奇重，就是被擊中穴道。

只聽一宏亮的聲音，道：「二姑娘別來無恙？貧道迎駕來遲，還望多多恕罪。」

抬頭看去，只見一個長髯飄飄的道人，快步迎了上來。

田文秀一眼間，已瞧出來人，正是那金道長，那翠蓮緊隨在金道長身後。

田文秀心中忖道：「這金道長在萬上門中，身分甚高，竟肯降階親迎，這水盈盈果是大有來頭的人物。」

水盈盈微微一笑，道：「對不起啦，金道長，我打倒你們萬上門下一位弟子。」

金道長道：「他有眼不識泰山，開罪二姑娘，自是該讓他受些教訓才是。」

水盈盈微微一笑，道：「好說，好說，道長不肯見罪，我就感激不盡了。」

金道長道：「二姑娘大駕光臨，想必有大事指教？」

水盈盈道：「萬上在嗎？」

金道長搖搖頭，道：「不在。」

水盈盈道：「其實一點小事，用不著見萬上，我和道長談談也是一樣。」

金道長道：「二姑娘吩咐，只要貧道能夠辦到，無不從命。」

水盈盈道：「貴門中生擒了一位趙堡主？」

金道長目光一掠田文秀道：「二姑娘可是聽這位田少堡主說的嗎？」

水盈盈道：「這倒不是。」

金道長道：「既非這位田少堡主講的，二姑娘何以知道？」

水盈盈一顰柳眉兒，道：「這個不是正題，我今日的來意，是希望道長瞧在我的面上，放了趙天霄。」

金道長淡淡一笑，道：「二姑娘吩咐，貧道本是不敢不遵，不過……」

水盈盈接道：「不過什麼？」

金道長道：「此地不是談話之處，二姑娘請到室中小坐片刻待茶，咱們再談不遲。」

水盈盈道：「如是有放人之望，咱們不妨談談；如是沒有放人之望，咱們也不用談了。」

金道長道：「姑娘玉駕親臨，貧道敢不遵從嗎？自然放人之望甚大了。」
水盈盈道：「好吧，那就有勞道長帶路了。」
金道長微微一笑，轉身向前行去。

水盈盈、田文秀、王子方等魚貫隨在金道長身後，深入七、八丈後，到了一所茅屋前面。
金道長回轉身來，合掌說道：「二姑娘請。」
水盈盈不客氣，一側身，當先進了茅屋。
那金道長身子一轉，緊隨在水盈盈的身後，步入室中，這雖是一件微小之事，顯然，那金道長心目之中，除了水盈盈之外，全都不放心中。
田文秀一欠身，讓那王子方走在前面。
金道長目光轉動四顧一眼，道：「二姑娘請坐。」
水盈盈竟不客氣地坐在主位之上，冷冷說道：「道長如是有什麼爲難之處，只管說出來，要是必要萬上才能作主，我去見他就是。」
金道長道：「萬上確實不在，貧道怎會欺騙二姑娘。」
水盈盈接道：「好吧，那就把人交給我帶走吧！」
金道長道：「不過，趙天霄已被他們押送到別處了。」
水盈盈冷笑一聲，道：「道長何不早言？」
金道長道：「那是貧道不知。」
水盈盈道：「萬上不在，一切由你作主，趙天霄被人押送別外，你怎會不知內情？」

金道長道：「這個貧道確實不知，還望二姑娘多多原諒。」
田文秀突然接口說道：「不知把那趙堡主押往何處？」
金道長回顧了田文秀一眼，默不作聲。
水盈盈冷笑一聲道：「道長，你們把趙堡主押往何處，那是你們萬上門的事，我們管不著，但既能押往他處，何以不可押回來呢？」
金道長道：「押往他處是萬上走前交代，貧道實是不知。」
水盈盈怒道：「我不信！」
金道長道：「二姑娘……」
但聞室外一個嬌若銀鈴的聲音說道：「啊喲！二姑娘不用責怪金道長，這件事，他是確實不知。」隨著那嬌笑聲，緩步走入一個全身青衣的美貌少女。
水盈盈秀目轉動，瞧了那青衣女一眼，冷然說道：「你是什麼人？竟敢這般油嘴薄舌地和我說話。」
那青衣美女格格一笑，道：「小婢紫燕。」
水盈盈冷笑一聲，道：「萬上門中，有四燕八公，你叫紫燕，定然是那四燕中的人物了？」
紫燕微微一笑，道：「那是萬上的栽培。」
水盈盈怒道：「別人怕你們四燕八公，我卻是一點不怕……」
紫燕淡淡一笑，接道：「小婢聽過萬上提過二姑娘的大名，心慕已久，今日有幸一晤。」
水盈盈揮手說道：「我今天來此拜會，旨在要人，如若是你們不放人……」

紫燕道：「不放人又怎麼樣？」

水盈盈道：「不放人？我就也虜去你們萬上門中幾個人，再通知萬上，要他帶了趙堡主前往交換。」

紫燕淡淡一笑，道：「二姑娘的主見不錯，但不知二姑娘想帶走哪一個？」

水盈盈兩道清澈的雙目，凝聚在紫燕臉上，道：「自然是要那萬上十分寵愛的人，像四燕八公中人。」

紫燕笑道：「二姑娘想的辦法不錯啊！不過，這其間，只有一點不妥。」

水盈盈道：「哪裏不妥了？」

紫燕道：「就拿小婢說吧！如是不願去呢？」

水盈盈怒道：「小丫頭如此膽大，就算我從今之後，和你們萬上門結下了不解之仇，今天也得好好地教訓你這丫頭一頓。」霍然站起身子，準備出手。

翠蓮急急躬身說道：「姑娘息怒，小婢去教訓她一頓就是。」

水盈盈道：「好！和這丫頭動手也失了我的身分。」

翠蓮舉手理一下額前散髮，緩步下入廳中，道：「咱們比試拳掌，還是兵刃？」

金道長眼看一場大戰立時爆發，心中大是焦慮，急急叫道：「紫燕姑娘，未得萬上之命，不可……」

紫燕回首一笑，接道：「道長請放心，不論闖下什麼大禍，都由小婢擔待，絕不牽連道長就是。」

翠蓮怒道：「你想死！」呼的一掌，劈了過去。

紫燕嬌軀一閃，避開一擊。
翠蓮一擊未中，第二招連續出手，右手一揮，幻起一片指影，分襲紫燕數處要穴。
紫燕縱身一躍，又避開一片指影，仍是沒有還手。
翠蓮連攻三招，一招比一招凌厲，都為對方避過，心知遇上了勁敵，停下手不再搶攻，冷冷說道：「你何以不肯還手？」
紫燕道：「你們是客，自然該奉讓三招。」
翠蓮飛躍而起，一掌拍了出去。紫燕右手揚起，硬接一招。
雙掌接實，砰然大震。翠蓮被震得倒飛出五、六尺遠。
紫燕也是馬步不穩，連退了六、七步。
翠蓮經過這片刻調息，精神已復，突然一躍，目注紫燕，冷冷說道：「你可敢和我決一死戰？」
紫燕道：「當然奉陪。」
翠蓮道：「咱們這次動手，兵刃拳掌任憑選擇。」
紫燕微一沉吟，望著金道長，道：「有勞道長，叫他們取兩支劍來。」
金道長輕輕歎息一聲，道：「紫姑娘……」
紫燕淡淡一笑，道：「不用多說了，今日就算闖下了天大的禍事，也由我一人承擔，道長要他們取劍吧……」
金道長輕輕歎息一聲，回頭對嚴小青道：「去取兩柄劍來。」
嚴小青應了一聲，奔出茅舍，片刻工夫，捧著兩支長劍進來，恭恭敬敬地遞給紫燕。

紫燕接過雙劍，雙手各握劍尖，劍把遞給翠蓮，道：「姑娘請任選一支。」
翠蓮隨手取過一支長劍，道：「你剛才讓我三掌，來而不往非禮也，現在我讓你三劍。」
紫燕道：「你們遠來是客，我讓三掌，事屬應該，但你讓我三劍，似可不必。」
翠蓮道：「我如不讓你三劍，萬一勝了你，江湖傳言我是因你相讓而勝，那又何苦呢？」
紫燕道：「好！那就請小心了。」突然一揮長劍，連攻三招。
這三招勢道凌厲，直迫得翠蓮連退兩步，才避開三劍。
紫燕道：「三劍已過，你可以還手了！」
右腕一揮，劍演「長虹經天」，直向翠蓮刺了過去。
翠蓮長劍起處，響起了一陣金鐵交鳴。
二女激戰很烈，劍勢交差輪轉，轉眼間，已惡鬥了六十餘回合。
田文秀冷眼旁觀，也發覺二女無法在百回合內分出勝敗。
這兩人拳上難分勝負，劍法上竟也是半斤八兩。但見雙方劍來劍往，轉眼間已近百回合。
只聽翠蓮怒聲喝道：「小心了！」劍勢一變，奇招突出。
劍勢轉動，冷芒電旋，幻起了重重劍影，直罩下去。
這一招劍勢凶猛絕倫，只瞧四周觀戰之人臉色大變。
金道長失聲叫道：「飛龍金三劍。」喝聲甫落，寒氣突斂。
但見紫燕倒拖長劍連退三步，左肩上鮮血淋漓，直滴而下。
紫燕一咬銀牙，強忍著傷疼，道：「九十八回合半。」
翠蓮道：「你左肩傷仍在，鮮血淋漓，難道算你勝了？」

紫燕道：「我還有再戰之能，自然不能算敗。」。

田文秀暗暗歎息一聲，忖道：「這丫頭剽悍之氣，要強之心，尤勝六尺之軀。」

只聽金道長說道：「燕姑娘，算了吧！」

紫燕回目一顧金道長，道：「小婢一人的生死又有何惜？但不能壞了萬上門的聲名。」

她臉上滿是激忿之容，一雙圓圓的大眼睛中直似要噴出火來，凝注在翠蓮的臉上。

陡向翠蓮嬌叱一聲，連人帶劍一齊飛了起來，直向翠蓮撞了過去。

寒芒閃動，滿室中盡都是森森的劍氣。

但見那寒芒繞著翠蓮一轉，一陣金鐵交鳴的聲音中，寒光突然收斂起來。

凝目望去，場中又是一番形勢。

只見紫燕橫劍而立，臉上激忿、怒意還未盡消。

翠蓮右手長劍支地，撐著身軀，左腿上鮮血緩緩滴下。

在這交手一劍中，翠蓮亦傷在紫燕的劍下。

紫燕冷笑一聲，道：「你沒有勝，現在還未超過一百招。」

翠蓮突然挺起嬌軀，道：「你還能再戰嗎？」

紫燕道：「只要你有興致，我是捨命奉陪。」

金道長突然高聲地說：「二姑娘，紫燕素得萬上寵愛，今日已演出了流血慘事，如若再讓她們打下去，不是玉石俱焚的慘劇，就是有一方死亡……」

水盈盈冷冷接道：「不錯，她們都受了很重的傷，連劍已不似未傷前那般靈活，再打下去，總歸要有一個死亡。」

金道長道：「二姑娘心中這般明白，何以不肯出言喝止？」

水盈盈道：「有你我在場見證，讓她們各憑武功，一決生死，有什麼不妥？」

金道長道：「這又何苦呢？二姑娘和萬上門素無怨恨，如若兩人的火併，演出慘事，結下樑子，豈不是大不划算的事。」

水盈盈道：「那丫頭恃寵而驕，連我也不放在眼中，死了自是活該。」

金道長臉色一變，道：「二姑娘不可逼人過甚，要她們打下去，紫燕姑娘未必就敗。」

水盈盈冷笑一聲，道：「她的勝算很少，如是萬一翠蓮失手死亡，我自會替她報仇，讓她死得能瞑目九泉！」

金道長雙眉聳動，說道：「如是紫燕姑娘傷死在劍下呢？」

他雖然極力想使自己的聲音平靜，但語氣之間，仍不免微帶激動。

水盈盈道：「萬上門人才濟濟，自可再出高手，爲她報仇。」

金道長怒聲說道：「二姑娘今日是存心與萬上門勢不兩立了？」

水盈盈道：「你們不肯釋放那趙天霄，使我虛此一行，難道是對我很好嗎？」

翠蓮和紫燕，藉兩人講話的機會，各自運氣調息，準備再戰。

突然紫燕嬌叱一聲，唰的一劍，疾向翠蓮前胸要害刺去。

翠蓮手中長劍疾起，噹的一聲，封架開紫燕的劍勢，隨手還擊。

二女各自咬牙忍住傷勢疼苦，又展開一場惡戰。

但見人影重起，有如波翻浪湧，片刻間，兩人身影，盡都爲重起的劍光遮去。

金道長舉手一招，嚴小青應手跑了過去，金道長低言數語，嚴小青匆匆跑出茅舍。他說話的聲音很低，田文秀雖然凝神靜聽，也是聽不出他說的什麼。
但情勢的演變，顯然已成了勢不兩立之局，那嚴小青分明是招請人手助戰。
金道長目光炯炯，望著場中搏鬥的形勢，看樣子，只要紫燕一遇什麼凶險，立時將以迅雷不及掩耳的手法，出手搶救。
水盈盈倒是滿不在乎，仍是那般平靜，對金道長緊張的神情恍如未見。
王子方低聲對田文秀道：「老台弟，看來今天難免一場惡戰，我們也該準備一下才是。」
田文秀道：「不錯，那水姑娘武功再高，一人之力，只怕也難是萬上門眾多高手之敵。」
兩人談論之間，突見人影一閃，飛入茅舍。
耳際間只聽得一聲嬌叱，道：「住手！」
一道白光閃起，衝入場中，竟把紫燕和翠蓮生生分開。
直到此刻，田文秀和王子方才看到來人也是一位十七、八歲的少女。
只見她穿著一身勁裝，手中倒提著一柄長劍，皮膚白嫩，眉目如畫。
紫燕輕輕歎息一聲，道：「藍妹妹……」
藍燕冷漠地說道：「你怎麼可以和二姑娘正面衝突？」
紫燕道：「二姑娘盛氣凌人，小妹忍不下那口氣。」
藍燕道：「忍不下也得忍……」
目光轉注到水盈盈的臉上，道：「二姑娘，我這位小妹無知，冒犯大駕，還望看萬上的面子，多多原諒。」言罷，棄劍於地，向水盈盈拜倒。
水盈盈起身說道：「姑娘快快請起。」

藍燕道：「婢女叫藍燕。」

水盈盈道：「你也是四燕中人？」

藍燕道：「不錯，這位紫燕妹妹和婢子之外，還有兩位隨同萬上他去，不能同來拜見姑娘。」

水盈盈道：「那也不用了……」目光突然轉到金道長臉上，道：「她們兩人，都受了傷，今日之爲，誰也沒有沾光，但不知釋放趙堡主事如何？」

金道長面現難色，道：「二姑娘不知可否寬限三日，貧道利用三日時間，快馬捷足，請示萬上……」

藍燕突然接口說道：「金道長雖得萬上寵信，授予大權，但如是萬上交代的事，他也不敢作主。」

水盈盈道：「這麼說將起來，我是非得親見萬上不可了？」

藍燕道：「那也不用。」

水盈盈道：「你們都作不得主，我如強迫你們交人，豈不是有些強人所難了？」

藍燕道：「婢子知道那趙堡主被囚之處，二姑娘如肯留下一件信物，婢子就代作主意，放了趙天霄。」

水盈盈凝目沉思片刻道：「要我留下什麼信物呢？」

藍燕道：「這個由二姑娘作主了，婢子不敢妄作主意，不過，那信物要萬上一見之下，就可確認是二姑娘留下之物，也就是了。」

水盈盈道：「我留下一支玉簪如何？」

藍燕道：「任憑姑娘。」

水盈盈舉起右手，緩緩由頭上取下一支玉簪，道：「這支玉簪刻有我的名字，那萬上定可信得過了。」

藍燕接過玉簪，瞧了一眼，收入懷中說道：「二姑娘請稍候片刻，婢子立刻傳令他們放人。」言罷，欠身一禮，牽著紫燕，退出茅舍。

水盈盈目光一掠金道長，微帶諷刺地道：「久聞道長受那萬上的重用信任，但今日看將起來，卻又似不然，道長身當要位，但權力卻似在四燕之下？」

金道長淡淡一笑道：「如是萬上親自過問的事，貧道一向是不願多管。」

語聲甫落，突然茅舍外面傳來一男子聲音道：「第一路總探萬里追風劉飛，有要事請見金堂主。」

金道長略一沉吟，低聲對身側的嚴小青道：「去叫他進來！」

嚴小青應聲而去，片刻工夫，帶著一個短小精幹，年約四旬左右的漢子，走了進來。

那人似是沒有料到，茅舍內會有這多生人，不禁爲之一呆。

金道長微微一笑道：「不妨事，劉總探有什麼事，只管請說。」

劉飛道：「屬下探得消息，丐幫的黃幫主，已召來了總舵中神鷹五子……」

金道長道：「神鷹五子，在丐幫中身分如何？」

劉飛道：「他們在丐幫是何等身分，屬下不知，但是屬下探得內情而論，丐幫神鷹五子，實是不可輕視的強敵。」

金道長道：「知道了，你再去探聽他們集居何地？用心何在？」舉手一揮，萬里追風劉飛立時悄然退了出去。

水盈盈道：「你們的耳目很靈敏。」

金道長道：「姑娘見笑了。」

水盈盈道：「看將起來，你們萬上門即將和丐幫正面衝突了？」

金道長正待答話，瞥見藍燕款步而入，說道：「二姑娘！趙堡主已送上座車。」

水盈盈微微一怔，道：「爲什麼不帶他來此？」

藍燕道：「他受了一點傷，行動不便。」

水盈盈起身說道：「我到車中瞧瞧他的傷勢如何？」大步直向室外行去。

田文秀、王子方緊隨水盈盈身後而起，直向外面走去。

金道長道：「二姑娘不再坐一會兒嗎？」

身子一側，放過了水盈盈和翠蓮，卻故意攔住了王子方和田文秀的去路。

王子方心中大怒，右手握拳，正等擊出，卻被田文秀一把拉住，口裏重重地咳了兩聲。

果然，這兩聲重咳，驚動了水盈盈，突然停下身子，回過臉去，淡然一笑，道：「金道長如是想做人情，也就該做個全頭全尾才是。」

金道長微微一笑，道：「二姑娘說得是。」閃開身子，放過了王子方和田文秀。

出了雜林，遙見紅杏控車在道中相候。

水盈盈行近車前，打開垂簾，向裏瞧去，果見趙天霄坐在車中，緊閉雙目，靠在欄上，似是睡熟過去一般。

田文秀沉聲喝道：「趙堡主！趙堡主……」連呼數聲，不聞相應。

藍燕和金道長目光一齊轉了過來，冷冷地望了田文秀一眼，目光中充滿殺機。

水盈盈緩緩轉過身子，目光凝注藍燕的身上，道：「他傷得很重嗎？」

藍燕微微欠身，道：「不重，婢子去把他推醒過來。」

說話之間，一挫腰，上了馬車，舉手一掌，疾向趙天霄前胸扣去。

水盈盈冷冷喝道：「住手，你如暗施手腳，今天這番人情，算是白做了。」

藍燕回眸一笑道：「在二姑娘之前，婢子如何敢妄動心機。」

水盈盈道：「但願你心口如一。」

藍燕舉平的右手，輕輕落下，在趙天霄的前胸上，推拿片刻。

但見趙天霄長長吁一口氣，睜開了雙目。

藍燕腳尖微一用力，原姿不變地從車中躍落實地，道：「二姑娘，趙天霄醒過來了。」

水盈盈雙肩微微一晃，腿不曲膝，腳未移步，人已躍上馬車，回頭對藍燕說道：「見著萬上之時，代我向他問好。」

藍燕躬身說道：「婢子記下了。」

翠蓮緊隨著躍上馬車，田文秀、王子方隨後上車。

紅杏揚起長鞭，啪的一聲，馬車立時向前飛馳而去。

片刻工夫，馬車已行了兩里左右。

只聽翠蓮叫道：「姑娘，小婢難再撐下去。」身軀向下栽去。

水盈盈動作奇快，左手一伸，已把翠蓮身軀抱住，低聲說道：「你能支持這麼久的時間，那已經很不容易。」右手揮動，連點翠蓮幾處穴道。

翠蓮被水盈盈點了穴道之後，居然安靜下來，閉目躺在車中。

水盈盈的臉上，是一片很奇怪的神色，不是仇怒，也不是笑容。

急馳的馬車突然停下來，垂簾外傳來紅杏的聲音，道：「姑娘。已回到雨花台。」

水盈盈道：「你抱翠蓮下車。」竟自啓簾而去。

紅杏抱起翠蓮下車而去，片刻之後，重又走了回來，說道：「姑娘請兩位扶趙堡主一起下車，暫息雨花台，她既然救了趙堡主，那就要救人救命，今夜她要請一位名醫爲翠蓮療傷，順便瞧瞧趙堡主是否受了內傷？」

田文秀道：「我們留在這裏方便嗎？」

紅杏道：「有什麼不方便。」

忽地放低了聲音，道：「如她是拘泥於小節之人，也不會來這煙花院中開眼界了。」

王子方口雖不言，心中卻是大不贊同，暗道：「一個清清白白的女孩子家，竟然來到這煙花院中開眼界，那未免太過放蕩了。」

田文秀道：「我們恭敬不如從命。」

抱起趙天霄下了馬車，直入那幽靜跨院中。

八　百年難忘

水盈盈早已在廳外階前等待，伸手指著正東方一座廳房，道：「你把趙天霄送入那座瓦舍中，讓他好好休息，我再找一位名醫，替他查看一下，是否被他們暗施手腳，傷了內腑？」

田文秀道：「姑娘這等關顧大恩，田文秀感同身受。」

水盈盈道：「我既承諾救了他，那就有始有終。」

王子方深深一揖，道：「王某人亦是感激不盡。」

水盈盈肅穆的粉臉上，突然間展開了一片笑容，竟然欠身還了一禮，道：「老前輩不要客氣，區區微勞，如何敢當得老前輩如此大禮。」

但見王子方楞了一楞，才道：「姑娘這般說法，叫老朽如何敢當？」

水盈盈淡淡一笑，道：「兩位放下那趙堡主後，請來廳中小坐，賤妾已命她們備下水酒，和兩位低酌小飲。」

王子方正待出言推辭，田文秀卻搶先接道：「我等恭敬不如從命了。」

抱起趙天霄直奔正東瓦舍，室中燭火高燃，暖帳錦被，早有人打掃乾淨。

田文秀放下趙天霄，低聲問道：「堡主此刻的感覺如何？」

趙天霄啓動失去神采的雙目，道：「睏倦難支。」言罷，閉上雙目倒頭睡去。

田文秀低聲說道：「看來他神志已經清醒了。」

王子方道：「唉！爲老朽的事，害得趙堡主受此重傷，少堡主奔走不停，想起來實叫老朽難以安心。」

田文秀道：「事已至此，王兄也不用再客氣了。」語聲微頓，接道：「冷傲自負，不可一世的水姑娘，竟然對咱們這般照顧，原因何在，實在叫在下想不明白。」

王子方道：「老朽亦是想它不通。」

田文秀道：「她這般對待咱們，可說是全衝著你王總鏢頭而來，王兄請仔細想上一想，個中原因何在？」

王子方道：「想不出，老朽已搜盡枯腸，想不出和這位水姑娘在何處見過？」

任他王子方經驗廣博，田文秀智計多端，也被水盈盈這等待客之道，鬧得莫可捉摸，實想不出其故何在？

田文秀輕輕歎息一聲，道：「咱們去吧！那水姑娘只怕早已在廳中相候，唉！也許酒後興起，她會自動告訴咱們個中原因。」

兩人趕往廳堂，水盈盈果然早已在廳中相候，紅燭高燒，佳餚滿桌。

王子方一抱拳，道：「有勞姑娘久候。」

水盈盈起身笑道：「老前輩、田少堡主請坐。」

王子方、田文秀落了座位，俏丫頭紅杏已緩步行了過來，提起酒壺，替兩人斟滿酒杯。

水盈盈一擺手，道：「翠蓮傷勢甚重，失血過多，人已陷入半暈的狀態，你去巡視一下四周，別給那叫化子混了進來。」紅杏應了一聲，大步退出。

王子方回顧田文秀一眼，轉望著水盈盈道：「姑娘爲老朽的事，不惜和萬上門鬧得不歡而散，又害得翠蓮姑娘受了重傷，實叫老朽不安得很。」

水盈盈笑道：「老前輩成名江湖數十年，能夠代表前輩的標識，是何物品？」

王子方道：「老朽碌碌一生，談不上有什麼標識之物，如是勉強算它，除了鎮遠鏢局的鏢旗，就算得這把古刀和金芒了。」

水盈盈沉吟一陣，道：「不知老前輩可否把身懷金芒，賜借妾身兩支一用？」

王子方探手從鏢袋中，摸出了兩枚金芒，遞了過去，道：「如此些微之物，姑娘要它何用？」

水盈盈接過金芒，略一瞧看，收了起來，說道：「妾身暫時替老前輩保管。」

王子方道：「姑娘喜愛，老朽就奉送了。」

水盈盈舉起酒杯，道：「妾身敬兩位一杯。」當先一飲而盡。

王子方、田文秀各自飲乾了面前酒杯，心中卻是惶惶不已，暗自忖道：「這位謎樣的姑娘，所作所爲都是使人難解之事，她討去這兩枚金芒，不知是何用心？」

忖思之間，瞥見紅杏奔了進來，道：「啓稟姑娘，張神醫駕到。」

水盈盈起身說道：「請他進來吧！」

紅杏應了一聲，轉身而去，片刻工夫，帶著一個身材矮小、瘦骨嶙峋的老人，緩步走了進來。

田文秀打量枯瘦老人一眼，暗道：「這人如真是神醫，實該先把自己調理一下才是。」

只見水盈盈站起身來，說道：「有勞神醫大駕，妾身感激不盡。」

張神醫道：「姑娘言重了，聞得二姑娘相召，老朽立刻趕來，不知二姑娘有何吩咐？」

水盈盈道：「我有個隨身丫頭，和人搏鬥受傷，有勞神醫一展妙手。」

張神醫道：「容老朽看過她的傷勢，才可回覆二姑娘的問話。」

水盈盈道：「好！咱們同去看過。」

站起身子，目光一掠王子方和田文秀道：「兩位請稍坐片刻。」然後向室內行去。

張神醫緊隨在水盈盈的身後，步入內室。

只見翠蓮緊閉著雙目，躺在床上，原來豔紅的粉頰，變成了一片蒼白。

張神醫瞧了瞧翠蓮的傷勢緩步退了出來。

水盈盈緊隨而出，低聲問道：「神醫瞧她的傷勢如何？」

張神醫道：「傷得很重，雖然不致傷命，但也得一段時間休養，老朽留下一瓶靈丹，一個藥方，每日服用三粒靈丹，三日之後服完了丹丸，再依方服用三服水藥，大概就差不多了。」

水盈盈道：「神醫妙手回春，妾身信得過你。」

張神醫道：「二姑娘但請放心，她的傷勢雖重，但老朽自信調製的療傷靈丹，遠可以醫好她的傷勢。」

說完，探手從懷中摸出一個羊脂玉瓶，放在桌上，接道：「請借文房四寶一用。」

紅杏應聲入室，捧來文房四寶。

張神醫提筆開了一個藥方，恭謹地說道：「二姑娘還有何吩咐嗎？」

水盈盈道：「有勞神醫往返，吃杯水酒如何？」

張神醫道：「不用了，老朽就此告別。」

但聞水盈盈道：「神醫留步。」

張神醫聞聲止步，回顧說道：「二姑娘還有何吩咐？」

水盈盈道：「還有一位受傷之人，有勞神醫一併看過。」

張神醫道：「那人現在何處？」

水盈盈道：「就在雨花台中……」

目光轉注到田文秀的身上，道：「請少堡主帶神醫去查看一下那趙堡主的傷勢。」

田文秀起身一揖道：「勞駕神醫。」

張神醫道：「敢請少堡主引帶老朽一行。」

兩人先後出室，不過盞茶工夫，重又轉回室中。

水盈盈道：「他的傷勢如何？」

張神醫道：「內腑受傷甚重，不宜再行拖延下去，此刻時尚未晚，老朽已爲他留下三粒靈丹，服完之後，內傷當可痊癒，再作三日調息，不難完全康復。」

水盈盈道：「這位張神醫，不但醫道精深，而且，武功也十分高強，是以，才能在那深山大澤之中，採取甚多難見的奇藥，煉製成治病、療傷的靈丹。」

田文秀道：「這張神醫可是住在這長安附近嗎？」

水盈盈笑道：「不錯，除張神醫外，長安城中還隱居了兩位叱吒江湖的高人。」

田文秀歎道：「在下生於此地，長於此地，竟是不知長安城中隱居著如此的武林高手。」

只聽水盈盈道：「那張神醫自從隱居於長安之後，不但完全擺脫了武林的是非，就是醫病、療傷的事，也是絕口不談，他這次應我之請，為翠蓮及趙堡主療治傷勢，心中雖然不願，但卻是沒有法子的事。」
王子方突然一掌擊在桌面之上，忘其所以地說道：「是啦！那張神醫可是二十年前江湖上騎驢遊四方，人稱賽果老的張人春嗎？」
水盈盈道：「正是張人春，江湖上是不是稱他賽果老，那就不清楚了。」
王子方心中暗自責道：「當真是老糊塗，二十年前，這位水姑娘還未出世，自然不知昔年的事了。」
田文秀突然起身，抱拳一禮，道：「姑娘，在下有句不當之言，說將出來，還望姑娘不要見怪才好。」
水盈盈略一沉吟，道：「好！你說吧！」
田文秀道：「姑娘和我等，談不上什麼淵源，這等相助，必有原因。」
水盈盈微微一笑，道：「什麼原因？」
田文秀訕訕道：「這個在下如能想得明白，也不問姑娘了。」
語聲微微一頓，接道：「在下斗膽猜測，其事必和總鏢頭有著很大的關係。」
水盈盈道：「嗯！你猜得不錯啊！」
王子方臉色一變，道：「姑娘要索何等酬報，只管請說，王某力所能及，絕不推辭。」
水盈盈臉色一變，顰起了柳眉兒，沉吟不語。
王子方亦覺出這兩句話太重，只怕要激怒於她，但話已出口，無法收回，只有硬著頭皮，坐以待變。

水盈盈沉吟了一陣，那肅穆的臉上，突然間綻開了一片笑容道：「如是他們覺得我插手其間，管了這檔子事，只是爲了想收取一些酬報，那也是沒有辦法的事了……」

目光凝注到王子方的臉上，道：「王總鏢頭不知準備下何等重禮，送給我水盈盈做爲酬報？」

王子方自知一言錯出，造成僵局，水盈盈肯這般和顏悅色地相問，那已經是大出意料之外了。

他注目沉吟了一陣，道：「姑娘的恩情，重如山嶽，在下實也無適當之物，奉作酬報……」

水盈盈微微一笑，道：「如此說來，你是有意開我的玩笑了？」

王子方急道：「老朽並無此意……」

語聲微微一頓，道：「老朽倒有一物，願以奉贈，不過……」

水盈盈道：「不過什麼？我素來不喜人家和我先談條件。」

王子方道：「姑娘誤會了。」

水盈盈道：「那你是別有所指，領教高明。」

王子方道：「在下只覺那件東西，似有可貴之處，但它究竟有何價値、作用？老朽卻是一概不知，也許只是一塊平凡的無用之物。」

水盈盈一皺眉頭，道：「那是什麼事物，不知可否先給我瞧瞧？」

王子方道：「既然要奉送姑娘，瞧瞧自是無妨。」

探手從懷中摸出一塊碧玉，遞了過去。

水盈盈接過碧玉，托在掌心上，仔細瞧了一陣，道：「這上面的字，可是天竺文嗎？」

王子方道：「不錯，老朽曾經請教過一位飽學之士，他也道是天竺文字，只怕文理深奧，非博通其文，難以瞧出它的內容。」

水盈盈手托碧玉，沉吟了一陣，道：「我一生之中，最是喜歡冒險，這塊碧玉的色彩，並非什麼罕見美玉，價值就是玉上刻寫下的天竺文字了。」

王子方道：「不錯，可能是天竺國中一首名詩，也可能是一篇悼文……」

水盈盈接道：「也可能是記述一種神奇的武功，是嗎？」

王子方道：「也可能是記載一篇奇術……」

水盈盈神色肅然地接道：「我助你並無索取報酬之心，但你一定要謝我，那也是沒有法子的事……」緩緩把碧玉藏入懷中，接道：「如若你把我相助之事，看成一筆交易，這一塊碧玉豈足以言酬報？」

王子方輕輕歎息一聲，道：「也許是老朽說錯了話，老朽之意，並無以區區一塊碧玉，奉酬報之心，只是聊表心意罷了。」

只見紅杏匆匆奔入室中，低聲說道：「啓報姑娘，有一位夜行人闖了進來……」

水盈盈臉色一變，道：「爲何不攔住他？」

紅杏道：「來人武功奇高，婢子攔他不住。」

水盈盈道：「有這等事！可是丐幫中人？」

紅杏道：「他衣著整齊，黑紗包面，不似丐幫中人。」

水盈盈雙目突然一亮，閃動起一片光輝，道：「可是全身黑衣，背插長劍，胯下騎一匹白馬？」

紅杏道：「黑衣佩劍，倒是不錯，只是徒步而來，未見白馬。」

水盈盈道：「現在何處？」

紅杏道：「已在院中。」

水盈盈站起嬌軀，突然又坐了下去，道：「請他進來。」

紅杏呆了一呆，道：「請他進來嗎？」

水盈盈道：「不錯，請他進來，死丫頭，連話也聽不清楚了。」

紅杏應了一聲，急急奔了出去。

片刻工夫，紅杏帶著一個全身黑衣，背插長劍，臉上包著黑紗的人，大步行了進來。

只見那黑衣人兩道銳利的目光，掃掠了水盈盈和田文秀等一眼，說道：「哪一位是王子方老前輩？」

王子方呆了一呆，緩緩站起身子，道：「老朽便是，閣下何人？」

那黑衣少年目光凝注在王子方的臉上，道：「老前輩可是成都鎮遠鏢局的王子方嗎？」

王子方道：「不錯，正是老朽。」

黑衣人突然屈下一膝，抱拳過頂，道：「晚輩叩見老前輩。」

顯見他對王子方非常恭敬。

饒是王子方見多識廣，也被這突如其來的情況，鬧得莫名所以，急急伸手，扶起那黑衣人，道：「閣下快快請起，這個讓老朽如何當得了！」

那黑衣人緩緩立起，說道：「老前輩不識晚輩，當該記得十九年前黃沙渡的一段往事吧？」那黑衣少年說至此處，突然住口不言，一道炯炯的眼神，凝注在王子方的臉上，似是在留心查看他臉上每一個細微的神情變化。

王子方仰臉沉思，似是在回憶著十九年前的往事。顯然，在他數十年江湖道上的經歷中，並不是一件很大的事情，他沉思良久，仍然是說不出一句話。

只聽那黑衣人輕輕歎息一聲，道：「老前輩行道江湖，一生中救人無數，這點小事，也許老前輩早已忘去，但我們寡母孤兒，卻是深受重恩，如非老前輩當時仗義援手，家母和晚輩，恐已遭了毒手，沉死於黃河之中……」

王子方茫然地望了那黑衣人一眼，歎息道：「老朽走鏢江湖，行蹤遍及大江南北……」

黑衣人接道：「就在十九年前，一個黃沙飛揚的黃昏，開封黃沙渡口處，有一個全身浴血，身受重傷的婦人，懷抱著一個襁褓孤兒……」

王子方突然接口說道：「老朽記起來了，那婦人高傲華貴，雖然全身傷痕斑斑，但仍然不失高傲的丰儀……」

他自覺用詞不當，歎息一聲接道：「老朽激於義忿出手，傷了三個毛賊，那也是應該的事，如何勞夫人和小兄弟掛在心上。」

那黑衣人接道：「家母生平之中，從不受人點滴之恩，對老前輩出手相救之事，一直念念不忘……」

他長長歎息一聲，解開了臉上的黑紗，接道：「當時家母傷勢奇重，落難之時，又遇上三個水賊困擾，那時，晚輩不足一月，家母亦無抗拒之能，寡母孤兒，即將傷於三個藉藉無名的毛賊手下……」

王子方道：「唉！流光如馳，轉眼十九寒暑，公子已是英氣逼人的少年俠士。」

田文秀仔細瞧去，只見那黑衣人眉分八彩，目如明星，猿臂蜂腰，俊秀中蘊含著一股逼人的英挺之氣，不禁暗暗讚道：「俊貌英風，世所罕見，田文秀當真要自慚形穢了。」

目光轉處，瞥見水盈盈兩道勾魂攝魄的秋波，正凝注在那黑衣人臉上打量。

但聞那黑衣人輕輕歎息一聲，說道：「家母為人，素來不喜多言，身受老前輩救命之恩，但卻未說一句感謝之言而去，十幾年來，她一直為此不安，再三訓告晚輩，見著老前輩時，特別代她致意。」

那黑衣少年緩緩拿下了蒙面黑紗，道：「庭上慈訓，不許晚輩以真正面目出現江湖，但又訓命晚輩，見老前輩時，不許掩面相見，以示崇敬之心。」

王子方道：「兄弟和老朽談了半晌，老朽還未請教貴姓？」

那黑衣少年略一沉吟，道：「老前輩折節下問，晚輩當以實告，晚輩姓容……」他似有著難言的苦衷，說了一個容字，突然住口不言。

王子方心中一動，道：「公子姓容？」兩道眼神，卻逼視在水盈盈的臉上。

只見水盈盈點點頭，含笑不言。

那黑衣少年道：「不錯，晚輩姓容。老前輩呼叫在下公子，晚輩是擔待不起，如有遺差，以後請直呼晚輩小名就是。」

王子方道：「這個老朽如何敢當？」

那黑少衣年道：「晚輩小名叫容哥兒，老前輩但叫不妨。」

水盈盈突然接道：「容哥兒，容哥兒，好別致的名兒，雅俗共賞……」

容哥兒冷冷接道：「姑娘何人？這容哥兒也是你叫得的嗎？」
王子方暗道：「這位水姑娘傲氣凌人，如何吞得下這一口氣。」哪知事情竟是出了王子方的意料之外，一向冷傲的水盈盈竟然是淡然一笑，道：「叫一句打什麼緊，也值得生氣嗎？」
王子方急急接道：「老朽還未替兩位引見，那位是水盈盈水姑娘。」
水盈盈欠身一笑，道：「容公子請恕賤妾失禮。」
容哥兒卻冷哼一聲，道：「在下和尊客王老前輩談話，你最好不要插嘴。」
言下之意，無疑是把水盈盈視做青樓妓女，不屑一顧。
王子方暗道：「慘了！這場麻煩，不知鬧成何等光景？」
但見水盈盈微笑說道：「容公子看不起青樓中人，可知白蓮出淤泥而不染……」
容哥兒冷冷接道：「在下不是走馬章台賞花人，姑娘縱有巧舌花言，也不用講給我聽。」
說話時望也不望那水盈盈一眼。
王子方生怕兩人吵起來，急急指著田文秀道：「這位是長安白馬堡田少堡主。」
田文秀道：「兄弟田文秀，如是我記憶不錯，咱們已見過兩次。」
容哥兒道：「田兄目力過人，兄弟佩服得很。」
田文秀道：「好說，好說。」
容哥兒目光轉到王子方的臉上道：「家母偵知了老前輩失鏢的事，特遣晚輩趕來效命。」
王子方輕輕歎息一聲，道：「令堂盛情，老朽是感激不盡，不過，這次劫鏢之人，不是江湖上一般匪盜……」
容哥兒接道：「這個晚輩知道，老前輩失鏢落入了萬上門中。」

王子方怔了一怔，道：「怎麼？你已經探清楚了？」

容哥兒道：「不瞞老前輩，晚輩到長安已有了數日之久，並查出了失鏢存放之處，故特地趕來拜見，恭候台命。」

王子方暗道：「這麼看將起來，這位年紀輕輕的人物，也不是一位好與人物了，竟然能單槍匹馬，查出失鏢的下落！」

心中念轉問道：「容公子可知那失鏢現在何處嗎？」

容哥兒道：「這個晚輩早已探出，只要老前輩吩咐一聲，晚輩立刻去奪鏢。」

王子方道：「如此老朽要領情了。」

容哥兒道：「老前輩明日落足何處，在下可登門造訪，送上失鏢。」

王子方急說道：「就是你一個人嗎？」

容哥兒道：「在下還有一位隨同而來的助手。」

王子方道：「只有你們兩個人？」

容哥兒道：「難道還不夠嗎？」

王子方道：「據老朽所知，萬上門中人才濟濟，恐非容公子和一位助手之力能予奪回。」

容哥兒道：「這個老前輩但請放心，晚輩自有奪鏢之道。」語聲微微一頓接道：「老前輩只要和晚輩約個見面之處，晚輩定然依時赴約，送上失鏢。」

王子方接道：「老朽和你同去一趟如何？」

容哥兒眉宇間泛現出一片為難之色，道：「晚輩之意，老前輩不用涉險。」又接道：「老前輩但請放心，晚輩必將全力為老前輩追回失鏢……」

語聲微微一頓，接道：「家母雖然已二十年不問武林中事，但老前輩乃是她唯一感恩回報的人，晚輩如是追不回失鏢，家母亦不會坐視，老前輩歇腳連雲客棧，晚輩明天日落之前，定當趕往客棧，面告詳情。」

王子方道：「如此有勞，叫老朽心中怎安？」

容哥兒道：「理應如此，晚輩告別了。」抱拳一揖，轉身向外行去，人到廳門前，陡然一晃雙肩，破空而去，一眨眼，行蹤頓遝。

水盈盈道：「王老前輩現在明白了嗎？」

王子方急急回過臉來，道：「什麼事？」

水盈盈道：「我說那姓容的就是他呀！」

王子方道：「現在明白了，唉！想不到二十年前一件小事情，竟然……」

水盈盈低聲接道：「老前輩仍能記起此事，他說的都是事實了？」

王子方道：「不錯，老朽經他一番話提醒之後，已想起這件事。」

水盈盈道：「你可還記得他母親的形貌嗎？」

王子方凝目思索了一陣，搖搖頭，道：「事隔多年，老朽如何還能記得那人面貌，何況，那時兒在襁褓，母受重傷，全身都是血污，掩去了本來形貌。」

水盈盈道：「老前輩應該想到，一個身受重傷的夫人，抱著一個嬰兒，還能支持下去，如非武林中人，哪有如此的耐力。」

王子方道：「姑娘說得不錯，老朽當時確未想到此點。」

水盈盈歎息一聲道：「二十年前江湖上可有一個姓容的武林高人嗎？」

王子方凝目思索了一陣，道：「老朽確是毫無印象。」
水盈盈輕輕歎息一聲道：「這麼說來，他的姓名是假的了！」
王子方道：「爲什麼？」
水盈盈道：「我不知他的出身，但卻見過他的武功，他該是當今武林第一流的快劍手。」
王子方道：「當真嗎？」
水盈盈道：「不會錯，我雖然沒有親眼看到他和人動手相搏的情形，但卻見過他拔劍的手法，只是那拔劍的手法，已使他的對手喪膽，不敢和他動手了……」
她凝目尋思了片刻，接道：「由他拔劍的快速上推論，他的父親，必是一位震動武林的高手，二十年前，他的家庭發生慘變，父親被殺，母親亦是上乘身手的巾幗英雄，帶著襁褓嬰兒，力戰突圍而出，雖其受了重傷，但卻盡殲追蹤強敵，保得性命。」
田文秀讚道：「姑娘高才，推斷判論，有如目睹。」
水盈盈道：「他這一身武功，全由他母親傳授，自然也兼得父親之長。」
對這位神秘的水姑娘，王子方有著很深的感激和敬重，也有著一份畏懼和茫然，雖然心中仍然存疑，卻是未再多問。
水盈盈似是已瞧出了王子方的懷疑神色，淡然一笑，道：「他要爲老前輩奪回失鏢的事，老前輩是早已聽到了？」
王子方道：「聽到了。」
水盈盈道：「老前輩可曾記得他說過的兩句話嗎？」
王子方道：「什麼話？」

水盈盈道：「他說家母對相救之恩，念念不忘，如是晚輩無能奪回失鏢，家母決然不會坐視。」

王子方道：「不錯，他確實說過。」

水盈盈道：「這就是了，在他心目之中，把母親看成了武林中無人可敵的高手，自然他一身武功，都是母親傳授的了。」

王子方道：「姑娘說得是。」

水盈盈不聞兩人答話，又接了下去，道：「如若老前輩不爲他姓氏所惑，不難想出他的出身，照他的年齡計算，他的父親該和老前輩是同時代人物。」

王子方凝目沉思，久久仍然未能答話。

水盈盈道：「妾身可爲老前輩提供一個思索之路。」

王子方道：「姑娘有何高見？」

水盈盈道：「老前輩可循用快劍的路上思索，或可一索而得。」

王子方雙眉聳揚，道：「快劍手？」

水盈盈道：「以快速劍法著稱的武林高手，老前輩可是想到了嗎？」

王子方垂下頭去，緩緩說道：「沒有，如是姑娘推斷，老朽縱然未見過那容哥兒的父親，亦必聽過他的名號了，只是一時間，想它不起。容老朽多思索一些時間，或可想得出。」

水盈盈道：「不妨事，老前輩慢慢地想，重要的是別爲先入爲主的姓氏所惑。」

王子方輕輕歎息一聲，道：「好，容老朽慢慢想吧！想到之後立刻告訴姑娘。」

水盈盈道：「好吧！我已要紅杏在那趙天霄養息的房中，安排下兩具軟榻，委屈兩位在那裏休息一宵如何？」

王子方道：「既是如此，就留下了。」

水盈盈嫣然一笑，起身說道：「天色不早了，兩位也該好好休息一下……」語聲微微一頓，高聲說道：「紅杏，掌燈送王老前輩和田少堡主回房休息。」

紅杏應了一聲，高舉燈籠，行入室中，道：「兩位請吧！」

王子方、田文秀起身隨在紅杏身後，直入趙天霄養息的房中。

只見趙天霄盤膝靜坐木榻上，似在運氣調息。

紅杏燃起案上燭火，悄然退了出去。

王子方呼的一聲吹熄案上燭光，低聲說道：「少堡主，咱們早些休息了。」

田文秀緩緩走到王子方身前，低聲道：「老前輩，可曾想出那容哥兒的來歷？」

王子方指指室外，點點頭，卻是不肯答言。

但那王子方既不肯說，自己也不便再追問，只好悶在心中了。

田文秀雖然足智多謀，但他江湖經驗不如王子方豐富。

只聽王子方低聲說道：「少堡主，咱們好好休息一下，那水姑娘說得不錯，也許晚上還有事故。」

田文秀應了一聲，登上軟榻。

王子方輕步下了軟榻，行到窗前，凝神片刻，才低聲對田文秀說道：「老朽倒想起一個人來，也許和容哥兒身世有關，只是此事乃二十年前一段公案，牽扯廣泛，那水盈盈姑娘，再三追問，反使老朽有些不敢暢所欲言了。」

田文秀低聲說道：「此事緩緩再談如何？」
王子方道：「如是老朽料得不錯，此事必得守口如瓶，萬一洩露出去，只怕立刻會招致殺身之禍。」
田文秀心中雖然想知道，但卻強忍下去，搖搖頭道：「此處不是談話之地。」
王子方點點頭，不再言事，緩步向後退去，登上木榻，閉目而坐。
這時，兩人雖然不再言語，但心中卻是思潮洶湧，難以安靜。
不知過去了多少時間，突聽庭院之中，傳過來呼的一聲輕響。
王子方低聲說道：「投石問路，來了夜行人。」
田文秀一躍而起，低聲說道：「果不出老前輩的預料。」
只聽一聲嬌叱道：「什麼人？」
田文秀一聽那聲音，立時聽出正是紅杏。
紅杏話剛問完，遙聞正西方暗影處，傳過一陣清亮的聲音，道：「有勞姑娘通報一聲，就說九華舊友來訪。」
紅杏沉吟了一陣，道：「姑娘今宵身子不適，閣下請明天再來如何？」
那清亮的聲音應道：「不行，在下今宵非得見到她不可。」
紅杏道：「姑娘今夜不見客，閣下又是非見不可，豈不叫小婢作難嗎？」
那清亮的聲音道：「事關重大，寸陰如金，錯過今宵，你們都追悔莫及了。」
紅杏道：「這麼嚴重嗎？」

那清亮的聲音應道：「不錯，嚴重得很……」

紅杏略一沉吟，道：「好！閣下請稍候片刻，小婢去通報姑娘一聲。」

那清亮的聲音笑道：「姑娘武功何等高強，耳目是何等靈敏，不用通報了，咱們談話，她是早聽得明明白白了。」

只聽水盈盈的聲音由室中傳了出來，道：「你這牛鼻老道，怎麼敢跑到煙花院中來了。」

那清亮的聲音應道：「有何不可，你二姑娘混跡煙花院中賣笑，我老道來煙花院走走，有什麼不對了？」

水盈盈道：「我這居所四圍，都有丐幫中守衛，你怎麼衝了過來？」

那清亮的聲音應道：「好啊！想不到二姑娘竟然和黃十峰也搭上了關係，貧道失手，傷了他們四人，這還得姑娘多多擔待了。」

但聞水盈盈怒聲喝道：「你講話要小心，這般油嘴薄舌，當心我斷了你的舌頭。」

只見一條人影，疾如鷹隼一般，破空而下，花園中突然多了一個道袍佩劍的人。

田文秀凝目望去，暗淡星光下，只見那道人未留鬚髯，顯是年紀很輕。

王子方低聲說道：「這人的輕功不弱。」

那道人耳目奇靈，王子方講話的聲音雖低，但已被他聽到。

只見他目光轉動，四下瞧了一陣，道：「二姑娘當真裝龍像龍，裝鳳像鳳，混跡到煙花院中來，竟留起客人來了。」

王子方搖搖頭，欲言又止，心中卻是大爲奇異，忖道：「聽這道人的口氣，分明知道水盈盈的來歷，怎的還敢如此對她輕薄……」

只聽水盈盈道：「我高興留下人，你也管得著，不用多費心了。」

那道人道：「貧道問一問，問不壞吧！」

水盈盈道：「你有什麼話，可以說了。」

那道人輕輕咳了一聲，道：「二姑娘這等待客之道，豈不有負貧道千里迢迢地趕來送信的好心嗎？」

水盈盈道：「你要怎樣？」

那道人道：「燃燭深閨，佳釀美餚，先讓貧道吃喝個夠，咱們再談不遲。」

水盈盈道：「歉難招待，你愛講不講，也沒有什麼大不了的事。」

那道人道：「二姑娘這等絕情、絕義，敢情是有了新歡？」

這兩句話，講得重極，田文秀、王子方全都聽得搖頭歎息，心中忖思，水盈盈修養再好一些，只怕也難以忍耐得下。

哪知事情竟然大大的出了兩人的意料之外，只見火光一閃，水盈盈停身的客室之中，點起了火燭。

田文秀側斜一目，由窗縫之中望去，只見紅杏橫劍擋在室門之外。

那佩劍道人卻一步一步逼向室外。

室中傳出來水盈盈清亮聲音，道：「紅杏，你閃開，讓他進來。」

王子方輕輕拍了下田文秀的肩頭，道：「老弟，這是怎麼回事？老朽是越瞧越糊塗了！」

田文秀低聲道：「在下也是被關在悶葫蘆裏，猜不透個中機關，不過……」

只見紅杏一閃，讓開去路，冷冷說道：「道長可否留下兵刃？」

那道人目光凝注在紅杏臉上，道：「你跟二姑娘好長時間了？」
紅杏道：「婢子係奉夫人之命而來，侍候姑娘，不足半年。」
那道人右腕一抬，唰的一聲，抽出寶劍，緩緩放在地上，道：「姑娘，可以了嗎？」
紅杏向旁側退了兩步，道：「道長請吧！」
那道長昂頭挺胸，大步入室。
燭光反照出那道人影子，只見他舉起手來，拉上了窗簾。
室中的活動景象，全被窗簾隔斷。
田文秀輕輕一拉王子方道：「快些回到軟榻上去。」
當先躍回軟榻，閉上雙目，側身而臥。
但聞一陣步履之聲，到了室外停下，傳進來紅杏的聲音，道：「老前輩，老前輩。」
王子方輕輕咳了一聲，道：「什麼人？」
來人應道：「婢子紅杏，快些開門。」
只聽紅杏接道：「老前輩，剛才發生的事情，你們都瞧到了，目下的情勢危惡，老前輩豈可坐視？」
這幾句話細微清明，顯是用的傳音之術。
王子方一躍而起，隨手打開木門，紅杏嬌軀一閃，衝了進來。
王子方掩上木門，道：「姑娘有何見教？」
紅杏道：「那牛鼻子老道，那牛鼻子老道……」
下面的話，如鯁在喉，竟是說不出來。

田文秀接口道：「水姑娘武功精博，既然那老道不是好人，出手把他殺了就是。」

紅杏道：「唉！如是姑娘能殺得了他，我也不用找兩位來了！」

田文秀吃了一驚，道：「怎麼？那老道武功強過水姑娘？」

紅杏道：「那老道武功雖然很高，但也不是我家姑娘之敵，不過，我家姑娘有兩件隱秘，被他知曉，不敢太過開罪他。」

王子方心中暗道：「原來是這麼回事。」

只聽紅杏接道：「這就要請兩位相助一臂之力了！」

田文秀道：「咱們是義不容辭，姑娘只管吩咐，要咱們如何效勞？」

紅杏道：「事情簡單得很，只要兩位帶上兵刃，趕往姑娘房中就行了。」

田文秀道：「逼那位道人離開？」

紅杏道：「那也不用，只要兩位默坐在房中，那道人就會知難而退了。」

田文秀、王子方相互望了一眼，心中有些不信，但卻不好出言反駁。

王子方輕輕咳了一聲，道：「姑娘先行請回，我們立刻就去。」

紅杏道：「越快越好……」轉身行至門外，突然又轉回來，道：「如是那道人問你們兩位姓名，你們不要理他就是。」

王子方大感奇怪，正待轉身追問，紅杏已疾躍而去。

王子方抓起古刀，佩在身上，道：「咱們可以去了。」

大步離室，直向水盈盈房中行去。

水盈盈這客室中燭火明亮，房門虛掩，王子方高聲叫道：「水姑娘安歇了嗎？」推開木門，大步而入。

田文秀一提真氣，暗中戒備，緊隨在王子方身後而入。

只見水盈盈端坐在一張木椅上，臉上是一片肅穆神色，雖是瞧到王子方和田文秀進來，但卻恍如未見，一語不發。

田文秀目光轉動，瞧了那道人一眼。

只見他玉面朱唇，生得十分俊俏，只是臉上太過蒼白，不見血色。

那道人和水盈盈對面而坐，看樣子兩人似是在談論什麼事情，王子方和田文秀衝了進來，使兩人談話中斷。

那道人緩緩轉過頭來，目光一掠王子方和田文秀冷冷地說道：「兩位帶著兵刃闖入此來，意欲何爲？」

王子方別過頭去不和那道人目光相觸，也不理那道人的問話，牽著田文秀走到一側，緩緩坐了下去。

那道人冷笑一聲，道：「兩位貴姓？」

田文秀口齒啓動，正待答話，忽然想起紅杏囑咐之言，輕輕咳了一聲，住口未言，那道人霍然站起，一掌拍在木案之上，怒道：「兩位都啞了嗎？」

這一掌似是把水盈盈由睡夢中驚醒一般，只見她目光轉動，望了那道人一眼，道：「你該走了吧！」

那道人原本蒼白的臉上，變成了一片鐵青，雙目中似要噴出火來，望了田文秀一眼，突然轉身一躍，飛出廳門而去。

幽雅的廳室中，只餘下了水盈盈、王子方和田文秀等三人。

田文秀緩緩站起身，步出廳外，只見紅杏仗劍站在院中，當下問道：「那道人離去了嗎？」

紅杏道：「有勞二位相助。」

王子方站起身子，道：「姑娘還有需要在下等效勞的嗎？」

水盈盈輕歎一聲道：「兩位對今宵的情形，定然是有著重重的疑雲，是嗎？」

田文秀道：「不瞞你姑娘說，咱們是百思不解。」

水盈盈道：「兩位如若不很睏倦，那就請在此小坐片刻，妾身開誠奉告內情。」

田文秀回顧了王子方一眼，道：「王兄之意呢？」

王子方緩緩坐了下去，道：「這內情必是離奇曲折的武林隱秘，老朽有興一飽耳福。」

水盈盈伸出纖手，捏去火燭上燃燒的燭信，燭火陡然間明亮了很多，長長歎息一聲，道：「兩位可知道那道人的來歷嗎？」

田文秀道：「他可是修真在九華山上嗎？」

水盈盈道：「不錯，大概你們聽到九華舊友那句話了，是嗎？」

田文秀道：「正是如此。」

水盈盈道：「九華山有一座人跡罕至的深谷，在那深谷中有一座神秘的道觀名叫四仙道院，那人就是來自四仙道院之中。」

王子方道：「從未聽人說過這麼一座道觀……」

水盈盈道：「那四仙道院的內情，賤妾亦不過略知一二，但他們的武功，自成一家，據聞，那道院之中，有四個首腦人物，分稱四仙，內情如何，賤妾亦難說個明白出來。」

王子方道：「適才，那位道長，在四仙道院中的身分如何？」

水盈盈道：「他是四仙道院中八大護法之一，據他所言，除了他們八大護法之外，道觀中的人，很少有外出。」

田文秀道：「請恕在下多口，二姑娘何以會和那位道長相識？」

水盈盈道：「說來話長，賤妾生性喜愛遊玩，大約一年前吧，賤妾奉大姊之命，到九華山中去採一種奇藥，無意中行入那座深谷中，誤中他們的陷阱，中了劇毒。」

王子方道：「那位道長救了你？」

水盈盈道：「是的，賤妾中毒之初，並未在意，隨身攜帶有幾種解毒靈丹，哪知用了之後，竟是難解我身中之毒，這時賤妾才覺出情勢不對，強提真氣，想奔出深谷，只望能逃出那座深谷，遇上一個樵子之類，替我傳出警訊，哪知身中之毒，發作甚快，賤妾尚未逃出深谷，毒性已然發作，倒臥路側……」

王子方道：「以後呢？」

水盈盈眨動了一下圓大的眼睛，道：「以後，就遇上了那位道長，那時，我毒性雖發，但心境仍然是一片清明，只是全身無力，任人擺佈而已……」

但聞水盈盈歎息一聲，接道：「哪知那道人雖是三清弟子，但心術不正，把我帶入那個山洞中，就毛手毛腳地解開了我的衣服……」

王子方、田文秀都聽得兩耳發燒，暗道：「一個女孩子家，怎可說出如此難聽的話。」

水盈盈似是瞧出了兩人的尷尬之情，淡然一笑，道：「妾身是就事論事而談，尚望兩位能夠原諒，實情實話。」

王子方道：「水姑娘胸懷坦蕩，老朽等是洗耳恭聽。」

水盈盈接道：「那時，妾身所中之毒，雖然已發，但我神志，仍甚清明，心中如不出奇謀，安他之心，必將失身於他。」

田文秀道：「姑娘在劇毒發作，無能抗拒之下，仍然有此等明快的決定，那實是常人難及。」

水盈盈苦笑一下，道：「當時爲情勢所逼，已無法考慮個兩全其美之策，只好不擇手段的騙騙他了。」

王子方原本想問她如何騙他？話到口邊，想到這等燕婉之私，還是不問的好。

只聽水盈盈接下去，道：「我本裝作暈迷，但情勢迫人，只好睜開了雙目，叫他放手。他見我突然醒過來，似是大感意外，但也不過略一怔神，便露出了猙獰的面目。」

九　柳巷芳草

王子方道：「他怎麼樣了？」

水盈盈道：「他一把扯破了我的下衣說道：『好！你既然醒來了，那是更好不過。』」

王子方怒道：「欺侮一個身中劇毒，毫無抗拒之能的女子，還算得什麼人物？」

水盈盈長歎一聲，接道：「當時賤妾處境危迫，只好問他，願和我做長久夫妻，或是露水孽緣？他想了一陣才問我，何謂長久夫妻，何謂露水孽緣？我爲情勢所迫，只好不顧羞恥地說：『如果想做長久夫妻，就該循規蹈矩，不能再冒犯我，讓我傷好之後，就嫁你爲妻。』」

王子方道：「他一個三清弟子，如何能娶你爲妻呢？」

水盈盈道：「我當時也是這麼想啊！只想解除眼前之危，哪知他又問我露水孽緣，又是如何……那些話雖然難以出口但卻不能不說，只好說道：『露水孽緣，就是今日任你擺佈，也不用救活我了，只此一遭，從今之後，咱們是陰陽路隔，人鬼殊途，永不能再見了。』」

王子方道：「那道人怎麼說？」

水盈盈道：「他想了一陣之後，決定要和我做長久夫妻，不過，他問我有何保證。我本是一時情急，想出了這個辦法，哪裏能提出什麼保證，立時把我問得目瞪口呆，答不出話來。」

田文秀道：「以姑娘絕世才慧，必可想出應對之策。」

水盈盈道：「劇毒發作，全身苦痛難忍，還得殫智竭慮的思索拒敵之策，那份痛苦，當真是難以忍耐，現在想來，心中仍有餘悸。我略作忖思，只好又想了個應付的急法子，告訴他，只要我毒傷好了之後，立時就和他指天爲盟，結做夫妻……」

田文秀道：「他信了？」

水盈盈道：「自然不信，我只好又對他說，只要我毒傷減輕，不用全好，就在那石洞中和他成親，那時我仍無抗拒之力，要他不要害怕。哪知這句話竟是激起了他的豪氣，他笑了笑說，就算我全都復元，武功如昔，他也不會怕我，騙了他，絕難逃一死。」

但聽水盈盈長長歎息一聲，接道：「我正在擔驚受怕當兒，他突然站起身來，出洞而去，臨去之時，一言未發。」

田文秀道：「定然去找解藥，姑娘如若神志還清，也許早作打算。」

水盈盈道：「不成了，他去後不久，我已經無法支撐，暈了過去。當我醒來之時，目睹處身的景地，急都要急瘋了心。」

王子方覺得她口氣嚴重，哪裏還敢追問，反而勸道：「姑娘爲毒藥所困，人在暈迷不醒中，縱然有什麼不測之事，也不用放在心上了。」

水盈盈突然流下淚來，說道：「兩位口雖不言，心中只怕早已罵不絕口，一個女孩子，哪裏不遊玩，竟然混跡在煙花院中胡鬧，可是哪裏知道我際遇不幸，滿腹怨恨，無處宣洩，想藉這淪爲煙花，報復於他。」

王子方心中暗道：「胡鬧，胡鬧！」口中卻是不敢多言。

但聞水盈盈接道：「我混入這煙花院來，本是想放蕩不羈，索性過那迎張送魏的生活，哪知仍是無法解開那禮教之結，每每懸崖勒馬，不敢過於放縱。」

她望了田文秀和王子方一眼，道：「兩位可是覺得賤妾之言，太過隨便嗎？」

王子方道：「姑娘際遇如此，那也是沒法子的事了。」

水盈盈道：「這件事悶在心中，我一直想一吐爲快，但想此等之言，縱然是煙花女子，亦有羞難出口之感，但今宵兩位目睹其情，賤妾也算有了藉口，也許今宵我說過之後，就無顏再活人世，兩位日後見著我那母親、姊姊，也好轉告她們……」

王子方急急說道：「水姑娘千萬不可有輕生之想……」

水盈盈道：「到今日爲止，賤妾仍然無法了然我是否還是清白女兒之身，唉！這就是我偷生至今……」

王子方輕輕咳了一聲，接道：「此事不難證明……」

水盈盈奇道：「老前輩可有良策？」

王子方急得雙手亂搔道：「這等事老朽如何能夠知道，不過姑娘如能招來幾個年紀大些的婦道人家，不難查問明白。」

水盈盈歎息一聲，道：「這些時日中，我一直徘徊在生死邊緣，無法決定自己是生是死，如非兩位今宵目睹實情，這些我也是羞於出口……」

王子方道：「姑娘端莊秀麗，自是做不出淫邪的事。」

田文秀心中暗道：「以這水盈盈的武功，和顯赫的家世，連那萬上門也對她相讓幾分，想不到她竟然也有著這樣不幸際遇，死有不甘，可見江湖上事，有時縱然懷有絕世武功，也是無所施展。」

水盈盈雙目中閃起了明亮的光輝，但那光輝只不過閃了一閃，立時隱息不見，長長歎一口氣，道：「他曾經從我身上攜帶之物中，了然到我的家世，預作佈置，只要半年內沒有消息，他兩至好的同門兄弟，立時就要將真相公諸武林。唉！我一人生死事小，如是涉及了我母親、大姊，那就萬死不足贖罪了。」

田文秀道：「因此你一直不敢殺他？」

水盈盈點點頭，道：「不錯，我們還有了正式夫妻的名份。」

王子方呆了一呆，道：「有這等事？」

水盈盈黯然說道：「生辰八字、庚帖、大媒，凡是男婚女嫁的一切事物，他無不具備，如是公諸武林，自然是人人相信。」

王子方道：「他從何處了解你的生辰八字呢？」

水盈盈道：「我身上帶有一塊珮玉，上面記述著我的生辰八字。」

王子方點點頭，道：「大致情形，老朽已然了解，但姑娘一怒之間棄正就邪，老朽斗膽奉勸一句，是太過意氣任性。」

水盈盈接道：「不是賤妾任性，事實上不論何人，處我之境，恐怕都有著無法自處之感。」

長長歎息一聲，接道：「半夜醒來，紅燈高燒，我全身的衣服，不知何時，被人脫去，只餘下貼身內衣，和那牛鼻老道同臥一榻。」

王子方輕輕咳了一聲，道：「事已如此，姑娘只好看開一些才是。」

水盈盈道：「當時情事，只使我羞忿欲死，左右開弓，打了那牛鼻子老道兩個耳光，抓起衣服穿上就跑……我奔行在一處荒野之處停下，越想越是難過，不禁放聲而哭，卻不料那牛鼻子老道，竟然隨後追到。他拿出了我的庚帖，說道，他和我不但是已有夫妻之情，而且也有堂堂正正的夫妻之名，今後，不論我走到天涯海角，都將是他的妻子……」

水盈盈續道：「千般的委屈、痛苦，都已經鐵案如山，因此我才想放情玩世，混跡到這地方來，如是那牛鼻子真的和我已成了名副其實的夫妻，我就讓他當當那有妻爲娼的痛苦，唉！誰知今夜見他之面，他竟然是一點也沒有痛苦悲忿之感。」

明亮的燭光下，只見兩行晶瑩的淚水，滾落她的粉頰。

田文秀暗暗忖道：「今日到那萬上門討還那趙堡主時，這水盈盈何等的威風、煞氣，如非親口述說這段往事，有誰知像她這等武功的人物，竟然也有著如此深重的創傷、痛苦……」

只聽水盈盈接道：「唉！我該先把他殺死之後，然後再自絕而死，不知何故，我竟然對他下不得手，我恨他有如椎骨刺心，爲什麼偏偏不能下手殺他？」

王子方長長歎息一聲，道：「唉！姑娘之苦，實因爲經年鬱結所致，只要能夠一展愁懷，自然不會再有那等古古怪怪的想法了。」

水盈盈歎道：「不知怎樣，我才能解得心頭之結呢？」

王子方只覺很多言語，難以說出來，不禁一皺眉，道：「這個，這個……」

只顧措詞難想，這個了半天，仍然這個不出所以然來。

田文秀接道：「姑娘如真放開胸懷，不爲庸俗之事煩惱，自然就可以解開心中憂鬱之結。」

王子方道：「田少堡主說得不錯，老朽亦是此意。」

只聽水盈盈長長歎息一聲，接道：「兩位的關顧，賤妾是感激不盡，可是我的心，已然早爲那牛鼻子老道揉碎，他毀了我的一生，我要報復！」

田文秀道：「姑娘就算是要報復，也不該自甘墮落……」

水盈盈接道：「一個男人最大的痛苦是什麼？妻子不貞？綠巾壓頂？」

田文秀緩緩站起身子，道：「天色不早了，姑娘也該休息一會兒，有什麼話，咱們明天再談如何？」

王子方緊隨著站了起來，拱手作禮，和田文秀一齊退了出去。

水盈盈也不攔阻，呆呆地坐在那裏，有如一座木雕泥塑的神像。

紅杏一直守在廳外，見兩人退出來，立時悄然帶上房門。

王子方低聲說道：「姑娘有空嗎？老朽有件事，想和姑娘談談。」

紅杏點點頭，隨兩人行到了一處花架旁側，問道：「老英雄有何指教？」

王子方道：「你家姑娘的事你都知道嗎？」

紅杏黯然道：「早知道了。」

王子方道：「爲什麼不勸勸她呢？」

紅杏搖搖頭，道：「姑娘生性好強，從不肯聽人勸告……」

她仰起臉來，望著天上星辰，緩緩接道：「此刻，她不過是一隻受到傷害的小羊，但如真的墮落下去，那就會變成一頭瘋狂的老虎，武林中立時將掀起一場血雨腥風的劫難，那時，小婢們也只有追隨她爲害江湖了。」

王子方道：「不錯，老朽亦有同感，因此，才和姑娘商量。」

紅杏搖搖頭，道：「我如是有辦法，早就用出來了，哪裏還會等到今天。」
王子方道：「此刻尙有挽救餘地，老朽希望姑娘能和我等真誠合作……」
紅杏接道：「小婢竭盡所能，只要能救得姑娘，就算是赴湯蹈火，也是萬死不辭。」
王子方道：「你家姑娘混跡此地，夫人知道嗎？」
紅杏搖搖頭，道：「自然不知，要是知道啦，那還得了。」
王子方道：「大小姐呢？」
紅杏道：「大小姐一向不問二姑娘的事，近年來，因爲修習一種神功，不幸走火入魔，閉關自救，兩年未和二小姐見過面了，唉！如是大小姐好好的，二小姐也不會鬧出這等事情。」
王子方沉吟了一陣，道：「你可知道那張神醫的住處嗎？」
紅杏點點頭，道：「小婢知道。」
王子方道：「二姑娘此刻心病奇重，如若能使她安下心來，情勢立可改觀。」
紅杏歎息一聲，道：「老前輩之意，可是要婢子串通那張神醫欺騙姑娘嗎？」
王子方道：「情非得已，爲了挽救你家姑娘的墮落，不得不爾。」
田文秀道：「如那張神醫確然醫道精通，那就有勞紅杏姑娘帶我等去瞧瞧他。」
紅杏道：「瞧什麼呢？」
田文秀道：「在下有幾點醫學中的疑問，向他請教。」
紅杏道：「那和我家姑娘的事，有何關係？」
田文秀道：「自然是有關係的。」
王子方一時之間，亦想不出田文秀搗的什麼鬼，但知他一向足智多謀，其言必有深意，當下接道：「姑娘如無疑難之處，何妨帶我等去見那張神醫。」

紅杏道：「那張神醫居住之處，不願被人知道，更不願讓人知道他有著濟世活人的醫道，只因他受過我家大小姐救命之恩，才肯聽我們姑娘之命，小婢帶兩位去見他，他雖無可奈何，但心中必是十分惱恨小婢。」

田文秀道：「這麼吧！我和王兄，先到一處隱秘所在地，姑娘去請他，他極善易容之術，不論他改扮何等模樣，只要肯和我等相見，在下只是想請教他幾個問題就行了。」

紅杏想了一陣，道：「好吧！我只是負責去請他，他來與不來，那不關我的事了。」

田文秀道：「那是自然。」

紅杏道：「兩位在哪裏等他？」

田文秀道：「找一處連你家姑娘也不知道的地方。」

紅杏奇道：「爲什麼連我家姑娘也不能知道呢？」

田文秀道：「天機不可洩漏，姑娘先請想一處會面之地如何？」

紅杏凝目思索了一陣，道：「這麼吧，在這雨花台正西方，有一座小小馬王廟。」

田文秀道：「就依姑娘之意。」

紅杏道：「小婢先走一步，兩位一盞熱茶工夫，就動身。」

王子方道：「好！姑娘先請。」

紅杏一提真氣，疾奔而去，眨眼間行蹤已杳。

王子方一拉田文秀，連袂飛出雨花台，直向正西奔去。

果然，行不過二里左右，見到了一座破落廟宇，屹立在夜色中。

王子方緊隨而入，低聲說道：「少堡主，老朽雖知你必有高策，但仍想不出一點頭緒，不知可否先行告訴老朽幾句？」

田文秀道：「請來張神醫，在下有兩點請教，我懷疑那水盈盈服用了四仙道院護法慢性迷魂藥物而不自知……」

王子方點點頭道：「不錯，老朽早該想到這點才是，但不知第二點用心爲何？」

田文秀道：「在下想和那張神醫暗作協議，先行減去水盈盈心中之疑。」

王子方道：「好辦法，老弟如能先行解去她的疑團，療好她的心病，那就好多了……」

田文秀道：「在下今宵從旁觀察，發覺二姑娘似是被一種無形之枷鎖住了她，她恍忽不安，若有所思，但有時卻又是清醒明白，這說明有兩種無形的力量，正在向她心中衝突。」

王子方道：「老弟高見。」

田文秀接道：「目下之難，難在咱們無法找出這兩種無形力量的來源，是借重藥物，還是借重一種其他的神秘力量。」

王子方點點頭，道：「江湖之大，無奇不有，就老朽所知，當今武林之世，確有著兩種秘密的教會，有著武功之外的奇異力量，老朽昔年對此，原也不信，直待我瞧到了一次之後，那就不能不信，也無法不信了……」

語聲微微一頓，道：「老朽經歷之事，說來話長，以後有時間，再說給少堡主聽，此刻還是講講幫助二姑娘的正經事。」

田文秀道：「找出病源，才能對症下藥，不過，有一點得借重王兄的大力了。」

王子方道：「什麼事？但得力所能及，無不全力以赴。」

田文秀道：「關於那容哥兒……」

王子方一拍大腿，道：「嗯！不錯，容哥兒，水盈盈對他似是寄情甚深。」

田文秀沉吟了一陣，道：「咱們一切措施，都待和那張神醫見過之後，才能決定，如果情勢必要，在下到丐幫中去查問一下。」

王子方奇道：「到丐幫中去查什麼？難道水盈盈和丐幫也有關聯嗎？」

田文秀輕輕咳了一聲，道：「不瞞王兄說，在下未帶王兄來此之前，已和丐幫中兩位弟子先行混入過雨花台中一行。」

王子方道：「用心何在？」

田文秀道：「當時，說是查那水盈盈的來歷，但他們只在此地稍作停留，能否查出，兄弟仍頗表懷疑。」

兩人雖在談話之中，但卻一直留心著廟外的舉動。

只聽一陣輕微的步履之聲傳了過來，立時住口不言。

探頭望去，只見紅杏帶著一人，緩步行了過去。

但聞紅杏的聲音傳了過來，道：「兩位來了嗎？」

王子方、田文秀雙雙迎了出去，道：「我等已經候駕甚久。」

紅杏回顧了身後隨行之人一眼，道：「張神醫已為婢子請到，兩位有何疑難之處，儘管請問吧。」

王子方當先一抱拳，道：「有勞神醫！」目光卻在張神醫身上，上下打量一陣。

只見他全身黑衣，頭戴氈帽，臉上膚色黑得連眉毛都無法分辨，知他是經過易容而來。

張神醫一拱手，道：「兩位有何見教？」

田文秀道：「在下想請問神醫一事，那二姑娘可有中毒之徵？」

張神醫沉吟了一陣，道：「在下適才未曾留心看她，難以斷言。」

王子方輕輕咳了一聲，道：「神醫看那二姑娘，可有和常人不同之處嗎？」

張神醫沉吟了一陣，道：「閣下是問哪一方面？就在下所見所知，似是和常人並無顯著的不同之處。」

田文秀道：「並無顯著不同之處，那是說小處有所不同了。」

張神醫抬起一張黝黑的面孔，兩道炯炯的眼神投注在田文秀的臉上，道：「閣下可否說清楚一些？」

田文秀輕輕咳了一聲，並道：「在下之意，是說那二姑娘是否……」

只覺此等之言，實是難以說出口來，回顧了紅杏一眼，道：「還是請姑娘說吧。」

紅杏一皺眉頭，道：「要我說什麼？」

田文秀道：「你問問那張神醫，你家姑娘的身分？」說了一半，仍是講不下去。

紅杏嗤地一笑，道：「我明白了……」

低聲對張神醫道：「你瞧我家姑娘還是不是姑娘身分。」

張神醫道：「這個，在下還未留心瞧過。」

田文秀一抱拳，道：「張兄，那二姑娘對待張兄如何？」

張神醫道：「在下受過她姊姊救命之恩。」

田文秀道：「這就是了，如今二姑娘正徘徊生死邊緣，只有神醫可以救她。」

張神醫道：「適才在下見到二姑娘時，她不是精神良好嗎？」

田文秀道：「她內功精深，已是寒暑難侵，咱們請張神醫療治的是她的心病。」

張神醫道：「她有顯赫的家世，和一身絕世武功，智慧超人，尙有醫道通神的姊姊，什麼事不能解決呢？」

紅杏歎道：「大小姐……」

本想說大小姐走火入魔，閉關自修，但想此事乃一大隱秘，突然住口不言。

張神醫目光炯炯地投注在紅杏的臉上，道：「大小姐怎麼了？」

紅杏道：「大小姐管束二小姐，二小姐不肯聽，負氣離家。」

田文秀暗暗讚道：「這丫頭倒是聰明得很，這幾句謊言，倒是說得很像。」

張神醫仰臉望著天上，默然不語，顯然，對那紅杏之言，有些不信，但也未再追問。

紅杏歎道：「唉！不知神醫是否肯予幫忙？」

張神醫道：「這要等在下見過二姑娘之後，才能決定……」

王子方突然一拉田文秀的衣袖，低聲說道：「有人來了。」

接著蹲下向神像後面躲去，田文秀、張神醫、紅杏也齊齊向神像後面藏去。

幾人剛剛藏好身子，一個沉重的腳步聲已到了廟口處。人在廟門口處，略一猶豫，舉步行入廟中。

王子方心中暗忖：「這人如不是武林人物，深更半夜，到此何爲，如是武林人物，怎的行路落足如此之重。」

忖思之間，突聞砰然一聲，似是一件很沉重的東西摔在地上。

緊接著傳過來一聲深長的歎息。

饒是王子方見多識廣，經驗豐富，也無法推想出神案前發生了什麼事情？忍不住探頭向外望去。

只見一個全身黑衣的大漢，屈著一條腿坐在地上，夜色幽暗，王子方無法瞧出那人腿上情形，但看樣子，似是受了重傷。

另一個全身黑衣的大漢，直挺挺地躺在地上，那坐在地上的大漢，雙手在那人胸前遊動，不知是在搜尋東西，還是推拿穴道？

過了一盞熱茶工夫，那坐在地上的大漢突然停下手來，說道：「兄弟，格於教中規定，你既是已無復活之望，那是怪不得小兄弟我執行教規了……」

那躺在地上的大漢，被同伴推拿了半天穴道，始終未發一言，此刻，聽得這兩句話，卻陡然開口說道：「古兄，請看在咱們一場結交份上，讓小弟我自己死去吧！唉！小弟已自知無法再活過三個時辰了。」

那坐在地上的大漢說道：「非是爲兄的不講情義，實是我已然盡我心力救你，只怪你受傷太重，復元無望，爲兄的也是無可奈何了。」

只聽那躺在地上的大漢說道：「古兄，聽說那化肌毒粉，灑在身上之後，有一陣劇烈無比的痛苦，非人所能忍受，不知是真是假？」

那坐在地上的大漢說道：「這個，小兄亦曾聽人說過，但教規森嚴，爲兄縱有救你之心，也是無救你之力，只有請兄弟擔待了。」

那躺在地上的大漢道：「好吧！古兄心如鐵石，兄弟再求你也是無用，但望古兄能使兄弟減少一些痛苦，先把兄弟殺死，再撒化肌毒粉，不知古兄意下如何？」

那坐在地上的大漢道：「據小兄所知，如是一個人死去之後，肌肉僵硬，化肌毒粉的效用，要減少很多。」

那躺在地上的大漢恨聲說道：「咱們結義一場，做兄弟的一直沒有求過你一件事情，臨死之前，求你一事，竟是難獲古兄之允。」

那姓古大漢道：「教規森嚴，非是爲兄的和你爲難。」

探手入懷摸出火摺子，隨手一晃，火光一閃，登時照亮馬王廟到處積塵的小殿。

那躺在地上的大漢，閉上雙目不言。

顯然，他內心正有著無比的忿怒，只是傷勢過重，無能發作。

那坐在地上的大漢，放下左手中火摺子，抓起那倒臥地上大漢的右臂，揮動手中匕首一挑，唰的一聲劃開了那大漢臂上衣袖。

那臥地大漢拚盡餘力，怒聲接道：「今日我的下場就是你姓古的榜樣，我要在九泉路上等到你了。」

那坐在地上大漢，不再答話，揮動手中匕首，在那臥地大漢右臂之上，劃破了一道血口。

王子方只瞧得一皺眉頭，暗道：「這人果然是毫無兄弟情義，竟然要在活生生的人身上，撒化肌藥粉。」

只見那坐在地上大漢，伸手從懷中摸出一個玉瓶，打開玉瓶，抓住那大漢右臂倒出一點藥粉，在那大漢的傷口之上。

只見那臥地大漢雙目圓睜，全身顫抖，似是痛苦無比。

終於，他無法忍受那劇烈的痛苦，發出悲慘的呻吟，但不過三、四聲後，一切又歸沉寂。

這時，那高燃的火摺子，早已熄去，殿中一片黑暗。

沉默延續一頓飯工夫之久，那坐在地上的大漢，突然站起身，踉蹌而去。

只聽步履逐漸遠去，漸不可聞。

王子方當先一躍而出，伸手向那臥倒大漢所在摸去。

只聽一個冷冰冰的聲音，傳了過來，道：「不可造次。」正是那張神醫聲音。

王子方疾快地縮回手，還未來得及開口，突然火光一閃，張神醫已晃燃一個火摺子。

仔細看去，哪裏還有那大漢的蹤跡，地上只餘下一灘黃水。

張神醫搖搖頭道：「好厲害的化肌毒粉……」

目光抬注到王子方的臉上，道：「此刻，那化肌粉的毒性，還未完全消退，你如沾在手上，只怕要步此人後塵，最低限度，也將使手上肌肉化盡，落得殘廢之身。」

王子方呆了一呆，道：「老朽走了一輩子江湖，從未見過如此厲害的藥物。」

張神醫道：「這化肌藥方，已在武林中流傳了數百年，但卻一直是一線傳下，每一代中，只有一人會配此藥……」他仰起臉來長長吁了一口氣，道：「我也曾花了數年工夫研究這張藥方，但始終無法找出主藥爲何。」

王子方道：「江湖中事，當真是無奇不有，老朽又開了一次眼界。」

張神醫道：「三十年來，未聞過化肌藥粉重現江湖的事，我還以爲配製此藥之法，早已失傳，卻不料一直在暗中使用。」

田文秀道：「他們同處一幫，彼此稱兄道弟，竟能下得此等毒手，這個組織也算得森嚴惡毒了。」

王子方道：「只可惜他們未說出那教會的名稱……」

張神醫接道：「說出了又能怎樣？」

田文秀接道：「此惡毒之教，對待教中弟子就這般辣手，對武林同道那是更爲慘酷了。」

紅杏道：「天下事，從瞞不過我們大小姐，日後回得府去，問她一聲，就不難明白了。」

言語之間，把那位大小姐形容得有如天人，簡直是博古通今，無所不能，言語間一片虔誠，顯得她心中對那大小姐，有著無比的崇敬。

王子方回顧田文秀一眼，道：「少堡主，此人既已死去，咱們也不再多談了，還是和張神醫談談二小姐的事吧。」

張神醫道：「不知要幾時去看那二姑娘？」

田文秀道：「自然是愈快愈好……」

目光轉注紅杏的臉上，道：「二姑娘此刻是否已經安歇？」

紅杏道：「近來她心事重重，宿食都無定時，連過去每晨一個時辰的習劍之規，也已久不力行了。」

田文秀道：「這樣吧，咱們先回雨花台去，姑娘去瞧瞧二小姐是否已經安歇，如是還未安歇，就帶張神醫去見她。」

紅杏道：「此等重大之事，就是叫她起來，也不要緊。」

田文秀道：「那就更好了。」

目光轉注張神醫的臉上，道：「如何去和二姑娘說，張兄自己酌量吧！重要的是解開她胸中憂鬱之結，使她免於精神上的束縛，沉淪墮落。」

張神醫道：「在下盡我之力就是。」

田文秀道：「咱們走吧！」當先出廟而去。

王子方、紅杏、張神醫魚貫相隨，直奔雨花台。

回到雨花台，已經四更過後時分，紅杏越牆而入，打開木門，放入了王子方等，低聲說：「兩位請回到臥室中去，小婢去瞧瞧二小姐，不能讓她知道，咱們串通騙她。」

田文秀、王子方點點頭，緩步行回臥室。

轉臉望去，只見那水盈盈在房中，燭光高燒，顯然尚未安歇。

王子方輕輕歎息一聲，道：「少堡主，老朽心中有點疑問，始終想不通。」

田文秀道：「什麼事？」

王子方道：「冤有頭，債有主，那二小姐既是明白害在那道人手中，何以不肯出手報復，而自甘墮落，明明是一件簡單的事，爲什麼要把它變得如此複雜起來？」

田文秀道：「一個高傲自負的女孩子，一旦清白受玷，心理上承受不了，必將有著不可預料的反常變化……」

說話之間，瞥見紅杏匆匆走了出來。

兩人隱身在花樹叢中，凝神察看，只見紅杏帶著張神醫，匆匆行入水盈盈的房中。

田文秀道：「等那張神醫出來之後，或可有一點蛛絲馬跡可循。」

王子方道：「張神醫也不是可信之人。」

田文秀一怔，道：「難道那張神醫，也有可疑之處嗎？」

王子方道：「他本身縱無可疑之處，但那水盈盈可以迫他屈服。」

王子方悄然站起身子，道：「咱們如若停身此處，被他們發覺，只怕有不便之處，還是回到房裏去吧！」

田文秀也悄然站起身子，兩人一齊回到房中，伏在窗口處，望著水盈盈房中的變化。

大約一頓飯工夫之久，才見張神醫走了出來。

緊接著房門關閉，燭火熄去，紅杏竟然連張神醫送也未送。

星光下，只見張神醫大步直行，離開雨花台。

田文秀低聲道：「老鏢頭，情勢有些不對，咱們可要追上那張神醫問個明白。」

王子方道：「如是老朽的判斷不錯，此刻，咱們的一舉一動，都已在那水盈盈的注意之中，如果冒險追趕張神醫，倒不如裝作個視而不見，明天設法離開此地，再作道理……」

田文秀道：「好！就依王總鏢頭之見。」

一宵匆匆，第二天天亮之後，王子方、田文秀連同趙天霄，一齊趕往水盈盈處辭行。

趙天霄服過那張神醫丹藥之後，甜睡了半日一夜，天亮醒來，傷勢已然大好。

王子方、田文秀不忍把所聞所見和諸多可疑之事，告訴大傷初癒的趙天霄，因此未對他提過昨夜的事。

二人到水盈盈廳門前面，停下腳步，王子方行前一步，輕叩門環，叫道：「紅杏姑娘……」

關閉的門呀然大開，開門的赫然是水盈盈本人。

田文秀一抱拳，道：「怎敢勞動二姑娘玉駕。」

水盈盈道：「三位請入廳中坐吧！」

田文秀道：「不坐了，我等特地來向二姑娘辭別。」

水盈盈微微一笑，道：「三位不可以多留此地一日嗎？」

王子方道：「打擾一夜，我等已甚不安，怎敢再多驚擾姑娘，在下等就此別過了。」說罷，抱拳一揖。

趙天霄道：「在下承蒙相救，感激不盡，大恩不言報，趙某人記在心中就是，日後姑娘如有需我趙某人處，只要一張四指寬的便箋，趙某必當如限趕往應命。」

水盈盈兩道清澈的目光，不停在王子方和田文秀臉上打量，神色間一片冷峻。

田文秀輕輕咳了一聲，道：「姑娘還有吩咐嗎？」

水盈盈道：「賤妾希望三位能在此多留一日，今天日落之前，再走如何？」

她話雖說得客氣，但神情間卻是一片堅決、冷肅之色。

王子方道：「二姑娘有需在下等效勞之處，還望說個明白，只要我力所能及，必將全力以赴。」

水盈盈大開廳門，道：「二位請入廳中，咱們再談不遲。」

趙天霄目光轉動，望了王子方和田文秀一眼，奇道：「既是二姑娘要咱們多留一日，咱們就多留一日，又有何妨？」

田文秀、王子方心知一時間，也無法和他說得清楚，相視一笑，緩步入廳。

水盈盈坐了主位說道：「紅杏有事他往，翠蓮傷勢未癒，三位如想用茶，就請自行動手。」

田文秀欠身道：「不用了。」

水盈盈沉吟一陣，道：「三位可是心中懷疑我爲什麼要多留三位一日，是嗎？」

王子方道：「這個……這個……」

水盈盈放聲一陣格格嬌笑，道：「因爲那張神醫已經和我約好，午時左右到此，二位等他到了之後，再走不遲。」

這幾句平平淡淡之言，但卻在王子方、田文秀的心中，起了莫大的作用，兩人相互望了一眼，彼此都是欲言又止。

水盈盈嫣然一笑，道：「兩位心中有事，何不說出，鬼鬼祟祟，豈不有失英雄氣度。」詞鋒如刀，只逼得田文秀、王子方面紅耳赤。

田文秀輕輕咳了一聲，終於逼出了幾句話，道：「非是我等堅持要走，實因王總鏢頭已和容公子約好在連雲客棧相見。」

水盈盈接道：「如是那容哥兒，無法在連雲客棧中找到了王總鏢頭，定然會尋上這雨花台來，三位在此地等他也是一樣。」

一夜之隔，水盈盈似是又變了一個人樣，已不復昨宵那等鬱鬱愁腸，變得是那樣堅強，近乎冷酷的堅強。

王子方道：「既是姑娘要我等留在此地，在下等自是敬遵大命。」

水盈盈緩緩站起身子，道：「三位就請在廳中稍坐，想那張神醫就要到了。」

慢慢地轉過身子，行入臥室。

趙天霄滿臉茫然說道：「這是怎麼回事？」

王子方道：「一言難盡……」仰起臉來，長歎一聲，道：「一葉知秋，看古城風雲變幻，正是武林大劫，橫變的先兆。」

田文秀道：「唉！這等留客之法，和囚禁有何不同呢？」

他說話的聲音甚高，似有意讓那水盈盈聽到。

王子方擔心這一句話可能激怒水盈盈，立時鬧成不歡之局。

哪知情勢演變，竟然是大大地出了王子方的意外，水盈盈竟然是聽而不聞，內室中一片寂然，久無反應。

趙天霄道：「這究竟是怎麼回事？快要把我糊塗死了。」

田文秀低聲說道：「此地不是談話之處，只好請堡主先悶一時……」

只聽內室中傳出來水盈盈冰冷的聲音，道：「告訴他吧！黃泉路上，你也好多個同行之伴。」這幾句話，說得十分露骨，言下之意，是說凡是知我隱秘之人，那是別想活了。

王子方突然哈哈大笑，道：「姑娘救了趙堡主，咱們是感激不盡，撇開感恩一事，救一命取一命，那也是理所當然……」

趙天霄突然挺身而起，抱拳對著內室一禮，說道：「趙某人行年五十有二，受人之恩，屈指可數，姑娘把在下救出萬上門，又找來張神醫，替在下療治好內傷，此恩此德，高重無比，姑娘如若要趙某之命，趙某也不敢違抗……」

室中傳出水盈盈冰冷的聲音道：「趙堡主有什麼話，等一會兒再說不遲。」

三人相視而坐，足足過了一個時辰左右，才聽到一陣步履聲傳了過來。
王子方道：「大概是那張神醫來了。」
田文秀接道：「真相如何，即可大白。」
轉目望去，只見一個面色蒼白，顎下有鬚的老人，緩步而入。
在他身後，緊隨著美婢紅杏。
那面色蒼白的老人，點點頭道：「有勞三位久等了。」
田文秀起身說道：「原來是張神醫，閣下如不說話，在下真還認不出來了。」
張神醫臉色嚴肅的望了三人一眼，回頭對紅杏說道：「二姑娘呢？」
王子方接道：「在室中休息……」
話未說完，瞥見軟簾啓動，水盈盈手執一柄寶劍，緩步走了出來。
她神情嚴肅，眉宇間隱隱泛起怒容。
田文秀暗中運氣戒備，沉聲說道：「張神醫大駕已到，什麼事姑娘也該說個明白了。」
水盈盈目光凝注在張神醫的臉上，道：「你見過那黃幫主了？」
張神醫神態恭謹地欠身說道：「見過了。」
水盈盈道：「他說些什麼？」
張神醫道：「他說此事和田少堡主等無關，二姑娘如心有不甘，儘管找他說話。」
水盈盈冷笑一聲，接道：「要我去找那黃幫主嗎？」
張神醫道：「那倒不用，在下之意，約定時地，二姑娘和黃幫主按時前往約定的地點會面，彼此都可保持顏面。」

水盈盈眼珠轉動，想了一陣道：「好吧！你先去和黃幫主談好後，再告訴我。」
張神醫呆了一呆，道：「二姑娘如是答應，在下立刻去談，如是不允，在下就不用去了。如是在下和那黃幫主約好後，二姑娘再變卦，那可是叫在下無顏見人了。」
水盈盈道：「如是我答應了，那黃幫主不答應，又將如何？」
張神醫道：「在下自有安排，絕不致有傷姑娘顏面。」
水盈盈目光轉到田文秀的臉上道：「此人要如何懲治？」
張神醫道：「田少堡主並非丐幫中人……」
水盈盈道：「他如是丐幫中人，幫助丐幫來對付我，那是理所當然，正因他不是丐幫中人，這般的吃裏爬外，才使人痛恨得很。」
田文秀心中暗道：「原來是因為此事發作，其錯在我，那不用辯駁了……」
張神醫歎息一聲道：「田少堡主帶丐幫中人混來此地，那也是無心之過，不用追究了。」
水盈盈冷笑一聲道：「此事不用你管……」
目光一掠王子方和趙天霄，道：「我要割下田文秀的舌頭，兩位意下如何？」
王子方道：「一切事端，都為老朽引起，不知可否由老朽身代？」
田文秀挺身而起道：「大丈夫恩怨分明，既然是我田文秀闖的麻煩，自然該由我田文秀一身負擔，與你王老鏢頭何干。」
王子方道：「如非老朽失鏢，田少堡主如何會捲入這是非漩渦之中，追根究柢，該由老朽承擔才是。」
水盈盈突然一提手中長劍道：「兩位既是這般謙讓，那就一齊割下舌頭。」

田文秀暗道：「這丫頭如此蠻橫、冷酷，絕非良善的出身……」

心念轉動之間，王子方已探手從懷中摸出一把匕首，道：「老朽身代田少堡主割舌……」張口吐舌，用力割去。

就在他右手舉起的同時，突見白光一閃，冷風拂面，噹的一聲，金鐵交鳴，手中的匕首突然被人擊落。

雅致的客廳中，陡然多了一個黑衣佩劍，黑帕覆面的人。

他寶劍在鞘，雙手空空，但擊落那匕首，分明又是金鐵交擊的聲音，顯然拔劍擊落匕首之後，重又把寶劍歸入鞘中。

單是這一份拔劍、還劍的快速，就足以震懾人心。

十 人心難測

水盈盈冷笑一聲，道：「容哥兒，你來幹什麼？」

容哥兒冷冷地說道：「在下來找王老英雄，如是這王老英雄不在此地，你就算設下龍肝鳳髓的珍味，也請在下不到。」

水盈盈本待發作，聽完容哥兒一番話，忍不住嗤地一笑，道：「好大的口氣。」

容哥兒兩道森寒目光，透過蒙面黑帕，冷冷地望了水盈盈一眼，道：「王老英雄如何開罪了你，你逼他拔刀自絕……」

王子方生怕事情鬧僵，不可收拾，急道：「容公子，這事和二姑娘沒有關係。」

水盈盈嫣然一笑，接道：「我要逼他，與你何干？」

容哥兒道：「有區區在此，只怕姑娘很難如願。」

水盈盈道：「你不能一輩子跟著他，寸步不離。」

容哥兒凝目思索了一陣，道：「在下倒有一個一勞永逸的解決辦法。」

水盈盈一揚柳眉兒，道：「請教高見。」

容哥兒道：「在下和姑娘一決生死，如是姑娘傷死在我劍下，自然是永遠無法再找王老英雄的麻煩了。」

水盈盈一揚手中長劍，道：「何以見得，死的不是你？」
容哥兒道：「在下如若傷死在姑娘劍下，自是無法再管此事了。」
水盈盈道：「好！我要見識一下你的快速劍法，有何出奇處，口氣如此狂妄。」
容哥兒道：「你是女流之輩，你先出手吧！」
水盈盈突然舉步一跨，直向容哥兒欺了過來。
王子方心中大急，快行兩步，搶在二人之間，說道：「二姑娘，容公子，請聽老朽一言如何？」
容哥兒右手已然握住劍把，聽得王子方之言，又緩緩放了下來，道：「老前輩有何教言？」
水盈盈劍一偏，拍向王子方的前胸，道：「閃開去！」
就在劍勢將要觸到王子方的前胸時，突見白光一閃，噹的一擊，長劍被封擋開去。
凝目望去，只見容哥兒已然拔劍在手，他的動作快速無比，全場中人，大都沒有看清楚他如何拔出了長劍，而且能在那間不容髮中，擋開了水盈盈的劍勢。
水盈盈一雙秋波凝注在容哥兒的臉上，冷冷說道：「果然是劍如閃電。」
容哥兒臉上覆垂著蒙面黑紗，無法看清楚他的面貌，只聽他冷漠地說道：「姑娘如是不服，那就不妨試試！」
水盈盈神色嚴肅，一語不發，臉上忽青忽白，顯然她心中正有著無比的激動。
水盈盈輕啓朱唇，說道：「好！我不試你幾劍，只怕無法消滅你狂傲之氣，也許你覺得自己的快速劍法，已是江湖無敵之學。」

容哥兒道：「姑娘不要徒逞口舌之利。」

王子方正待出言相勸，突然容哥兒急聲叫道：「王老英雄閃避！」

王子方只覺得眼前白光連閃，不禁駭然而退，凝目望去，只見容哥兒左臂上衣已破裂，隱隱透出血來，顯然兩人交手的幾劍中，容哥兒吃了大虧。

水盈盈冷冷說道：「容兄，小妹的劍法如何？」

容哥兒道：「未見高明。」突然一振手腕直欺而上。

但見白光飛閃，劍氣彌漫，快得使人眼花撩亂。

劍光閃了幾閃，室中又復平靜。

定神看去，兩人仍都停在原處，容哥兒執劍的右手，微微顫動，似是握不住手中的長劍，隨時可跌落地上。

水盈盈臉色蒼白，嬌喘之聲，清晰可聞。

王子方一皺眉頭，低聲向張神醫道：「張兄請勸住二姑娘，在下勸住容公子，不能讓他們再打下去了。」

張神醫輕咳一聲，道：「這個，這個……」神態間無限畏懼，說了一半住口不言。

王子方看那張神醫這個了兩句之後，忽然住口不言，心中暗道：「如若讓兩人再打下去，必然有一人傷亡劍下，或是兩敗俱傷，此情此景，都應該看得出來才是，何以都不肯出面相勸，難道硬要他們打個生死出來不成？」

忖思之間，突聞紅杏高聲說道：「容公子和我家姑娘比劍，咱們在此礙手礙腳，使他們心有所忌，不能全力施爲，我們還是退出去吧！」

王子方道：「姑娘，老朽之意……」

紅杏冷冷接道：「你是最愛管閒事了。」

王子方若有所悟地嗯了一聲，任那紅杏拖了出去。

張神醫、田文秀、趙天霄等也魚貫出了客廳。

紅杏才鬆開了王子方，回頭帶上了廳門，望著王子方道：「唉！你這大年紀了，還沒有見識。」

王子方只覺臉上一熱，道：「還得姑娘指教！」

紅杏道：「他們都已習劍有成，進入了上乘劍道之門，就算咱們一齊出手，也無法阻擋他們兩人……」

王子方點點頭，欲言又止。

紅杏接道：「如是咱們守在室中，兩人在眾目睽睽之下，誰也不肯認輸，必然將拚個同歸於盡，咱們離開之後，也許兩人有罷手之望。」

張神醫突然舉手招道：「此地不是談話之處，咱們那邊談吧！」當先向前行去。

群豪正待舉步，突聞一聲嬌叱傳來，轉頭望去，只見廳中劍光流轉，一片劈劈啪啪的聲音，傳了出來，似是桌椅被人撞翻，夾雜著茶壺、茶杯的落地之聲。

紅杏臉色一變，緩緩說道：「那容公子劍術雖高，只怕不是我家姑娘的敵手，如是兩人中定有一人傷亡，絕非我家姑娘。」

群豪都是一樣擔心，但卻不便出言評論，事實上就兩人交手兩回合的情勢，也無法斷定誰勝誰敗。

一陣雜亂的聲響過後，室中重又恢復了平靜。顯是，兩人又交手一招。

這時，趙天霄等的心中，都很希望重回廳中。

眾人站在廳門外面，足足等候了一盞茶工夫之久，仍不聞廳中有何動靜，張神醫舉手一招，當先向前行去。

群豪隨他身後而行，直走到庭院一角處，才停了下來。

王子方道：「咱們和神醫早已約好，不知何以中途生變。」

張神醫望了紅杏一眼，道：「兩位不要誤會，在下亦是情非得已。」

田文秀道：「你昨宵見過那二姑娘後，爲何不肯和我再見一面。」

張神醫輕歎一聲，道：「在下一見二姑娘，還未來得及開口，就先被她斥責一頓，不容在下分說，就要我往丐幫中去，約那黃幫主定期一戰。」

田文秀心中暗道：「不知她何以知道丐幫中人混入此地的事。」

王子方道：「此事因何而起？」

張神醫目光轉注到田文秀的臉上，道：「當時在下亦不清楚，直待見到那黃幫主後，才知爲了田少堡主，帶了兩個丐幫弟子，混入雨花台來，激怒了二姑娘。」

田文秀口齒啓動，欲言又止。

他原想問張神醫二姑娘何以得知？話到口邊，又嚥了回去。

只聽張神醫繼續說道：「黃幫主大量如海，在下轉告了二姑娘之意，黃幫主只不過淡淡一笑，既未答應，也未拒絕。」

他吁了一口氣，道：「在下也不好再行追問，只好告辭而退，黃幫主親自把在下送到門外，告訴在下，道：『如是那二姑娘一定要見他，他自當親身來此拜訪。』」

目光轉顧群豪一眼，道：「在下的話到此爲止，以後的事都是三位親眼見到了。」

王子方目光轉到紅杏身上，道：「姑娘沒有和那張神醫同行嗎？」

紅杏搖搖頭，道：「小婢別有去處！」

田文秀道：「不知可否說出？」

紅杏搖搖頭道：「不可以。」

田文秀道：「二姑娘倒行逆施，到處樹敵，爲了你家二姑娘，你不如說出來，咱們爲她構思一個良策才是。」

王子方道：「田少堡主說得不錯，還望姑娘三思。」

紅杏凝目思索了一陣，道：「我去邀請助拳的人！」

王子方道：「助拳人？」

趙天霄道：「長安周圍三十里，住的武林同道，在下無不相識，但不知姑娘約的哪一個？」

紅杏道：「不行，我告訴你們這些，已經很多了，如何還能再說。」

田文秀說道：「姑娘既是不肯多說，咱們也不便追問。」

目光轉注張神醫的臉上，道：「張兄可曾瞧出那二姑娘和常人有何不同嗎？」

張神醫搖搖頭，道：「不似中毒，但性格卻和她昔年爲人大不相同。」

王子方道：「這話怎麼說，張兄可否說得清楚一點？」

張神醫道：「在下昔年見到的二姑娘天真活潑，一片嫻靜，但此時的二姑娘，卻是忽冷忽熱，喜怒難測，她似是被一種無形的枷鎖控制，連她自己亦無法測度自己的性格，她的喜怒，似是已經陷入了莫可捉摸之境。」

王子方一皺眉頭，忖道：「你這不是白說嗎？」

口裏卻接道：「張兄醫道精深，不知能否瞧出那原因何在？」

張神醫道：「這個在下也不敢妄作評斷，必得先解內情，仔細查究後，才可下一斷語。」

田文秀道：「就神醫此刻心得，說說無妨。」

張神醫伸手在腦袋上拍了兩下道：「這個，叫在下從何說起。」

抬頭望著天上一片飄浮的白雲，道：「諸位一定要我說，在下就心中思索的一個意念，聊以塞責，不過，我得先行說明，這只是一種預測，毫無把握的話……」

王子方等都要聽他的高論，是故，誰也不肯接腔。

張神醫目光緩緩由幾人臉上掠過，道：「不知當今武林之中，是否有一種武功，能使人幾處神經要穴受傷……」

他頓了頓，不待群豪接口，又道：「二姑娘也可以說是受了暗算，但不是中毒，而是傷在一種極神奇的武功之下。」

趙天霄道：「有這等事？」

張神醫道：「這只是在下依據所見，和醫道推判之論，對與不對，卻是不敢斷言。」

田文秀道：「神醫高論，還請說下去。」

張神醫道：「二姑娘內功精湛，雖然受傷，卻不重，是以她有時清醒如常，有時卻又一意孤行，不計後果……」

王子方道：「這話不錯，咱們和她相處短短一夜，大家見她數種大不相同的待人之道。」

張神醫接道：「在她清醒之時，所言所爲，乃是她的本性，但在傷勢發作時的作爲，那就非她本性了。」

田文秀道：「神醫之意，可是說她身受之傷，在一定時辰之內發作，一定的時辰之內清醒？」

張神醫沉吟了良久，道：「不解的也就是這一點了，就在下觀察所得，她清醒的時刻，似是並未一定，但有一點可以斷言的，就是那二姑娘的病況、傷勢，正在劇烈的轉重……」

他仰起臉來，歎口氣，道：「也許在這三、五日內，她會轉變得再無清醒時刻。」

王子方道：「如若真到那一天，二姑娘豈不要倒……」

想到下面之言，太過難聽，立時住口不言。

張神醫道：「倒行逆施，不分善惡，不過那並不是她的本意。」

紅杏愈聽愈怕，急的躬身對張神醫一禮，說道：「神醫醫道精深，還望救救我家小姐。」

張神醫道：「非是不爲，實是不能。」

田文秀道：「難道咱們就這般看著她沉淪不救嗎？」

張神醫道：「眼下唯一之策，就是寄望於丐幫中的黃幫主了。」

紅杏道：「丐幫中人傷在我們手中甚多，那黃幫主豈肯出手相救。」

張神醫道：「黃幫主見多識廣，身懷絕技，他既知道二姑娘的來歷，當不致和你家姑娘爲敵，只要他能瞧出二姑娘傷在何處，是什麼武功所傷，在下或可想出辦法。」

紅杏道：「如是那黃幫主也看不出呢？」

張神醫道：「那就麻煩了……」

語聲微頓，接道：「論當世醫道中高人，無人能勝大小姐。」

紅杏搖搖頭，道：「可是大小姐不成嘛！」

趙天霄道：「可是因路途遙遠，往返不及……」

紅杏道：「還有別的原因，唉！如是大小姐身體很好，二小姐也不會有今日……」

只聽突然一聲大震，打斷紅杏之言。

轉眼望去，只見大廳木門大開，容哥兒提劍踉蹌而出。

王子方目光轉動，只見那容哥兒左臂上鮮血淋漓，不禁心頭大駭，急忙迎了上去，道：「容公子。」

容哥兒那垂面黑紗，也被長劍削去了一半，只餘下半面黑紗，微微飄動。

他似是已累得筋疲力盡，未下廳前台階，人已經支持不住，一個筋斗摔在地上。

王子方急急扶起容哥兒，問道：「容公子，傷得很重嗎？」

容哥兒喘了一口氣，道：「不要緊，只要休息一會兒就好。」

王子方道：「你左臂上劍傷不輕……」

容哥兒道：「一點皮肉之傷，算不得什麼。」緩緩往地上坐去。

王子方知他此刻已難支撐，也不忍勉強。

容哥兒坐落地上，立時閉上雙目，運氣調息。

這當兒，那張神醫和紅杏，已然奔入廳中。

只見水盈盈長劍支地，右半身子靠在一張木桌上，右肩、左腿上兩處劍傷，仍在不停淌下血來。

紅杏自從記事以來，從未見過二小姐這等狼狽之狀，只嚇得呆在當地。還是那張神醫沉得住氣，舉步行到水盈盈的身側，探手從懷中摸出一個玉瓶，倒出了兩粒丹丸，投入水盈盈的口中。

水盈盈服下丹藥，紅杏才清醒過來，急急叫道：「二小姐！」將身體撲了過去。

張神醫右手一揮，擋住紅杏，道：「她不過累脫了力，服過我靈丹，休息片刻，就可復元，姑娘不用緊張。」

紅杏道：「她肩上的創傷……」

張神醫接道：「我都看過了，都是皮肉之傷，雖然失血不少，但卻沒有大礙。」

紅杏道：「可要包紮一下？」

張神醫還未及答話，水盈盈已搶先說道：「不用了，你去看看那容公子的傷勢如何？」右手一鬆，寶劍落地。

紅杏道：「我看他傷得不輕，行到廳外，就倒了下去……」

水盈盈突然掙扎而起，道：「當真嗎？」

紅杏道：「小婢怎敢在姑娘面前撒謊。」

水盈盈突然掙扎而行，說道：「來扶我出去瞧瞧！」

紅杏奇道：「他已無反擊之能，姑娘如若要殺他，婢子一人就可以了。」唰的一聲，抽出長劍。

水盈盈道：「快過來扶我出去。」

紅杏怔了一怔，依言行了過去。

水盈盈右手扶在紅杏肩頭，道：「棄去寶劍，扶我出廳！」

紅杏怔了一怔，扶著水盈盈，緩步走了出去。

這時，那容哥兒已然就階前盤膝而坐，運氣調息。

王子方守在一側替他護法，眼看紅杏扶著水盈盈行了過來，不禁大吃一驚，急急迎了上去，拱手說道：「二姑娘，他已經受傷很重……」

紅杏怒聲說道：「我們姑娘也受了傷，你就瞧不到嗎？」

王子方道：「兩位武功，各無勝負，既是平分秋色，那也不用再比了。」

水盈盈掙脫紅杏雙手，道：「不用你扶我了。」步履踉蹌，行到那容哥兒的身前，道：「你傷得很重嗎？」

容哥兒睜開雙目，望了水盈盈一眼，道：「姑娘如想再戰，在下還可奉陪。」霍然站了起來。

王子方雙手亂搖，道：「打不得了。」

水盈盈舉起手來，理一下鬢邊散髮，說道：「我傷得比你多，比你重，算你勝了，不用再比了。」言罷，慢慢坐了下去。

容哥兒也慢慢地坐下去，道：「姑娘劍道已入上乘，在下佩服得很。」

水盈盈道：「容兒是賤妾出道以來，遇上的第一高手。」

容哥兒歎道：「也許我不是姑娘之敵，至少咱們是一個平分秋色之局。」

王子方一直擔心兩人打了起來，卻不料兩人竟是互憐互惜地推讓起來。

張神醫悄然一扯王子方的衣袖，向後行去。

王子方是何等老練之人，焉有不知之理，轉身隨在張神醫身後行去。

田文秀、趙天霄都一聲不響地悄然退去。

張神醫轉過了一個屋角，停下腳步，舉手一招，王子方、趙天霄、田文秀等一齊圍了上來，道：「神醫有何見教？」

張神醫道：「此時此刻，二姑娘的神志，最爲清醒，如果有什麼話和她談，該是最好的時刻，唉！只可惜，她此刻傷勢甚重。」

田文秀道：「在下之見，那二姑娘似是對容公子十分敬服。」

張神醫道：「不錯，二姑娘對那容公子，十分傾心，但也只能在她清醒之時，如若她傷勢發作，那就六親不認了……」

話聲微頓道：「在下之意，不如此刻下手點了她的穴道。」

田文秀道：「如若點了她的穴道之後，對她無傷，那就不要緊了。」

張神醫道：「傷倒不會，只怕那紅杏不肯，鬧出不歡之局。」

田文秀道：「那就連紅杏一齊點了穴道如何？」

張神醫道：「在下正是此意，不過，紅杏那丫頭劍術甚佳，而且十分機靈，如是一擊不中，勢非鬧出流血慘劇不可，是以特來和諸位相商，咱們最好能一齊出手，在下對付二姑娘，二位對付那紅杏姑娘。」

田文秀已見識過那翠蓮的劍法，確實非同凡響，當下說道：「咱們就依張神醫的高見。」

張神醫道：「只怕已引起了那紅杏姑娘的懷疑，咱們該回去了。」

幾人重回廳外，那水盈盈和容哥兒都已經坐息入定，各自閉著雙目。

紅杏望了幾人一眼，道：「哼！鬼鬼祟祟的說什麼？」

張神醫微微一笑，道：「咱們商討姑娘的病勢……」

趙天霄、王子方、田文秀，藉著說話的機會，散佈開去合圍而上。

紅杏道：「可有結果？」

張神醫道：「必得早作療治。」伸手點了水盈盈的兩處穴道。

紅杏怒道：「你要幹什麼？快解開姑娘的穴道！」

就在她說話之時，王子方、趙天霄、田文秀三指並出，齊齊向紅杏穴道點去。

那紅杏果然反應奇快，指風方動，已然覺到，縱身向旁側閃動，怒聲叱道：「田文秀，你想死……」但她萬萬沒料到，竟有三個人同時向她下手。

她避開了田文秀點出的一指，但卻無法閃避王子方和趙天霄，只覺兩肋一麻，兩處穴道，同時被人點中，身子搖了兩搖跌坐在地上。

這丫頭實也有一股狠勁，咬牙強撐，坐起身子，冷冷說道：「你們可認爲點了我和姑娘的穴道，就算完事了嗎？需知二姑娘早已作了佈置……」

王子方等早已得張神醫的指示，八隻眼睛齊齊凝注在她的臉上，但卻無一人接口說話。

只聽紅杏接道：「在不足一頓飯工夫之內，即將有三名第一流的高手趕到。」

張神醫道：「什麼人？」

紅杏搖搖頭，道：「不告訴你們。」

張神醫緩步行近到紅杏身前，道：「姑娘不要誤會，這全是爲你和二姑娘好。」

紅杏似已無法支撐，砰然一聲倒了下去。

張神醫蹲下身去，說道：「姑娘請聽我說，你此時神智清醒，有口可言，如若我等是真要暗算你和二姑娘，自然要點暈穴、重穴，絕不會點你這無關緊要的穴道。」

紅杏冷笑一聲，道：「我知道你們怕我們日後報復。」

張神醫笑道：「咱們怕姑娘和你報復，不會借此機會，殺了兩位嗎？」

田文秀道：「張兄，你乾脆對她說明了吧！」

張神醫咳了一聲，道：「事情是這樣的，二姑娘受了傷……」

紅杏接道：「二姑娘受了什麼傷？」

張神醫道：「你久年追隨於她，可曾發覺她近來有什麼不同？」

紅杏道：「好像是有些變了。」

張神醫道：「哪裏變了？」

紅杏道：「變得脾氣暴急，喜怒無常，叫人無法揣測。」

張神醫道：「對了，這就是發作之徵。」

紅杏道：「你如要替小姐療治，告訴她一聲就是，也不用點我穴道。」

張神醫道：「她如不肯相信呢？」

紅杏道：「就算是吧！爲什麼還要點我穴道？」

張神醫道：「如是咱們不把你穴道點住，只點了二姑娘的穴道，姑娘情急之下，必然會拔劍拚命，不容我等分說了。」

紅杏道：「現在，我已經知道了，可以解開我的穴道了！」

張神醫臉色肅然地說道：「紅杏姑娘，不是在下危言聳聽，二姑娘目下的情勢，已然到了非得療治不可之境，如是再拖延下去，只怕要成不治之症。」

語聲微頓，道：「此刻，你已了然，在下解了你的穴道，姑娘要如何處理，悉聽尊便了。」說罷，揮掌拍活了紅杏穴道。

紅杏站起身子，長吁一口氣，望了倒臥在地上的水盈盈，回頭對張神醫道：「二姑娘如若有三長兩短，小婢也勢難獨活……」

只聽一個嬌脆的聲音，傳了過來，道：「紅杏姊姊，不要聽他們的鬼話。」

轉眼望去，只見翠蓮綠衣綠裙，左手扶著門框，右手倒是提著長劍，一片肅然之容，目光如電，掃掠幾人一眼，冷冷說道：「要他們趕快解開二姑娘的穴道。」

這句話，說得氣勢凌人，似是向那紅杏下令一般。

張神醫一拱手，道：「翠姑娘……」

翠蓮接道：「不要叫我，先解開我們姑娘的穴道。我不要聽你解說，先解開我家姑娘再說。」說話間，緩步向前走來。

紅杏轉過身去，攔住了翠蓮，道：「翠蓮姊姊……」

翠蓮冷冰冰地接道：「有什麼話，先救了姑娘再說。」

紅杏道：「姊姊受傷，不知內情，張神醫說得不錯，二姑娘這些時日確實有些不同。」

張神醫一抱拳，道：「翠姑娘……」

翠蓮怒道：「我不要聽。」

揚起長劍接道：「快解開我家姑娘穴道。」

張神醫還待解說，忽見翠蓮手中長劍連閃，幻起了兩朵劍花，分刺兩處大穴。
的穴道。
張神醫一仰身，退出了七、八尺遠，才把一劍避開。
翠蓮急跨兩步，行到水盈盈倒臥的身側，叫道：「姑娘……」蹲下身去，推拿水盈盈身上的穴道。
她身上數處大傷未癒，向下一蹲，有兩處傷口迸裂，鮮血泉湧而出。
她看上去嬌弱秀麗，但卻有著一股驚人的狠勁，兩處傷口破裂，只不過微一皺眉頭，仍是蹲了下去。
田文秀急向紅杏道：「姑娘已解內情，還不出手攔住翠蓮姑娘，到時那是前功盡棄了。」
紅杏柳眉聳動，急急叫道：「翠蓮姊姊快請停手。」
翠蓮已然揚手拍出，聽得紅杏之語，陡然又收回了掌勢，道：「什麼事？」
紅杏道：「張神醫是一番好意，點了咱們姑娘穴道，那是爲了救她。」
翠蓮冷冷接道：「你被他們騙了！」
紅杏道：「何以見得？」
翠蓮道：「古往今來，爲人療治，哪有先點穴道之理。」
紅杏呆了呆，道：「翠姊姊說得不錯。」
張神醫急急喝道：「如在下等欺騙姑娘，那也不會點了你的穴道，再爲你解開穴道了。」
紅杏又是一怔，道：「翠姊姊，這話也不錯啊！」
翠蓮道：「他們解你穴道，讓你心中信服，好爲他們所用。」
紅杏輕歎一聲，道：「翠姊姊說得有理，那張神醫也說得不錯，當真是叫我聽糊塗了。」

翠蓮揮手一掌，拍在水盈盈的左肋之上。

張神醫大聲說道：「王兄、趙兄快些出手，她如解開二姑娘的穴道，那二姑娘不知內情，必將含怒出手，今日咱們就死無葬身之地。」口中說著，雙手已經連連攻出。

翠蓮拍活了水盈盈一處穴道，張神醫掌風已到，翠蓮揚起左手，接下一掌。雙方掌力接實，翠蓮嬌哼一聲，一跤跌倒。

張神醫急跨兩步，行到翠蓮身旁，蹲下身子，先點了她兩處止血的穴道，才從懷中取出金創藥物，替她敷好，重新包紮起來，順手又點了她幾處穴道，對紅杏索然說道：「翠蓮姑娘傷勢很重，二姑娘毒性漸深，這兩人都需要好好的養息救治，你如肯信在下之言，在下身受過大姑娘之恩，自當一盡心力，你如是不肯相信，在下立時就走，尋一處深山大澤，人跡罕至之處，終身不再現身江湖一步。」

紅杏凝目沉思了一陣，道：「好吧！我相信你。」

張神醫道：「姑娘如肯相信，先請把二姑娘移入她臥室中去。」

紅杏依言伏下身去，抱起了水盈盈，行入內室。

張神醫望了田文秀一眼，道：「田兄，你抱起翠蓮姑娘如何？」

田文秀怔了一怔，道：「這個……」

張神醫道：「嫂溺援之以手，此刻乃一個人性命交關之時，少堡主自是不用為那男女授受不親的禮法束縛了。」

田文秀無可奈何，伸手抱起翠蓮，道：「要把這丫頭送往何處？」

張神醫道：「送回臥室，先讓她好好休息一會兒。」

目光轉注王子方的身子，道：「這位容哥兒的傷勢……」

容哥兒睜開雙目，站起身子，道：「在下倒不須費心。」

欠身對王子方一禮，道：「晚輩來此拜訪，原有一件重大之事奉告，想不到和那位姑娘比劍延誤下來……」口氣之中，對水盈盈突然增加幾分敬重之意。

王子方道：「有何見教？」

容哥兒道：「萬上門已將那筆珠寶連夜運定，晚輩經歷一番惡戰，卻落得一場空幻。」

王子方道：「事已至此，追鏢的事，那也不用急了。」

容哥兒道：「家母差我來此，旨在爲老前輩追回失鏢，如今鏢既沒有追回，自是無法回去向家母覆命……」

王子方道：「此刻情勢演變，愈來愈複雜，老朽失鏢的事，目下已無關緊要了，此刻最爲要緊的是，如何解救二姑娘的安危。」

容哥兒道：「二姑娘怎麼了？可是我傷她很重嗎？」

王子方道：「此事和你無關，她本就受了傷。」

容哥兒奇道：「她不是好好的嗎？適才和我比劍，仍似生龍活虎一般。」

王子方道：「她受的傷很怪，發作時喜怒莫測，性格大變，倒行逆施，隨心所欲，清醒時，卻又和常人無異。」

容哥兒道：「有這等事……」

繼道：「可惜家母不在此地，她老人家醫道甚精，必可查出她受的什麼內傷？」

這時，田文秀已把翠蓮送入室中，重又退出廳外，道：「張兄，她傷得很重，數處劍傷仍然汩汩出血。」

張神醫道：「翠蓮傷勢雖重，但不過是一些皮肉之傷，不難療治，難的倒是那二姑娘，實叫人無從著手。」

容哥兒道：「在下得家母教誨，亦稍解醫道，或可有助閣下。」

張神醫道：「那很好，咱們一起去瞧瞧吧。」轉身帶路，向前行去。

容哥兒緊隨張神醫身後，直入了水盈盈的臥室。

只見水盈盈緊閉秀目，橫臥榻上，紅杏坐在一側，滿臉淒苦，望著水盈盈出神。

張神醫回目一顧紅杏道：「二姑娘病勢奇怪，也不用再顧男女之嫌了，有勞姑娘去請王總鏢頭和趙堡主等，一同來此。」

紅杏道：「他們又非大夫，要他們來此作甚？」

張神醫道：「在下一直懷疑，二姑娘是爲一種奇異的武功所傷，多上幾人，也好多上一些見識。」

紅杏略一沉吟道：「好！我去請他們來。」

片刻之後，王子方、趙天霄等，隨同紅杏，一齊行了進來。

張神醫伸手抓起水盈盈左腕，右手食、中二指，搭在水盈盈脈門之上，閉上雙目，過了有一盞熱茶時光，睜開眼睛說道：「脈搏運行稍慢……」

紅杏接道：「你們點了她的穴道，自然和常人有些不同了。」

張神醫臉上一片嚴肅，目光由王子方臉上掠過，道：「細查二姑娘的病勢，似無受傷之徵，她的言行舉動又顯著正常，諸位都是久年在江湖上走動之人，不知對此有何高見？」

容哥兒道：「據在下所知，有一種慢性毒藥，發作十分緩慢，也許她服用之藥，毒性尙未發作。」

張神醫道：「如是毒性未發，何以會影響到她的性情？」

王子方道：「老朽曾經聽人說過，世間有一種武功，來自天竺，可以傷人大腦，受傷之人，外面和常人毫無分別，但性情和爲人，卻有了很大的改變。」

張神醫道：「在下一直懷疑二姑娘是爲一種奇異武功所傷，王兄可否能說得詳細一些。」

王子方道：「這是老朽昔年聽人所言，覺得跡近怪異，也就未再多問，已經盡言所知了。」

張神醫道：「區區的醫道，雖然不敢自詡高明，但卻療治過不少的疑難雜症，但行針用藥，必有所本才行，但在下卻查不出二姑娘的病源所在，一直未敢用藥……」

容哥兒突然接口說道：「有一種查傷之法，不知神醫是否用過？」

張神醫道：「什麼方法？」

容哥兒道：「以本身真氣，催動她的行血，以查傷處何在。」

張神醫道：「一個人，尤其是習練過內功的人，不論他傷在何處，總會留下一點殘跡，真氣行至傷處，必有異常的感應。」

張神醫點點頭，道：「確有此道，不過，兄弟的功力，無能及此。」

容哥兒道：「在下倒可一試。」

紅杏應了一聲，躍上木榻，扶住水盈盈，盤膝坐好。

容哥兒回頭望了張神醫一眼，道：「在下雖然知道真氣療傷之事，但卻是初次應用，如有什麼不周到之處，還望張兄指點。」
張神醫道：「在下盡力相助。」
容哥兒舉步一跨登上木榻，伸出右手，按在水盈盈後背上，閉上雙目，暗運真氣，一股熱流，攻入水盈盈的體內。
張神醫瞪著雙目望著那容哥兒的神情變化。
大約過了一盞熱茶之久，突見容哥兒皺起了眉頭。
又過了一盞熱茶工夫，容哥兒突然收回放在水盈盈背上的右手，道：「傷處似在頭上。」
張神醫道：「果然不出在下所料。」
趙天霄插口說道：「二姑娘身上有數處穴道被點，容公子可曾感到有異嗎？」
容哥兒道：「感覺到了，你們可是左點她的神封，右點她的天池。」
張神醫道：「不錯，正是這兩處穴道。」
容哥兒道：「在下真氣行至兩處穴道，遇到了障礙。」
張神醫道：「她傷在頭上何處呢？」
容哥兒道：「真氣至玉枕、腦戶二穴處，遇到了阻力，但阻力輕微，天池、神封二穴阻力強大……」
張神醫自言自語地接道：「厲害處也就在此了，這兩處腦間大穴，縱然是點穴高手，也不敢輕易出手，位置要害，一擊斃命……」
目光轉動，掃掠了室中群豪一眼，接道：「這必是一種特殊的手法，也許根本不屬於點穴手法，輕微傷到了大腦重穴，使她神經受傷，但人卻可保持著適度的清醒……」

趙天霄道：「如果她神智錯亂，胡作非為，對人對事，早都認識不清，那傷她之人，又是用心何在呢？難道只為了要她倒行逆施嗎？」

張神醫道：「也許是想借她武功，在江湖上造成一番殺劫，也許是更上一層，為他暗中所用……」

王子方道：「眼下傷勢既明，不知神醫有何良策，可使二姑娘傷勢復元。」

張神醫凝目沉吟了一陣，道：「雖有幾個療救方法，但在下因無把握，不敢妄自使用，唉！萬一療治不當，使二姑娘的傷勢加重，那可是終身大憾的事了。」

神醫束手，群豪更是無法可想，室中突然沉寂，良久不聞聲息。

大約過了一盞茶工夫之久，紅杏才輕歎一聲道：「諸位既無良策，看來只有小婢把她送回家中去了！」

語聲剛落，室外突然傳進來一個冷肅的聲音道：「紅杏姑娘在嗎？」

紅杏一躍下榻，道：「助拳的人來了！」緩步走出內室。

只見大廳外面一排並列著三個黑衣佩劍大漢。

三人一色衣服，肩披黑色披風，臉色也是一樣黃中透青。

紅杏輕輕移步行出廳外，和三人低言數語，三人皺皺眉頭，轉身而去。

王子方站在室內垂簾之後，把三人的舉動，瞧得十分清楚，三人行至庭院中間，突然迅速地分佈開去，隱入了花叢之中。

十一　神醫束手

正好是紅杏轉過身來行向內室，三人舉動，她是否看到，一時間連王子方也無法料斷。

紅杏一腳踏入內室，王子方立時橫身擋在紅杏前面，低聲說道：「姑娘，那三位朋友走了嗎？」

紅杏道：「走了呀，我瞧著他們出廳而去。」

王子方點點頭，讓開去路，心中暗道：「她神態鎮靜，不似謊言，真叫人無法判別出這是怎麼回事？」

張神醫抬頭望了紅杏一眼，道：「來的什麼人？」

紅杏道：「二姑娘要我去找他們，準備和丐幫抗拒。」

王子方一時拿不定主意，是否該把三人隱身於庭院中的事說出來，只好沉默無言。

容哥兒抬起頭來望了張神醫一眼道：「你可會金針過穴之法？」

張神醫道：「自然會的。」

容哥兒道：「何不用金針過穴之法試它一試？」

張神醫道：「她傷在大腦，正是人身穴道繁雜之處，而且大部穴道，都是禁針要穴，在下不敢輕易下手。」

容哥兒道：「咱們點了她的穴道，不施療治，總非長久之策。」
張神醫道：「二姑娘受傷之處，縱然冒險使用金針過穴之法，也未必有用。」
趙天霄道：「試試推宮過穴手法如何？」
張神醫道：「那更不成了。」
王子方道：「神醫之見呢？」
張神醫道：「解鈴還需繫鈴人，咱們如無法找到一個武功精深，博學識多之人，只有設法到四仙道觀中走一趟了。」
話聲未完，突聽一個威嚴的聲音傳過來，道：「丐幫幫主黃十峰，登門拜訪。」
張神醫低頭對紅杏說道：「二姑娘難以行動，在下陪姑娘去接那黃幫主一下。」
紅杏道：「好吧！」兩人並肩而出，迎出廳外。
只見一個灰衣老丐，帶了兩個蓬髮黑衣的中年人，一排站在大廳之外。
紅杏道：「哪位是黃幫主？」
那黑衣老丐道：「幫主在貴宅門外。」
張神醫道：「那黃幫主乃一幫之主的身分，譽滿武林，定是不屑翻牆越室了，咱們快去迎接他。」
紅杏一皺眉頭，道：「咱們要去接他嗎？」
張神醫道：「姑娘得天獨厚，受夫人和小姐福澤和威名蔭護，不知江湖中事，聽在下之話絕然不錯。」言罷，當先向前走去。
兩人到了門前，張神醫向後退了一步，道：「姑娘開門吧！」

紅杏雙手拉開木門，只見一個五旬左右的清瘦老者，當門而立，胸前長髯飄飄，雙目中神光如電，但態度卻是和藹異常。

張神醫一抱拳，道：「見過黃幫主。」

那清瘦老者，正是威震江湖的黃十峰，只見他微微一笑，還了一禮，道：「張兄，這位姑娘是……」

紅杏接道：「小婢紅杏。」

黃十峰道：「原來是紅杏姑娘，在下失敬了。」

紅杏道：「不用客氣，幫主請進吧！」

黃十峰道：「有勞姑娘了……」

回頭對身後四個身著灰衣，揹著藍色袋子的從人說道：「你們守在此地。」

四人應了一聲，齊齊躬身作禮。

黃十峰大步進門，當先向前行走。

張神醫道：「在下爲幫主帶路。」搶前一步，和黃十峰並肩而行。

黃十峰回顧了張神醫一眼，道：「怎麼?那二姑娘不很好嗎?」

張神醫道：「病勢奇怪，在下束手。」

黃十峰道：「如何奇怪?」

張神醫略一沉吟，把經過之情，很詳細地說了一遍。

黃十峰一皺眉頭，道：「神醫高見，應該是一種武功所傷。」

談話之間，人已行到廳外，紅杏欠身說道：「兩位請啊！」

黃十峰也不客氣，緩步當先行入廳內，四下打量一眼，道：「二姑娘現在何處？」

紅杏道：「閨房之中。」

黃十峰略一沉吟，道：「在下不便進入小姐閨房，張兄請她來廳中一見如何？」

張神醫道：「她此刻病勢，不敢解開她的穴道。」

黃十峰道：「這個……」

張神醫道：「救傷治病，情非得已，幫主何妨進去瞧瞧。」

黃十峰略一沉吟道：「有勞兩位帶路了。」

王子方、趙天霄，都已是久慕丐幫幫主的威名，齊齊抱拳見禮。

黃十峰還了一禮，緩步行到木榻前，道：「傷在何處？」

張神醫正待答話，忽聽容哥兒搶先說道：「傷在頭上玉枕、腦戶等處。」

黃十峰緩緩回過臉來，望了容哥兒一眼，道：「不會錯嗎？」

容哥兒道：「在下以本身真氣穿越她經脈之處，查出傷勢，自然是不會錯了。」

黃十峰雙目盯注容哥兒臉上，瞧了良久，道：「請教大名，上姓。」

容哥兒道：「在下容哥兒。」

黃十峰道：「原來是容公子。」

容哥兒道：「不敢當幫主高稱。」

黃十峰微微一笑，回頭望著張神醫，道：「神醫，可曾讓她服過什麼藥物嗎？」

張神醫道：「沒有，在下想不出療治之法，心中沒有把握，不敢出手。」

黃十峰嗯了一聲，道：「原來如此……」

接道：「張神醫，不知此刻，可否解開她的穴道？」
張神醫道：「這個在下是沒有把握，不敢斷言。」
黃十峰道：「咱們幾人合力，不知能否使她就範。」
張神醫、王子方和趙天霄等，相互望了一眼，但誰也不敢說話。
黃十峰道：「諸位既然都不肯答話，定然是不同意了。」
接道：「但此刻她穴道受制，有口難言，亦非良策。」
張神醫道：「幫主之意呢？」
黃十峰道：「這很難不解她穴道，想這二姑娘定然有著出人的武功，在下之意，點了她雙腿上穴道，再解開上身穴道。」
張神醫道：「好！幫主儘管出手。」
黃十峰望了紅杏一眼，道：「此事還得勞請姑娘幫忙。」
紅杏緩步行了過去，解了水盈盈的穴道。
張神醫一直留心看著紅杏的雙手，看她只管推活穴道，不肯點二姑娘的穴道，只好自己出手，點了水盈盈兩腿上四處穴道。
紅杏推活了水姑娘的穴道，又緩緩向後退了三步。
只見水盈盈睜開雙目，望著黃十峰道：「你是誰？」
黃十峰道：「在下丐幫黃十峰。」
水盈盈臉色一變，道：「就是那丐幫的黃幫主嗎？」一面掙扎下床。
但她雙腿穴道被點，不聽使喚，心中焦急，也是無可奈何。

黃十峰微笑，道：「正是區區。」

水盈盈接道：「你們丐幫中人，處處和我為難，我正要找你理論，想不到你自己會找上門來。」

黃十峰道：「二姑娘要找我黃某，那也不用急在此時，區區是隨時可以領教。」

水盈盈目光轉到紅杏臉上，大聲喝道：「死丫頭，還不快過來解開我的穴道。」

紅杏應聲奔了過來，黃十峰一擺身子，讓開了路。

張神醫急道：「姑娘不可造次。」

王子方右手一伸，攔住紅杏道：「紅杏姑娘，咱們這些人，個個皆是一片好心，姑娘是早明白了，此時此地，實不應解開那二姑娘的穴道，還望姑娘三思。」

紅杏只覺王子方言來甚是有理，不禁停下腳步。

但聞水盈盈罵道：「你這個死丫頭膽子不小，當心我打斷你的狗腿。」

紅杏急道：「姑娘不要生氣，小婢怎敢不聽姑娘之命，實因姑娘傷勢沉重，這些人，都是為姑娘好，雲集於此，研究療治姑娘的病勢。」

水盈盈怒道：「不要聽他們的，快過來解開我雙腿穴道。」

紅杏不敢抗命，明知解開她穴道之後，難免要鬧得一塌糊塗，也只好向前行去，右手一指，疾向王子方右腕點去，口中叱道：「快讓開路！」

王子方一縮右臂，紅杏已藉機行到榻前。

這時黃十峰就在木榻旁側，伸手就可以攔住紅杏。

哪知黃十峰不但不予攔阻，反而向後退了兩步，若有意若無意地擋住了張神醫。

紅杏雙手齊出，施展推宮過穴的手法，很快解開了水盈盈雙腿的穴道。

只見水盈盈右手一揮，啪的一聲，打了紅杏一記耳光。

只打得紅杏嬌軀連轉，踉蹌退出了四、五步，才站穩身軀。

一張粉臉上，腫起了五個鮮紅的指痕，口中鮮血淋漓而下。

黃十峰一皺眉頭，欲言又止。

水盈盈目光緩緩由群豪臉上掃過，冷冷說道：「男女授受不親，你們這些臭男人，為什麼都跑入我的臥室中，都給我滾出去！」

她罵得義正詞嚴，群豪無言相駁，一齊退了出去。

黃十峰走在最前面，王子方、趙天霄魚貫相隨而出。

田文秀走在容哥兒的後面，一面走，一面忖道：「看來今日之局，將因這黃幫主的驚擾，而生大變……」

忖思之間，突覺肩後一麻，被人點了一指，右膝如負千斤，登時抬不起來。

他本來正要舉步跨出水盈盈閨房，一步之隔竟然未能出去。

但聞呀然一聲，那道木門，突然關了起來。

田文秀心中明白，此刻處境危惡異常，正待叫出口，突然伸過來一支纖纖玉指，點在「迎香」穴上。

耳際間響起了水盈盈低微的聲音，道：「你這人最是多嘴，先讓你吃點苦頭。」

只聽門外傳入了黃十峰的聲音，道：「田少堡主和張神醫，被她留在房中了。」

王子方歎息一聲，道：「幫主自恃身分，不知目下情勢之危，這一謙讓，只怕又要大費一番手腳了。」

容哥兒道：「晚輩去救他們出來。」回手一掌，拍在木門之上。

這一掌的暗勁，擊在門上之後，內力才源源而出。啪的一聲脆響，木栓吃掌力震斷，房門呀然大開。

只見田文秀當門而立，神情木然，一語不發。

容哥兒伸手一把抓住了田文秀的右腕向外一拖，田文秀整個身子直挺挺地向外撞了過來。

容哥兒吃了一驚，伸手抱住了田文秀，拖入廳中。

趙天霄雙手接過了田文秀，放在一張太師椅上。

黃十峰瞧了田文秀一眼，道：「他被人點了穴道。」

伸出右掌，連在田文秀身上拍了兩掌，只見田文秀雙眼翻動，竟似無限痛苦。

黃十峰呆了一呆，道：「是一種獨門點穴手法，一般的推宮過穴手法，解它不開。」

他乃幫主之尊，受盡武林道上的崇敬尊仰，說完了兩句話，臉上泛升一片愧紅。

王子方低聲說道：「容公子，小心了。」

容哥兒道：「不要緊。」

目注內室，高聲道：「二姑娘請把張神醫送出來吧！」

內室中傳出來水盈盈冷漠的聲音，道：「急什麼？我就出來了。」

容哥兒道：「在下說出之言從來不打折扣，二姑娘不肯送他出來，在下只好進去搶了。」

水盈盈冷笑一聲，道：「你敢嗎？」

容哥兒道：「這有什麼不敢。」右手一翻，長劍出鞘，舉步入室。

只見張神醫站在水盈盈的身側，肅立不動。

容哥兒長劍一頓，道：「適才，在下已經領教過了姑娘的劍招，姑娘實也不用妄自尊大，請亮出兵刃吧！」

張神醫突然接口說道：「容公子，二姑娘此刻的作爲並非是出由本心，實因受了內傷所致，容兒手下留情。」

容哥兒歎息一聲，道：「事已至此，除動武之外，在下實是想不出更好的辦法。」

只見水盈盈右手一伸，緩緩從木榻旁邊取過長劍，冷冷說道：「你一定要和我動手嗎？」

容哥兒道：「除非你肯放了張神醫。」

水盈盈冷漠地說道：「剛才咱們沒有分出勝敗，此刻，打個勝負出來也好。」

容哥兒仔細看去，只見水盈盈雙目神光癡呆，眉宇間有一股似怒非怒，似愁非愁的神色，似是她心中正有著兩股力量，在不停的衝突，不禁心中一動，暗道：「看起來她的神智，當真是受了重傷，果然如此，真該讓她一點。」

但見水盈盈舉起長劍，冷冷地說道：「你可以出手了。」

容哥兒道：「姑娘先請。」

水盈盈突然放下長劍，道：「唉！我不該和你動手……」

容哥兒凝目望去，只見她目中的癡呆眼神，突然間變成一片清明。

似是突然間，她的神智恢復了清醒。

張神醫急急說道：「容兒，有什麼話，快對她說，這是極難得的機會，一十二個時辰，只有這片刻機會。」

他雖被點了穴道，但他的神智，仍很清醒，水盈盈目光轉動，望了張神醫和紅杏一眼，滿臉困惑之色。

容哥兒心知機不可失，身子一側，直行到張神醫的身前揮手兩掌，拍了過去。

水盈盈點那張神醫的穴道，倒是用的普通手法，容哥兒隨手兩掌就解開了張神醫的穴道。

只聽水盈盈輕輕歎息一聲，道：「紅杏，你受了傷嗎？」

紅杏怔了怔，道：「姑娘啊！你真的瘋了嗎？」

水盈盈臉色一變，道：「臭丫頭，你敢罵我！」

張神醫道：「過去了，就這一刻清醒，紅杏姑娘快退出吧。」說完當先行出室外。

這時，紅杏對姑娘神智受傷一事，再無懷疑，緊隨張神醫之後，奔出內室。

容哥兒橫劍擋在門口，攔住了水盈盈的去路。

只聽張神醫說道：「紅杏姑娘，此時此情，除了以武功制服二姑娘外，已是別無良策。」

紅杏道：「情非得已，小婢也只好唯命是從了。」

王子方心中暗道：「這廳外花樹之中，還隱藏三個武林人物，如是一齊出手，對付那二姑娘，只怕要引起他們出面干涉。」心中念轉，卻是未說出來。

趙天霄道：「不知幫主的意下如何？」

黃十峰面現難色，緩緩道：「在下之意，諸位先行出手，如若實有需要在下出手，我再出手不遲。」

群豪都知他矜持一幫之主的身分，不願群打群攻，也就不再多言。

突然間，響起了一個尖厲的聲音，道：「閃開！」

緊接著劍光打閃，響起了一陣金鐵交鳴之聲。

張神醫大聲說道：「容兄，二姑娘神智失常，咱們只能生擒，不能傷她……」

容哥兒心中暗忖道：「此女劍招毒辣，武功和我不相上下，要想生擒於她，豈是容易的事。」心中沒有把握，不願隨便答話。

但聞王子方接道：「容公子的武功高強，一人足可對付二姑娘，問題是……」

突然放低了聲音，道：「這廳外花樹之中，還藏有三個來此爲二姑娘助拳之人，如若動起手來，只怕三人也要出面。」

張神醫道：「有這等事……」

目光轉注到紅杏臉上，接道：「紅杏姑娘，眼下之人，個個都存有救助那二姑娘的用心，未存加害之意，你是早清楚了。」

紅杏點點頭道：「我知道。」

王子方接道：「那三人潛隱在花樹叢中，你也是不知道了？」

紅杏道：「不知道。」

王子方歎口氣，默然不語。

紅杏看大家臉上表情，滿是懷疑，不禁心中大急，道：「你們可是不相信？」

黃十峰突然接道：「諸位冤枉她了，她說得句句實言。」

此人在江湖名重一時，一句話掃去了群豪對紅杏的懷疑。

黃十峰舉手一揮，大廳中微風颯然，閃進來一個灰衣老丐，面對黃十峰抱拳作禮，道：

「幫主有何吩咐？」

黃十峰一指紅杏道：「你們今晨看到的可是這位姑娘嗎？」

那灰衣老丐回顧了紅杏一眼，道：「正是這位姑娘。」

黃十峰道：「那就不會錯了。」說話之間舉手一揮，那灰衣老丐應手退了出去。

黃十峰目光轉動，掃掠了廳中群豪一眼，接道：「這位紅杏姑娘，並非是有意欺騙各位，事實上她請的何人助拳，連自己亦不知道。」

王子方奇道：「真有此等事，人心多變，狡詐如斯，當真是一代強過一代了。」

黃十峰目光轉注到紅杏臉上，道：「不瞞姑娘說，你們雨花台中的人一舉一動，都在我丐幫弟子的監視之下，姑娘趕去請那助拳人，亦是幫中弟子所見，就經過情形而論，姑娘不認識那助拳人，似是無錯。」

王子方道：「那人既和紅杏姑娘素不相識，何以肯派人相助呢？」口中說話，目光卻不停地盯注了院外花樹叢中，三人藏身所在。

黃十峰淡淡一笑，道：「他們不識紅杏，卻對二姑娘十分熟悉。」

王子方心中暗道：「我等這般大聲地喧鬧，那藏在樹叢中之人，定然是早聽到了，這三人倒也能沉得住氣，竟能任人笑罵，隱忍不發。」

趙天霄低聲問道：「王兄，那三人藏在花樹叢中很久了嗎？」

王子方道：「到此之後，和紅杏姑娘講了兩句話，就隱入那花樹叢中，一直未曾出來……」

紅杏高聲說道：「黃幫主對我家二姑娘的行動，如此熟悉，小婢十分佩服，但不知她何以和這些素不相識的人攀上了交情？」

只聽內室一陣急促的金鐵交鳴後，突然沉寂，軟簾起處，緩步走出來面容嚴肅的容哥兒。

紅杏吃了一驚，顧不得再問黃十峰，直對容哥兒奔了過來，道：「容公子，我家姑娘，她……」

容哥兒左手按在肋間，不答紅杏的問話，目光卻投注在王子方的臉上，道：「幸未辱命，我點中了她的穴……」左手一抬，鮮血湧出，身子搖擺不定。

王子方吃了驚，急急奔過去，伸手扶住容哥兒道：「容公子，你……」

張神醫急急奔了過來，點了容哥兒兩處止血的穴道，仔細地看過傷，摸出金創藥敷上，包紮起來。

這時，室中群豪，大都關心起容哥兒的傷勢，目光投注到張神醫的臉上，而且充滿著關懷，但誰也不肯開口詢問。

張神醫似是已了然群豪的心意，歎息一聲，道：「他傷得不輕，必得好好養息幾月。」

這時，紅杏奔入內室，只見二姑娘倒臥在地上，雙目微閉，正是被人點中要穴之徵，急急抱起姑娘，放在木榻之上。

容哥兒睜開雙目，望了望四周群豪，緩緩說道：「我點她穴道之時，被她反手一劍刺中。」

王子方道：「我知道，如果公子不是爲了點她穴道生擒她，絕不會受此重傷。」

容哥兒點點頭，痛苦的神色中，泛起了一縷慰然的笑意。

黃十峰突然從懷中摸出一個玉瓶，道：「這是咱們丐幫中療傷靈丹，請神醫過目，看看能否適用？」

張神醫喜道：「久聞貴幫金丹，乃當今武林中有數幾種療傷聖品之一，有此金丹相助，在下就有把握使容公子在三天之內復元。」

伸手接過玉瓶，拔開瓶塞，倒出兩粒金色丹丸，重又合上瓶塞，把玉瓶奉還黃十峰。

只見張神醫手捧兩粒還我金丹，行至容哥兒的身前說道：「容兄，這兩粒金丹，乃當今武林中的療傷聖品，容兄先請服下。」

容哥兒暗裏咬牙，伸出右手，接過金丹吞了下去，目光又轉向內室望去。

王子方心中一動，急急說道：「咱們快點進入內室瞧瞧，如若那紅杏姑娘再解開了那二姑娘的穴道，咱們這番心機，豈不是白費了，容公子這一劍，也是白挨了。」

紅杏正自難作主意時，突然聽得室外傳入了張神醫之言，果然不敢解開二姑娘的穴道。

但聞張神醫道：「紅杏姑娘，二姑娘睡得很好嗎？」

紅杏緩步行了出來道：「她睡得很好。」

張神醫道：「在下知道姑娘頗識大體……」

語聲微微一頓，接道：「還有一件事，想請教姑娘？」

紅杏道：「你說吧！」

張神醫道：「在下發覺二姑娘情勢愈來愈是不對，因此，在下決定冒險出手，早些救治好二姑娘的病勢。」

紅杏道：「冒險出手？」

張神醫道：「不錯，在下沒有一點把握。」

紅杏道：「你如把她醫死了呢？」

張神醫道：「在下給她抵命。」
紅杏道：「這不是太冒險了嗎？」
張神醫道：「姑娘之意呢？」
紅杏道：「如是你自己沒有把握，那就不用管她，由小婢送她回府中。」
張神醫道：「大姑娘不是……」
紅杏急急接道：「雖然大姑娘未必在家，但老夫人卻是一定在家。」
張神醫道：「此行路途遙遠，只怕二姑娘已經等不及了。」
紅杏道：「唉！往常每隔十天、八天，總有姑娘的故舊世交，來此探望二姑娘，這一次怎麼快過了半個月，竟是無人來過。」
張神醫道：「此事除了老夫人和大姑娘親自趕來之外，別人來了，也是無用。」
突然一頓，臉上泛現出一片堅毅之色道：「紅杏姑娘，在下決定試試了。」
紅杏急急說道：「不行啊！生死大事，豈能開得玩笑的嗎？」
張神醫道：「事已至此，拖下去也未必對二姑娘有益……」
紅杏急得流下淚來，說道：「不成啊！你如醫死了二姑娘，小婢們……」
張神醫道：「事已如此，還望紅杏姑娘擔待了。」
目光一掠群豪，接道：「在下如若在一個時辰後還不離開內室，諸位就可以破門而入。」
王子方道：「一個時辰之內呢？」
張神醫道：「一個時辰之內，希望諸位能夠安心等待，不要驚擾在下。」
身子一側，閃入室內。

黃十峰突然說道：「且慢。」但那張神醫已閃入室內，關上木門。

紅杏急急向內室撲去，口中高聲說道：「不成啊！不成啊！」

黃十峰似是亦覺出情形不對，低聲說道：「姑娘請沉住氣。」

此人氣度不凡，平平常常的句子，從他口中說出來，顯得特別有力。

紅杏拂拭一下臉上的淚水，道：「幫主……」

黃十峰低聲說道：「你家姑娘可是用著鎖脈手法嗎？」

紅杏道：「不錯啊！」

黃十峰道：「這就是了！」

大步行到田文秀身側，砰砰兩掌，拍在田文秀身上。

原來他適才未能解開田文秀的穴道，一直耿耿於懷，暗中查看田文秀的傷勢，頗似鎖脈手法所傷，但仍不敢隨便出手，萬一出手之後，仍是無法解得田文秀的穴道，那可是大失顏面的事，直待紅杏口中證實了確是鎖脈手法，才敢出手，解開了田文秀被點的穴道。

只聽田文秀長吁一口氣，睜開了雙目。

黃十峰雙目轉注到紅杏身上道：「在下局外人，原本不願投入這次漩渦之中，但此刻情形不同，在下不忍袖手旁觀了。」

他回顧了群豪一眼，緩緩接道：「不過，如要區區過問此事，必得有一重要條件。」

趙天霄道：「什麼條件？」

黃十峰道：「目下二姑娘神智不清，自是不能作得主意，這要紅杏姑娘代她決定，如是不要本幫主多管閒事，在下立刻率領屬下，離開此地，如若要區區過問，還得紅杏姑娘當著群豪之面，說一句話。」

紅杏道：「要我說什麼呢？」

黃十峰道：「這個嘛……」

趙天霄接道：「以黃幫主身分，如若姑娘不請他出面，他自不便過問。」

紅杏道：「要我請他嗎？」

趙天霄道：「正是如此。」

紅杏顰起了柳眉兒：道：「我要怎麼說？」

趙天霄低聲說道：「姑娘請黃幫主幫忙承救你家姑娘就是。」

紅杏沉吟了一陣，道：「小婢恭請黃幫主，救助我家姑娘脫險。」

黃十峰微微一笑，舉步向內室走去，左手按門上，高聲說道：「張兄開門……」

他一連呼叫數聲，不聞那張神醫相應之聲。

黃十峰回顧了身後群豪一眼，掌心內勁突發，砰然一聲，震開木門，大步行入室中。

紅杏急步向室內衝去，卻被王子方攔住，低聲說道：「姑娘不可造次，那黃幫主如若需姑娘相助，定然會出言招呼。」

諸般情勢變化，都是紅杏未曾經過的事情，一時之間，實是想不出如何應對，只好呆呆地站著不動。

只聽內室中一聲悶哼，接著呼的一聲，似是有人倒在地上。

紅杏吃了一驚，用右掌一推王子方，疾向內室衝去。

王子方想待阻攔，但卻被那紅杏一掌擊推在肩頭之上，身不由己地退後兩步。

紅杏嬌軀一側，衝入內室，抬頭看去，只見張神醫臥倒在木榻旁側，黃十峰肅容而立，雙目盯注在張神醫的臉上，似是要從他身上，找出什麼隱秘。

紅杏呆了一呆，急步行近木榻，只見二姑娘仍然好好地仰臥在木榻上，心中登時一定，長吁一口氣，道：「黃幫主，這究竟是怎麼回事啊？」

黃十峰道：「姑娘可識得張神醫的真面目嗎？」

這一問又大大的出了紅杏的意外，不禁呆了一呆，道：「小婢不識。」

黃十峰道：「連一點印象都沒有嗎？」

紅杏道：「小婢每次和他相見時，他都已經易容改裝……」

黃十峰道：「那是說每次見到張神醫時，他的形貌、衣著，都不相同，是嗎？」

紅杏道：「正是如此。」

黃十峰探手一把，抱起張神醫，道：「姑娘請關好門，咱們到大廳中去。」

這時的紅杏，已經完全沒有主意，一切聽人擺佈，依言關好窗門，行入大廳。

黃十峰放下了張神醫，目光掃射了神情愕然的群豪一眼，道：「諸位之中，哪一位識得張神醫。」

王子方和田文秀，雖然都和那張神醫見過面，但對張神醫的形貌，卻是毫無記憶，只覺他面目平常，無法想出一點特徵。

黃十峰道：「就在下所知，當今武林之中，確有一位姓張的神醫，但那人早已息隱江湖……」

王子方接道：「幫主說得可是那賽果老張人春嗎？」

黃十峰道：「正是那張人春。」

伸出右手輕輕從張神醫臉上揭下一張人皮面具。

王子方凝目望去，只見那面容乾枯，兩顴高突，雙目細小，形容甚是古怪。

黃十峰道：「在下和那張人春張神醫，交往甚深，後來，他突然息隱江湖，從此消息杳然，但在下對他的音容笑貌，卻是記憶猶新，此人冒稱張神醫，在下早已動疑，但他只肯說出姓張，未說名字，想那姓張之人甚多，在下倒也不敢貿然從事，揭穿他人的僞貌。」

紅杏長吁一口氣，道：「真叫我糊塗死了。」

黃十峰微微一笑，道：「姑娘，風波世道，險詐江湖，就是再聰明些，也是難免受人詐騙。」

語聲略頓，又道：「直待他剛才，自說自語，要冒險去療治那二姑娘的傷勢，才啓動了我的懷疑之心，唉！此人本可把我騙過，只是他做賊心虛，表演得太過火了。」

紅杏訝然說道：「我家大姑娘對這張神醫有過救命之恩，難道他還會幫助敵人，謀害我家二小姐不成。」

黃十峰道：「姑娘請仔細瞧此人的真正面目，是否是那大姑娘救過命之人？」

紅杏道：「唉！我沒有見過那張神醫，這件事也是聽二小姐說過而已。」

黃十峰道：「此人如此膽大，敢於冒充，也就是因爲姑娘未見過他的真面目，如若在下的料斷不錯，只怕二姑娘也未見過此人？」

紅杏一皺眉頭，道：「幫主這麼一說，好像內情十分複雜了。」

黃十峰道：「不錯，區區爲了本幫中失去了一包藥物，追查到此，在長安停留了一段時間之後，隱隱覺出，一件震駭人心的陰謀，以長安為基點，正在不斷的擴張。」

目光凝注到紅杏臉上，道：「你們金鳳門……」

黃十峰接道：「如若那人不知你們主婢出自金鳳門中，也不會計算到你們姑娘頭上了。」

紅杏道：「我們主婢自入江湖後一直小心謹慎，不知黃幫主何以知我們來自金鳳門下？」

黃十峰道：「我丐幫耳目遍佈，消息最是靈通。」

語聲微頓，掉轉話題說道：「目下此事，並非什麼重大之事，要緊的是如何療治二姑娘的病勢。」

紅杏歎息一聲，道：「黃幫主，如若我家姑娘清醒後，千萬不可說出她來自金鳳門下。」

黃十峰道：「好！在下答應姑娘。」

趙天霄突然歎了一聲，道：「幫主一舉揭穿了這張神醫的隱秘，想必早有成竹在胸了。」

黃十峰道：「如若治不好二姑娘的傷勢，事情仍將是一團亂麻。」

王子方道：「貴幫弟子，遍佈天下，江湖上有什麼風吹草動，總是貴幫先有消息，武林之中早有公認了。」

黃十峰道：「好說，好說，王總鏢頭有何見教，只管請說。」

王子方道：「有一座四仙道院，不知黃幫主是否知道？」

黃十峰眉頭聳動，顯然是在用心思索，大約想了一盞熱茶工夫之久，才長長歎息一聲，道：「這區區倒是想不起來。」

王子方道：「在下所知，那四仙道院，乃一處十分隱秘之地，道院建築在深山幽谷之中，觀中人個個身負絕技，但卻從不和武林人物來往。」

黃十峰接道：「王總鏢頭何以得知？」

王子方道：「在下是聽那二姑娘所言。」

黃十峰啊了一聲，道：「這麼說來，那四仙道院和二姑娘的傷勢有關了。」

王子方道：「不錯，按二姑娘言，那四仙道院中的道人，不但一個個武功高強，而且善用各種迷藥。」

黃十峰點點頭，道：「有這等事，二姑娘可曾說過四仙道院的所在地嗎？」

王子方道：「九華山中。」

黃十峰道：「只要地方不錯，區區自信在十日之內，可查出他們的內情底細。」

王子方道：「黃幫主乃武林中人人欽敬之人，老朽心中之事那是知無不言了。」

黃十峰道：「在下洗耳恭聽。」

王子方道：「一日之前，二姑娘和老朽同田少堡主，講起經過之事，神智似是還很清醒，一日之隔，竟然人性大變，病情似是陡然加重了甚多。」

黃十峰道：「區區既然遇上這檔事情，捲入這漩渦之中，自然要追查到底了。」

他仰起臉來，長吁一口氣，道：「金鳳門雖然在武林中造成了一場驚人的殺劫，但他們也挽救了一次江湖危難，而且在那挽救江湖的危難中，祖孫三代，傷亡了一十二人，使金鳳門幾乎傷亡殆盡，那是足以抵償他們在江湖上造成的大劫了。」

趙天霄望了紅杏一眼，道：「金鳳門銷聲匿跡，已數十來年未再在江湖上露過面，想不到這一震動江湖門派，竟然在數十年後，重現江湖，唉！也許二姑娘這番受人暗算，淵源於數十年前恩怨之中。」

黃十峰道：「趙堡主說得不錯，因此，不但我丐幫要管，就是武林中九大門派中人也不應該坐視。」

突然舉步而行，直到大廳門口之處，高聲說道：「朋友，請出來吧！藏頭露尾，豈是長久之計。」

但聞花樹叢中，響起一聲冷笑，緩步走出三個身著勁裝的大漢。

為首一個年齡較大之人，面目冷峻，兩道深透的目光，掃掠廳中群豪一眼，冷冷說道：「在下等久聞丐幫黃幫主的大名，今日有幸一會。」

黃十峰道：「好說，好說，三位如何稱呼？」

那為首大漢道：「咱們兄弟無名小卒，說出來黃幫主也不知道，那也不用通名報姓了。」

黃十峰道：「三位似不是中原道上人物？」

那大漢道：「黃幫主目力過人，在下好生佩服。」

黃十峰兩道銳利的目光，一直在三人臉上流轉，打量許久之後，才緩緩說道：「三位人單勢孤，如若動起手來，區區只怕難免要落以眾欺寡之嫌。」

那為首大漢，回顧了身後兩個大漢一眼，冷冷說道：「幫主既然無意留客，咱們兄弟就此告別。」

黃十峰一抱拳，道：「在下不送了。」借那抱拳之勢，暗發內力，一股暗勁，湧了過去。

那為首大漢倒也是一位大行家，一看黃十峰抱拳的姿態，立時瞭然，一提真氣，還了一禮，道：「不敢當幫主大禮。」

雙手平胸抱拳，還了一禮，暗裏發出內力。

兩股暗勁，懸空相接，撞在一起。
只見那爲首大漢的身前三尺左右處，突然捲起了一陣旋風，吹得地上塵土飛起。
黃十峰身子微微一晃，那爲首大漢，卻連退三步。
全場中人，都已看了出來，這一場互拚內力，黃十峰占了先著，但那個無名大漢，能够接得黃十峰借故發出的一記內家掌力，自是不能算是弱手。
只聽那爲首大漢咳了一聲，道：「丐幫之賜，在下等不敢忘。」
黃十峰微微一笑，道：「三位好走，區區不送了。」
那爲首大漢道：「不敢有勞幫主。」轉身大步而去。
群豪望著三人遠去的背影，個個臉上流露出激忿詫異之色。
但見那黃十峰一臉肅穆之容，群豪心中雖然疑問重重，卻也不便多問。
直待三人走得踪影不見，黃十峰才緩緩回過頭來，望了群豪一眼，笑道：「諸位可是對區區放走三人一事，感到奇怪是嗎？」
趙天霄道：「這三人既非中原武林道上人物，來路分明可疑，正該生擒他們，逼問內情，何以竟然輕輕放走三人？」
黃十峰輕嘆一聲，道：「他們三人，不但是中原道上人物，而且是大大有名的人物。」
趙天霄駭然說道：「幫主可已瞧出三人的身分了嗎？」
黃山峰道：「不錯，桐柏三虎，趙堡主可曾聽說過嗎？」
趙天霄道：「在下不但聽過，而且和他們三人還有過幾面之緣，就兄弟記憶而言，絕非此三人。」

黃十峰道：「他們戴著人皮面具，趙兄自然是看不出了。」

趙天霄呆了一呆，道：「桐柏三虎，昔年雖然做了幾票沒有本錢的生意，但近年已經改邪歸正。」

黃十峰接道：「趙堡主只是從表面所見，可曾知道他們何以會改邪歸正嗎？」

趙天霄道：「這個兄弟就不太清楚了。」

黃十峰道：「那是因爲受我丐幫中江長老所迫，立下重誓，不再胡作非爲，不知內情的人，還都道他們自行革面洗心，棄邪歸正。」

趙天霄道：「原來如此。」

王子方道：「在下和桐柏三兄弟，有過兩面之緣，曾目睹他們三兄弟家居之中，養花放鷹自娛，不問江湖中事，但幫主一言九鼎，在下又是不能不信，只是一點存疑，不得不問。」

黃十峰道：「王總標頭儘管請說。」

王子方道：「在下和趙堡主都和桐柏三虎見過，但都無法認出，幫主何以能够一眼之間，認出是桐柏三虎？」

黃十峰微微一笑，道：「問得好……」

接道：「桐柏三虎中的老大，曾爲我丐幫中江長老，在左手小指上留下了一個記號，當時他被點中穴道，他本人是否知道，區區也不敢斷言，但想他爲人陰險，早該發覺才是，不過那記號甚是微小，不留心很難查出來。」

趙天霄突然接道：「幫主口中的江長老，可是江湖中人稱獨眼神丐的嗎？」

黃十峰嘆道：「不錯，他行事有一怪癖，不論何等惡性重大的人，只要是第一次犯他手中，絕不殺害，但卻在他左手小指上，留下一個暗記。」
突然住口，舉手對廳外一揮。
眾豪急急轉頭望去，只見一個月白長衫老丐，正自長身飛起，人影一閃而沒。
但聞黃十峰接著說道：「凡是被他留下記號的人，下次如若犯他手中，那是必殺無赦的了，區區見得三人，心中已然有些懷疑，及至見到那爲首之人，小指上的暗記，才判斷三人是桐柏三虎。」
正在閉目調息的容哥兒，突然睜開雙目，道：「在下還有疑問。」
黃十峰道：「容公子請說。」
容哥兒道：「貴幫中江長老，常年行道江湖，遇上的不平之事，自然不少，凡是犯在他手中，都在小指上留下記號，試問一個小指，能有多大，江長老留在那小指上的記號，定然有很重複之處，幫主何以能在一見之下，肯定就是桐柏三虎。」
黃十峰微微一笑，道：「此事乃屬本幫中一點小小秘密，區區不便再作說明了。」
語聲微頓，又道：「如若容公子肯賞光，區區甚願邀請容公子到本幫總舵一遊，半日之間，可睹武林中百年來諸般情態。」
容哥兒茫然接道：「幫主意思，可是說半日時光之中，可以見到武林百年來的大事？」
黃十峰微微一笑，道：「正是此意。」
容哥兒突然站起身子，道：「在下這裏先行拜謝了。」
黃十峰道：「不用客氣。」
目光轉注到紅杏的臉上，道：「金鳳門在武林中的名氣太大，也被江湖同道一向視作神秘人物，二姑娘自覺行動十分隱密，武林中知道的人不多，其實，無數的武林同道，早已暗中留心到貴主婢的行踪，就以本幫而言，當你們息居雨花台時，三日之後，敝幫中已發覺你們主婢不是普通人物。」

紅杏接道：「貴幫的耳目，果然是靈通得很。」

黃十峰淡淡一笑，接道：「七日後，敝幫長安分舵，已然用飛鴿傳訊之法，把貴主婢的息居雨花台之事，報向總舵，只因當時敝幫中同時發生了失藥之事，無暇兼顧及此，雖是如此，貴主婢的舉動，仍在敝幫注意監視之中。」

紅杏輕嘆一聲，道：「幫主這麼一說，倒教小婢想起一事來了。」

黃十峰道：「什麼事？」

紅杏道：「你們既已知我們主僕來歷，那也不用隱瞞了。」語聲稍頓，又道：「小婢似曾聽我家大姑娘說過，黃幫主雄才大略，十年後可登天下武林盟主之尊……」

黃十峰微微一笑，道：「那是你們大姑娘過獎之言。」

紅杏道：「大姑娘和二姑娘縱論江湖中事，談了很多人物，但以提到你黃幫主的次數最多，只可惜那時，小婢未曾留心去聽……」

黃十峰突然接口說道：「姑娘可曾聽大姑娘談過萬上門的事嗎？」

紅杏沉吟了一陣，道：「這個……這個……小婢未曾聽過。」

她畏怯驚懼的神色，不論何人，都可聽得出來。

顯然，她也對那萬上門，心中有顧慮和畏怕。

黃十峰只瞧得心中暗自奇道：那二姑娘，對萬上門，似是並無什麼關係？這紅杏何以會對萬上門，敬畏如斯，當下輕輕咳了一聲，道：「武林中的形勢，區區可算知道大部，就是不識之人，亦可很快的查個水落石出，惟有對那萬上門中的神秘，卻是一點也不知他的來歷。」

紅杏道：「幫主，除了萬上門事外，小婢當盡我胸中所知，絕不推拖。」

黃十峰心中暗道：我就是要問萬上門來歷，其他之事，那也不用幫忙了。但聞紅杏嘆了一聲，道：「幫主，我家姑娘傷得如何了？」

黃十峰道：「不算太重。」

紅杏道：「聽你口氣，那得早些療救了？」

黃十峰道：「拖上兩三日，也不要緊。」

紅杏道：「幫主揭露了那張神醫的身分，等於失去了一個可療治姑娘傷勢的人，不知幫主是否智珠在握，有了救治我家姑娘的辦法？」

黃十峰望著天色，道：「咱們再等上半個時辰左右，區區才會知道。」

紅杏奇道：「為什麼要等上半個時辰呢？」

黃十峰道：「區區對歧黃之術，素無研究，雖然知道一些皮毛，但卻無濟於事。」語聲微微一頓，接道：「不過已派我幫中弟子，去請一個醫術高明的同道，等他到此之後，才可斷言能否療得姑娘的傷勢。」

紅杏道：「是啦！你可以另外邀請一位名醫，是嗎？小婢憂慮的是那位名醫，只通醫道，不解武事。」

只見一個灰衣老者，行至廳外欠身一禮道：「神醫駕到。」

紅杏道：「好啊！又來了一個神醫。」

黃十峰急說道：「快些請他進來。」一面大步向外迎去。

他腳步尚未跨出廳門，一個年約六旬的清瘦老者，已先進入大廳，冷冷對黃十峰道：「你何苦替我找了許多麻煩？」

黃十峰微微一笑，道：「下不爲例，只此一遭，還望償區區一個薄面。」

那清瘦老人道：「如若不給你面子，我也不會來了。」

語聲微頓，接道：「病人在哪裏？」

黃十峰道：「現在內室之中……」目光移注到紅杏臉上道：「有勞姑娘帶神醫進入內室，查看一下二姑娘的病情。」

紅杏有了經驗，心中多疑起來，望望那清瘦老人，站著不動。

黃十峰道：「儘管放心帶他入內，這次絕然不會有錯。」

紅杏口中應了一聲，緩步向內室行去。

那清瘦老人緊隨在紅杏身後，直入內室。

廳中群豪口雖不言，心中卻有著一種同樣的感覺，自從黃十峰現身之後，亂如團絲的局勢，突然有了頭緒，局勢的演變，都在他控制之中。

趙天霄低聲說道：「王兄，黃幫主能在武林中，受著擁戴，實非無因。」

王子方微微一笑道：「但願他能阻止住在這一場武林大劫於未發之前。」

但聞內室中傳出那清瘦老者的聲音，道：「要飯頭兒，快些進來。」

群豪聽他對那江湖上人人尊敬的丐幫幫主，竟以要飯頭兒呼之，無不暗暗驚駭，隨見那黃十峰含笑相應，緩步行入了內室。

王子方低聲對趙天霄說道：「那老兒恐怕亦非普通之人。」

談話之間，那清瘦老人，已和黃十峰並肩行入廳內，並肩出廳而去。

王子方望著黃十峰的背影，欲言又止，心中暗自道：「莫非是那清瘦老人，看出了姑娘病情無能療治，勸那黃幫主不管，免得招惹麻煩……」

其實，廳中群豪，大都在胡思亂想，不知清瘦老人和黃十峰的用心何在？

足足等有一頓飯工夫之久，才見那黃十峰緩步走了回來。

王子方第一個忍耐不住，一抱拳，道：「黃幫主……」

黃十峰臉色嚴肅地揮手說道：「我知道，你們心中都充滿了懷疑之心。」

舉步入廳，長吁了一口氣，道：「事情的複雜，也出了區區的預料之外。」

趙天霄訝然說道：「怎麼回事？難道二姑娘病勢，已成了不治之症嗎？」

黃十峰略一沉吟，道：「區區那位故友，醫道之高，絕不在賽果老張人春之下，他仔細查過二姑娘傷勢，自認無能爲力。」

趙天霄心中一直對那二姑娘相救之恩，念念不忘，當下說道：「幫主之意呢？可是不願再管了嗎？」

黃十峰苦笑一下，道：「區區既然答應了，就算是再難十倍，也不推辭。」

趙天霄道：「金鳳門在武林中的功過，早成定論，默算時日、年歲，這位二姑娘都未參與其事。」

黃十峰輕歎一聲，接道：「重要的是二姑娘的生死，恐怕要牽連上整個江湖的恩怨，目下武林中，奇事橫生，似是正在醞釀著一次巨變，如是處置不當，金鳳門即將又成爲武林中造劫之人。」微微一頓，又道：「何況，目下的複雜形勢，金鳳門隱隱成為主宰正邪勝負的要角。」

王子方讚道：「幫主雄才大略，處處為天下武林著想，能得武林同道敬重，實非偶然。」

黃十峰淡然一笑，道：「諸位先請坐下吧！事情已然如此，急亦無用。」

群豪都知丐幫弟子眾多，高人無數，這黃十峰雄才大略，近年來，排解了幾次紛爭，聲望之隆，直過少林、武當，而且隱隱有凌駕兩派住持之上的趨勢，當下齊齊坐了下去。

黃十峰掃掠群豪一眼，接道：「區區素來主張武林同源，天下一家，因我丐幫和天下各門各派，一向相處融洽，區區更是時常親率我幫中長老，拜訪各大門派，深望能使武林道上常保一個清平寧靜之局，但此刻，這清平寧靜的局面，已遭破壞，如是處理不妥，立刻可引起武林中一場大劫。」

趙天霄道：「幫主可曾查出那破壞之人嗎？」

黃十峰道：「如若能夠找出那人是誰，問題也可以迎刃而解。」長吁一口氣，接道：「兩年前，區區已發覺這種危惡之局，只是那時武林中甚少事故發生，區區如若說出武林大禍將至，勢必被譏諷為杞人憂天，或危言聳聽，只好隱忍了下去。」

趙天霄道：「幫主何以先知。」

黃十峰道：「從一件不大不小的事件，唉！這也算武林中一則秘聞，江湖知道的人，可是絕無僅有了。」

容哥兒初入江湖，突聞武林中竟有這麼多秘聞奇事，忍不住問道：「什麼事呀？」

黃十峰道：「兩年前，區區在敝幫總舵之中，突然接到了少林方丈的急促傳書，說是敝幫弟子，殺害了兩名少林高僧，限區區接信後，十日之內，趕往少林寺去，解說內情，詞意充滿激烈，咄咄逼人。」

少林寺曾和丐幫有過如此重大的衝突，武林中卻從未聽過，這兩個江湖徒眾最多、實力最強的幫派，如若衝突起來，勢必在武林中掀起一場驚天動地的風波，只聽得群豪個個神情凝重，肅然無聲。

但聞黃十峰長歎一聲，道：「區區接到這封書信，曾沉思了一日之久，幫中幾位長老，都覺得少林欺人過甚，主張不欲置理，或是修書回覆，要少林寺中人到我丐幫總舵中來理論。」

王子方道：「幫主可是聽從了嗎？」

黃十峰道：「但區區仔細忖量之後，覺得如不親往少林寺中一行，勢必將引起本幫和少林寺的重大誤會不可，決定親赴少林寺一行，區區只帶了一個聽差弟子，趕赴少林嵩山本院，見著少林方丈，兩名高僧屍體，仍然停在戒持院中。區區查過兩位少林高僧的屍體，發覺是一種極強外家掌力所傷，本幫中江長老金沙掌，聞名江湖……」

趙天霄道：「這就是少林寺的不對，武林中習練金沙掌、鐵沙掌的同道，何止千百，豈可斷言兩位高僧，是傷在貴幫江長老的手中。」

黃十峰道：「除了二僧是傷在一種強厲的外家掌力之外，還有一位目擊的少林僧人，瞧出了那人身著灰袍，正是我丐幫中江長老形貌，但那少林方丈，見到在下孤身一人，如約而至，心中怒氣，先就消了一半，和區區研商之下，發覺係他人嫁禍之計，但斯人爲誰？卻是一時間想他不起。」語聲微微一頓，接道：「少林寺和本幫曾經派出精明高手，明查暗訪了兩年之久，仍是找不出一點頭緒。」

趙天霄道：「如非幫主說出，我等實難想到，武林道上幾乎發生一大劫難。」

黃十峰道：「那人能假扮我丐幫長老，一舉之間，殺死了兩位少林高僧，自然是非同小可了。因此，區區在兩年前，就覺得武林中，正在醞釀著一件劇大的變化，只是這變化神秘莫測，一般無法知曉罷了。」

王子方道：「幫主可是把兩年前的舊事，和這二姑娘際遇，聯想在一起嗎？」

黃十峰道：「此刻還難斷言，但有一相同之處，卻不能不叫區區懷疑。」

容哥兒道：「此乃兩件大不相同的事，有何相同之處？」

黃十峰道：「金鳳門和少林派，都是聲動武林的門派，平常武林人，避之惟恐不及，豈敢輕捋虎鬚。」

趙天霄道：「在下想不出這兩樁事，有何相同之處？」

黃十峰道：「兩年之前，那人殺死了兩位少林高僧，希望嫁禍於我丐幫，未能如願以償，兩年後，又找上了金鳳門。」

王子方道：「如今倒是有了一個明朗的線索，就是九華山幽谷中那四仙道院，二姑娘能夠在神智清醒時說出了這段經過，也算得不幸中的大幸了。」

只聽房中傳出來紅杏的聲音道：「我家姑娘很想說話，可要解開她的穴道？」

黃十峰道：「姑娘不可！」

容哥兒距那內室最近，身子一側，當先行入了室中。

王子方看他重傷不久，仍有這等能耐，不禁暗暗讚道：「他年紀輕輕，竟有著如此深厚的內功。」緊隨身後，行入內室。

黃十峰、趙天霄等魚貫而入，進入內室。

只見那水盈盈口齒啓動，似是有很多話，急於要說出口來，但因穴道被點，無法出聲。

黃十峰緩步行到木榻旁，嚴肅地說道：「紅杏，點你家姑娘雙肘的曲池穴、雙腳上的湧泉穴。」他乃一幫之主，說話行事，自有一種威嚴，紅杏心中又早對他敬服，不由自主地點了二姑娘雙臂、雙腳上的穴道。

黃十峰道：「現在解開前胸的神封、天池二穴。」

紅杏依言解開了二姑娘前胸兩穴。

但聞二姑娘長長吁一口氣，自言自語地說道：「四月三十無月夜，城北十里荒祠中……」

只聽她反反覆覆，連連背誦的都是這兩句話。

群豪都聽得惑然不解，不知道這兩句無頭無尾之言，從何而來？

黃十峰輕歎一聲，道：「紅杏姑娘，點了她的啞穴。」

紅杏呆了一呆，伸手點了水盈盈的啞穴。

黃十峰凝神望著屋頂，苦苦思索，內室一片靜肅，鴉雀無聲。

過有頓飯工夫之久，突聞田文秀自言自語說道：「是了，是了！」

趙天霄道：「什麼事？」

田文秀道：「四月三十之夜，在城北一座荒祠之中，二姑娘和人有約。」

黃十峰接道：「不錯，那人對二姑娘關係甚大，故而她記憶甚深，念念難忘，雖在重傷之下，仍然牢牢記著此事。」

王子方突然接口說道：「幫主看那張神醫在對方的身分如何？」

黃十峰道：「無足輕重的一個小頭目。」

王子方道：「他既然奉派來此，監視那二姑娘，或者知道一些隱秘。」

趙天霄道：「不錯，咱們逼他招出一些內情，或可有助了然內情。」

黃十峰道：「希望不大，縱然是能夠逼出一些話來，也是無關重要，但當然聊勝於無，咱們到廳中試試去罷。」當先舉步出廳，群豪魚貫相隨，出了內室。

只見那張神醫仍然橫臥在大廳之中。

黃十峰先點了他雙腿上的穴道，才解他身上兩處要穴。

那枯瘦高顴，冒充張神醫的老者，目光環顧了廳中群豪，冷笑一聲，右手突然向懷中摸去。黃十峰動作奇快，伸手一指，點中了他右臂「天泉」穴，淡然一笑，道：「何苦服毒。」

枯瘦老人，似是自知無能抗拒，索性一閉雙目。

黃十峰冷冷說道：「區區一向不願施展毒辣手段對人，但閣下如是太過固執，區區只好破例了。」

那枯瘦高顴老人，一睜雙目，道：「大丈夫死有何懼……」

黃十峰接道：「我點你五陰絕脈，讓你求死不成，嘗一下那萬蟻噬體的滋味。」

那老者聳然動容，沉吟不語。

黃十峰道：「如若區區料斷不錯，閣下亦非他們重視之人，死有流芳百世，遺臭萬年，你如是真不怕死，就該選一個死法才是。」

那枯瘦老人慘然一笑，道：「久聞丐幫幫主，明辨是非，今日一會，果是不錯。」

趙天霄接道：「你既知黃幫主乃大仁大義之人，就該說出胸中的隱秘才是。」

十二　荒祠詭秘

那枯瘦老人突然問道：「天到什麼時候了？」
趙天霄道：「已午時。」
那枯瘦老人淡然一笑，道：「晚了，晚了！」
容哥兒奇道：「什麼事晚了？」
枯瘦老人突然大聲喝道：「老夫的死期已到。」
黃十峰陡然驚覺，急急接道：「你已經預先服下了毒藥？」
枯瘦老人張嘴吐出一口鮮血，道：「天不助你們……」
臉上肌肉，一陣抽動，閉目而逝。
王子方輕輕歎息一聲，道：「他已有悔悟之心，只可惜藥性已經發作。」
黃十峰道：「他說得不錯，上天不助咱們。」
趙天霄道：「唉！此刻咱們又得暗中摸索了。」
黃十峰道：「今日已是四月二十九，明日就是三十日，二姑娘和人約會之期。」
王子方道：「雖只有一天半的時光，但此時此刻而言，卻是太長一些了。」
黃十峰道：「眼下唯一的補救之法，只有設法嚴密封鎖住雨花台，使對方莫測高深，或可依時赴約。」

王子方道：「我等都願效命，憑黃幫主的吩咐。」

黃十峰道：「不敢當。」大步行到廳門口處，舉手互擊兩掌。

掌聲甫落，兩個身著灰衣的丐幫弟子，已雙雙出現廳前，欠身說道：「恭候幫主示下。」

黃十峰道：「盡可能召來幫中武功高強弟子，嚴密地封鎖住雨花台，不論任何人，都不許接近。」

田文秀細看那兩名丐幫弟子，都在五旬上下，左面一人，身揹淺藍色的袋，右面一人，卻背著兩只雪白布袋，在場群雄大都知道了丐幫弟子，是以布袋的顏色分出身分高下，但袋子多寡的詳細情形卻又不太了然。

田文秀看到那身披白袋弟子，突然想起了曾在萬上門金道長處，見過一白袋弟子，不禁啊了一聲。

黃十峰回過頭來，道：「什麼事？」

田文秀道：「幫主辦完大事之後，咱們再說不遲。」

黃十峰一揮手，對兩個丐幫弟子道：「你們去吧！」

那藍袋弟子道：「如是來人強闖而入，可許弟子們出手攔截？」

黃十峰略一沉吟，道：「如是非動手不可，那就設法把他們誘入圍牆之內，以免驚駭到路人。」那藍袋弟子應了一聲，和那白袋弟子齊齊轉身而去。

黃十峰回顧了群豪一眼，道：「照區區的看法，他們目下還不致和咱們翻臉動手，可能看咱們戒備森嚴，也許知難而退。」

趙天霄道：「明夜那荒祠之約，幫主作何打算？」

黃十峰道：「區區立時趕往佈置，不論是真是假，區區都寧願信其有。」

趙天霄道：「在下亦是此意，在下對長安附近形勢甚熟，幫主如需在下帶路，只管吩咐就是。」

黃十峰道：「那就有勞趙堡主了！」

目光掃掠群豪一眼，接道：「諸位請守在這雨花台中，如非必要，最好不要外出，區區和趙堡主在明日五更之前，定可趕回此地。」

王子方道：「儘管請便，我等在此候命就是。」

黃十峰道：「諸位還請多多照顧那二姑娘。」說完帶著趙天霄，連袂而去。

王子方低聲對容哥兒道：「容公子還請多坐息一下，也許明宵還有仰仗之處。」

容哥兒道：「多謝關注。」依言坐了下來，運氣調息。

只聽田文秀低聲說道：「王總鏢頭，這人中毒甚深，屍體不能久放。」

王子方轉臉望去，只見那冒充神醫的枯瘦老人，全身都成紫黑之色，形象至爲恐怖，當下一皺眉頭，道：「少堡主有何高見？」

田文秀道：「在下之意不如就在廳外花樹林中，掘一個土坑，暫把屍體埋起。」

王子方略一沉吟，道：「好吧！」大步向廳外行去，在庭院一角挖了一個土坑。

田文秀抱起那枯瘦老人的屍體，投入了土坑之中，掩上浮土，重又退回客廳。

這時，紅杏正由內室緩步走了出來，搖搖頭，對王子方道：「姑娘沉睡不醒，臉上一片赤紅，我瞧是有病了，咱們解開她的穴道如何？」

王子方道：「姑娘最好不要冒險，明天五更之前，黃幫主就回來了。」話聲未完，瞥見人影一閃，一個身負白色雙袋弟子，出現廳門之外，急急說道：「諸位最好能門窗緊閉，如若來人不衝向諸位廳房，諸位但請袖手旁觀就是。」

王子方吃了一驚，道：「青天白日，朗朗乾坤，他們竟敢執意攻打不成。」

那丐幫弟子，道：「這些剽悍之徒，還知道什麼王法，老英雄多多小心了。」言罷，縱身一躍，行蹤頓逕。

田文秀道：「這一招倒是大出意外。」

王子方道：「雖有丐幫中弟子守護，咱們也不能大意，有道善者不來，來者不善，咱們也要準備迎敵。」

田文秀動手關上門窗，沉聲說道：「紅杏姑娘請留心保護二姑娘。」手提長劍，閃出廳外。

王子方道：「少堡主……」

田文秀接道：「區區要隱在廳外樹上，也好窺得全貌。」

王子方道：「好！如非情勢所迫，少堡主千萬不可出手。」

田文秀輕輕咳了一聲，道：「我明白。」

王子方凝目望去，只見兩個身上揹著黑色袋子的丐幫弟子，飛鳥一般，躍入了圍牆之內。緊隨在兩個丐幫弟子之後，躍入了一個黑衣大漢。

那大漢臉上勒著一條黑布帶子，只露出兩隻眼睛。

躍入圍牆之後，一語不發，翻腕拔出背上單刀，直向兩個丐幫弟子劈去。

兩個丐幫弟子也不喝問，分由兩個方位各自攻出一拳。

想是三人在圍牆之外，早已答上了話，是以入得圍牆之後，一語不發，就打了起來。

只見那大漢手中單刀縱橫，刀光霍霍，攻勢十分猛銳。

兩個丐幫弟子始終分站兩個方位上，赤手空拳迎擊。

王子方只看得暗暗焦急，忖道：「此時此情，難道還要和敵人講什麼交情不成？怎麼不亮兵刃動手？」

忖思之間，瞥見人影閃動，兩個身著大褂，腰束汗巾的大漢，雙雙躍入圍牆。

緊隨在大漢身後，又躍入兩個丐幫弟子，四個人亦是一語不發，打在一起。

原來，丐幫弟子都牢牢記著黃十峰的令諭，凡是遇上挑戰之人，都約他們進入圍牆之內決鬥。

王子方心中暗道：「不知對方有多少人來？這丐幫弟子又有多少人留在此地。」

但聞田文秀聲音傳了過來，道：「對方來人甚多，丐幫弟子只怕應付不了，王老英雄快請準備暗器，咱們早些出手。」

王子方吃了一驚，暗道：「好啊！強敵如此眾多，看來他們是大舉來犯了。」

突見容哥兒睜開雙目，挺身而起，道：「外面在打架嗎？」

王子方道：「不要緊，容公子只管調息。」

容哥兒突然伸手入懷取出一方絹帕，包起半個臉，道：「晚輩去會他們一陣。」

正待開門衝出廳外，突然王子方沉聲喝道：「容公子。」

容哥兒道：「什麼事？」

王子方道：「不用出去了，咱們守在廳中就是。」
容哥兒道：「就依老前輩的意思。」
王子方急行兩步，走到容哥兒的身側，低聲說道：「容公子最好不要出手。」
容哥兒道：「爲什麼？」
王子方道：「公子劍術精絕，也許明夜還有借重之處。」
容哥兒道：「老前輩只管吩咐，晚輩是萬死不辭。」
只聽砰然一聲，大門突然被人撞開，一個黑衣大漢直撞而入。
王子方正待揚手打出神芒，哪知容哥兒比他更快，右手揮動長劍一閃，那大漢身子陡然停了下來，容哥兒飛起一腳，把那大漢踢出大廳之外。
只見血雨飛濺，那大漢身子突然中分兩半，倒摔在地上。
原來那大漢早被容哥兒一劍劈成兩半，只是他劍勢過快，王子方竟未瞧出那大漢早被劈死，眼看屍體倒下，血流滿地，不禁呆了一呆，道：「好快的劍法！」
容哥兒還劍入鞘，道：「老前輩誇獎了。」
王子方低聲說道：「容公子，這劍法，可是叫閃電神劍嗎？」
容哥兒搖搖頭道：「家母告訴我說，這劍法叫作追風劍。」
王子方道：「追風劍，從未聽人說過。」
容哥兒道：「在下的武功，從母所習，母親告訴我叫追風劍法，但是否真叫追風劍，晚輩就不太清楚。」
王子方點點頭，道：「容公子說得是。」

只聽田文秀的聲音，傳了過來：「丐幫中援手趕到，一個個神勇無比，這些人要撤走了。」

王子方凝目望去，只見庭院中惡鬥形勢，果已有了大變。原來處於劣勢的丐幫，此刻，突然趕來五個身著灰色百丁大褂的年輕援手，這些人年紀雖輕，但出手卻是凌厲無比，只見五人掌出如電，腳踢如風，片刻間已接連被他們傷了十七、八個強敵。

大約來犯之人，已知非敵，突然齊齊向外面退去。

五個年輕的灰衣丐，眼看強敵紛紛退走，竟也不肯停留和群丐打個招呼，連袂而去，庭院中的丐幫弟子，除了兩個受傷的留在院中坐息之外，其餘之人，也一齊躍出庭院。

田文秀飛身躍下大樹，低聲讚道：「丐幫之大，果然是藏龍臥虎，那五個年輕的灰衣丐，不知在幫中是何身分？武功之高，足可當得當今武林中第一流的高手。」

一頓，又道：「不錯，不錯，這五人定然是那神鷹五子了。」

王子方輕歎一聲，道：「他們落敗而去，定要把實情呈報，二姑娘明夜之約，不知是否會受影響？」

田文秀道：「應該會有。」

王子方道：「唉！黃幫主苦心孤詣，去佈置明夜之約，如是有了影響，豈不是白費心機？」

田文秀道：「但願沒有影響才好。」

王子方望望天色，道：「天色不過是將要入夜時分，那黃幫主要到五更之後，才會歸來，我等可用這一段空暇好好休息一下。」

一夜匆匆，直到天色將亮時分，黃十峰才和趙天霄趕了回來。

王子方急急迎了上去道：「幫主辛苦了，事情可曾辦妥？」

黃十峰道：「區區已然盡了心力，只要他能如約而去，必能揭穿他的神秘。」

王子方道：「只怕昨天這雨花台中一戰，影響那訂約之人……」

黃十峰道：「區區已派人追蹤，昨天侵犯雨花台的人，都退到長安城外，一座大土窯之中，那地方似是他們一處聚居之地。」

王子方道：「幫主可曾派人進去搜過嗎？」

黃十峰道：「目下區區派人在附近監視著他們的舉動，待今夜二姑娘見過那約晤之人後，再派出敝幫高手，一舉把那座土窯聚居之人生擒。」

語聲微微一頓，接道：「有一件事，必得紅杏姑娘相助。」

田文秀道：「幫主之意，可是要那紅杏姑娘冒充二姑娘。」

黃十峰道：「正是此意。」

話聲未完，瞥見一個灰衣丐，急急奔到廳前，抱拳說道：「見過幫主。」

黃十峰道：「什麼事？」

那灰衣丐道：「雨花台外，來了一個大漢，要找他們公子，屬下等攔他不住，已被他打傷了兩位兄弟了！」

容哥兒突然起身說道：「一定是大虎來了，我去看看。」大步向外行去。

片刻之後，容哥兒帶了一個身軀奇高的黑衣大漢，走了進來，拱手對黃十峰見禮，道：

「大虎無禮，傷了貴幫中兩名兄弟，在下這裏先行謝罪。」
語聲微微一頓，回頭對那身軀奇大的大漢說道：「還不快向黃幫主請罪嗎？」
那黑衣大漢，個子雖然高大，但臉上不見鬚痕，顯然年歲不大。
只見他抱拳一禮，道：「咱叫岑大虎，小名叫做大虎兒，不小心打傷兩個要飯兄弟，咱們公子，叫我向幫主賠罪，咱家是不敢不賠，幫主請打咱兩拳就是。」聲音鏘鏘，但尙帶童音。
黃十峰聽他說話，已知其人帶有三分渾氣，當下微微一笑，道：「不要緊，彼此不識，何罪之有？」
岑大虎回頭望著容哥兒，道：「那幫主不肯罰我大虎兒，公子打我兩拳吧。」
黃十峰一揮手，道：「容兄請看在區區面上，不用責罰這位岑兄弟了。」
容哥兒道：「大虎兒，還不快謝幫主的大量。」
岑大虎對著黃十峰作了一個長揖，道：「多謝幫主大量。」
黃十峰還了一禮，道：「不敢當。」
容哥兒道：「大虎兒，你可見到老夫人了。」
岑大虎道：「見過了。」
容哥兒道：「老夫人說些什麼？」
岑大虎道：「老夫人說王總鏢頭是咱們的大恩人，要公子留在此地全力相助，如果遇上了什麼不能解決之事，要大虎兼程趕回，老夫人要親自趕來相助。」
容哥兒回目望了王子方一眼，道：「家母對昔年大恩大德，一直念念難忘，既命在下留此，還望總鏢頭有所差遣。」

王子方道：「想不到昔年一點區區小事，竟使令堂如此掛懷，這倒叫老朽難安了。」

容哥兒道：「老前輩言重了。」

回目望了岑大虎一眼，道：「我等在此議事，你到院中去吧。」岑大虎應了一聲，退入院中。

容哥兒道：「打擾了諸位議事。」

黃十峰歎道：「也許他們已經早得了消息，今夜之約，是否還去，目下很難預料，但區區仍然佈設下了重重埋伏，寧叫他們不來，咱們卻不能無備。」

王子方道：「幫主說得是。」

田文秀接道：「要那紅杏姑娘扮作二姑娘的身分，咱們得先和她談談才是。」

王子方輕輕咳了一聲，道：「少堡主說得是。」

站起身子，行到內室門口處，說道：「紅杏姑娘，請出廳外，我等有事奉商。」

只聽一陣步履之聲，紅杏應聲而出，只見她雙目紅腫，顯然是一直在暗中哭泣。

她舉手理一下散亂的秀髮，低聲說道：「老英雄有何賜教？」

這位狂傲的丫頭，連經挫折大變之後，突然間變得溫順起來。

王子方輕輕歎息一聲，道：「二姑娘好些嗎？」

紅杏搖搖頭，黯然說道：「我看她傷勢甚重，唉！二姑娘如若有了什麼三長兩短，小婢也不願獨生人世了。」

田文秀接道：「姑娘不用如此灰心，既有以身相殉之心，何不全心全力，相救二姑娘呢？」

紅杏道：「只要有良策，縱然叫小婢粉身碎骨，小婢亦是萬死不辭。」

田文秀道：「黃幫主爲救你家姑娘，已然胸有良策，不過，還有借重姑娘之處。」

紅杏轉向黃十峰欠身一禮，道：「幫主需用小婢，但請吩咐，小婢決不推辭。」

黃十峰道：「區區想借重姑娘裝扮做二姑娘的身分，不知姑娘意下如何？」

紅杏道：「小婢才貌，難及姑娘萬一，如何能夠裝做呢？」

黃十峰道：「這個不用姑娘擔心，區區早已爲姑娘借箸代籌了。」

紅杏道：「不知要小婢如何裝扮？」

黃十峰道：「你家姑娘喃喃自言之事，姑娘應已聽到了。」

紅杏道：「聽到了。」

黃十峰道：「今夜無月，你家姑娘在荒祠中，和人有約，區區想請姑娘，假扮做二姑娘的身分，到荒祠之中赴約。」

紅杏道：「小婢可以嗎？」

黃十峰道：「姑娘聰明伶俐，只要用點心機定可瞞過那人。」

紅杏道：「幫主如是覺得小婢可以，自是不便推辭。」

黃十峰道：「最重要的是，不論遇上什麼變化，姑娘都請沉住氣，區區當隱在姑娘身側相護。」

紅杏道：「小婢從命。」

黃十峰目光一轉，掃掠群豪一眼，道：「此刻時光，諸位亦請乘機坐息一下，也許晚上還有大戰。」群豪依言，各自盤坐調息。

待天色入夜時分，丐幫弟子送來一餐豐盛的晚飯。

一餐飯畢，天色已經是初更時分。

黃十峰沉聲說道：「咱們得早一點去，諸位之中，何人願意留此？」

群豪相顧默然，無人應聲。

黃十峰道：「既然是諸位都願去那荒祠，區區只好遣我丐幫弟子，守護這雨花台了。」

語聲略頓，又道：「區區有幾句話，不得不先行說明，咱們此去人手甚多，必得調度得宜，始能發揮效用，否則人多手雜，反要壞事了。」

王子方、田文秀等齊聲說道：「幫主眾望所歸，請主持大局，我等悉聽所命。」

黃十峰道：「既然如此，區區就僭越了……」

目光投注容哥兒的臉上，道：「有勞容兄弟，帶上面罩，緊隨紅杏，進入荒祠，以保護紅杏姑娘為主。」

容哥兒轉眼望著王子方，只見他眼中滿是乞求之色，只好說道：「好吧！」

黃十峰微微一笑，道：「其他人等請王總鏢頭統率埋伏在荒祠邊一道荒僻小徑之側，就區區觀察所得，那人不來赴約，也就罷了，如來赴約，定然將由那條荒僻小徑上經過。」

環掃了群豪一眼，又道：「咱們走吧！」

趁夜色朦朧，十幾條人影，飛離了雨花台，直奔正東而去。

王子方帶著田文秀、岑大虎，在兩個丐幫白袋弟子帶領之下，趕赴埋伏之處，黃十峰、趙天霄卻藏在祠外暗影處，容哥兒黑衣佩劍，面垂黑紗，緊隨在假扮二姑娘的紅杏身後，直入荒祠大廳。

這座荒祠，規模氣派，都很宏大，只是已淪沒落之境，早已無人管理，滿祠荒草橫生，蟲聲唧唧，觸目一片淒涼。

容哥兒和紅杏直入正堂，堂上早已擺好了一張木椅，容哥兒低聲說道：「姑娘請坐。」

紅杏已得囑咐，能不開口，就少開口，也不答話，緩緩坐了下去。

容哥兒凝聚目力，四下打量了一眼，閃身躲入了供台後面。

夜蟲爭鳴，風聲呼嘯，襯托出這幽暗的荒祠中的淒涼、恐怖。

紅杏忍不住輕咳了一聲，扶一下頭上垂下的覆面黑紗。

足足等了一個更次之久，已是三更時光，仍不見有何動靜。紅杏正自等得不耐，想招呼容哥兒同出荒祠正堂瞧瞧，突然一陣沙沙的步履之聲傳來。

容哥兒凝目望去，不見有人到來，只聞腳步聲，不見人蹤影。

荒祠的幽淒，和那沙沙不絕的步履聲，交織成一種動人心弦的恐怖，紅杏雖然有著一身武功，但究竟乃是十幾歲的女孩子，聽得那腳步聲，仍響不息，不禁心中有點害怕，手中冒出冷汗來。

容哥兒為那不停的腳步聲，鬧得有些奇怪，暗道：「這是怎麼回事呢？分明是人行走的腳步聲，怎的老是響不絕耳。」

忖思之間，那腳步聲突然停了下來，一個幽靈般的黑影，陡然出現在門口處，靜靜地站著不動。這情景，有著一種莫可言喻的恐怖，容哥兒也不禁倒抽了一口冷氣。

他強自鎮定了一下神，施展傳音之術，道：「姑娘，沉住氣，不要害怕。」

紅杏正爲著一種襲上心頭的恐怖戰慄、驚懼，容哥兒及時之言，果然對她產生種莫大的慰藉。長吁了一口氣，閉上雙目。

那幽靈般的黑影，在那正堂門口處，停了足足有一盞熱茶工夫之久，突然舉步一跨進入了正堂。紅杏聽得腳步聲，陡然睜開雙目，那黑影已到了身前四、五尺處。

她想開口呼叫，但嘴巴似是被人堵住，竟是說不出話來。

只見那幽靈般的人影，緩緩舉起右手，取下了頭上高聳的氈帽，現出面目來，低聲說道：「二姑娘嗎？」

聲音細細，分明是女子口氣，紅杏心中暗道：「好啊！你原來是一個姑娘，卻幾乎把我嚇死。」

心中念轉，口中卻簡短地應道：「不錯。」

那人影又道：「公主還未到來，特遣小婢先來。」

紅杏已得黃十峰等，指點了應付之法，盡量少說話，當下哼了一聲，也不言語。

那人影說完之後，悄然向外退去，站在廳堂外門口之處。

容哥兒心中暗道：「這丫頭只問了紅杏幾句話，就深信不疑，當真這般的容易對付嗎？」

心中忖思之間，突問那黑衣女婢嬌聲說道：「荒祠、黑夜、人未靜。」

這顯然是一種暗語，要紅杏回答。

紅杏心中也明白這是一種特殊的聯絡暗語，但一時卻想不出該如何回答。

只見那黑衣小婢又重複念了一遍：「荒祠、黑夜、人未靜。」

紅杏仍是想不出回答之言，只好默不作聲。

那黑衣女婢果然動了懷疑，冷冷問道：「你是什麼人？」

容哥兒心中暗道：「要糟，立刻就要露出馬腳，這丫頭如若逃去，那什麼公主的首腦人物，自然是不會來了，但自己停身之處，距那黑衣女婢甚遠，縱然躍出施擊，也是無法擊中的。」

他暗自歎了一聲，忖道：「我如是黃十峰，必將在這大廳之外，埋伏上幾個武功高強之人，那就不用怕這黑衣女婢逃走了。」

只聽紅杏答道：「我！金鳳門裏二姑娘。」

那黑衣女婢微微一笑，道：「多謝二姑娘了。」

容哥兒手握刀柄，全神戒備，只要一見那黑衣女婢有什麼舉動，立時將以迅雷不及掩耳之勢，出手施襲。哪知那黑衣女婢竟然不再多問。

容哥兒心中暗自奇怪，怎麼？那黑衣丫頭又不多問了？

其實，紅杏心中亦在暗自奇怪，那黑衣女婢何以忽然不再多問了？

沉默，大約有一盞熱茶工夫之久，那黑衣女婢突然急步行入室中，道：「公主駕到，二姑娘快些迎見。」

紅杏也不答話，仍然靜坐不動。

那黑衣女婢回過頭來，想待說話，但兩條人影，已然疾快地到了廳堂之上。

容哥兒凝目望去，只見兩個身材瘦小的黑衣人，臉上也垂著黑色的面紗，心中大感奇怪，暗道：「武林中人，都講究明來明去，何以這些人都戴著面紗，隱去了本來的面目。」

只見那最先趕到的黑衣女婢，對那後來的黑衣人，欠身一禮，道：「小婢叩見公主。」

容哥兒心中忖道：「這些人一般的衣著，如何能分清楚誰是公主？」凝目瞧去，只見靠左首一個黑衣女，左襟之上，綴著三顆銀花，暗道：「大概區別就在這銀花上了。」

果然，那綴有銀花的黑衣女，一揮手，道：「不用多禮，你可查問過她的身分？」

黑衣女婢道：「小婢悉照公主的吩咐施爲，她都能應對上來，自然是不會錯了。」

那左襟戴著銀花的黑衣女，突然一伸手，迅快絕倫的揭去紅杏臉上的黑紗，冷冷喝道：「你是什麼人？竟敢冒充那二姑娘。」

紅杏一提氣，疾向一側閃去。

哪知黑衣女的動作，比她更快，右手一抬，已然點中了紅杏的穴道，冷笑一聲，道：「你的時間不多，快說是什麼人？」

容哥兒眼看時機危迫，暗中運氣，一躍而出。

那黑衣女耳目靈敏無比，容哥兒剛剛躍出神案，還未來得及出手，突覺一股潛力，直逼過來，原來，那黑衣女已經搶先發了一掌。

容哥兒一避閃，一招長劍出鞘，銀芒一閃「金絲纏腕」，直向那黑衣人攻過去。

只見那黑衣人左手一帶，竟把紅杏的身軀，疾向劍上迎去。

容哥兒吃了一驚，急急挫腕，身子側移兩步，擋住了門口，縱聲長嘯。

但見火光連閃，暗夜荒涼的古祠中，突然間亮起數十支火把，照得古祠中一片通明。

正堂中大樑上，躍下來兩個年約六旬的老叫化子，各人身上都揹著一個藍布袋子，左手中高舉著兩支火把。

容哥兒心中暗道：「這兩個老叫化的武功定然不錯，我竟然未能聽出他們的呼吸之聲。」

黃十峰帶著四個丐幫弟子，急步行了進來，一抱拳，道：「區區丐幫黃十峰，姑娘已然陷入重圍，那也不用再掩這本來的面目了。」

那胸綴銀花的黑衣女，一把推開紅杏，冷冷說道：「黃十峰，你可知道今宵之爲的後果是什麼？」

黃十峰微微一笑，道：「區區已經騎上虎背，後果爲何，已非所計了。」

那黑衣女抬頭望了一下屋頂接道：「就憑你們幾個叫化，只怕還無能取下姑娘罩面黑紗。」

黃十峰答非所問地接道：「那屋頂之上，早已布下伏兵，姑娘縱然想破屋而逃，只怕此計難逞。」

黑衣女道：「縱有伏兵，也未必能攔得住我。」

黃十峰道：「屋頂上埋伏的，乃敝幫中神鷹五子，姑娘如是不信，不妨一試。」

那胸綴銀花的黑衣女，突然伸出雙手，抓住身側兩個黑衣女婢道：「你們兩個……」

黃十峰突然一揮右手，發出一掌，大聲說道：「別讓她殺了隨身二婢。」

容哥兒心中一震，想道：「這女人果然惡毒，覺出二婢無能突圍，竟要殺之滅口。」心念轉動，人卻欺身攻上，一招「西風捲簾」，閃閃劍光，幻出三朵劍光，分攻那胸綴銀花的黑衣女三處大穴。

容哥兒的快劍攻勢，迅快無比，劍光一閃，已到前胸，那黑衣女剛剛閃避黃十峰的掌力，容哥兒的劍勢已到。

這快速劍勢顯然大出了那黑衣女的意外，一時間顧不得再殺二婢，兩手一鬆，身軀直向上面飛去。

黃十峰高聲喝道：「姑娘就想這樣走嗎？」縱身而起，揮手劈出。

那黑衣女右手一揚，居高臨下，劈落一掌。

容哥兒急跨兩步，行到紅杏身側，舉手連揮，解開了紅杏被點的穴道。

黃十峰和那黑衣女擊出的掌力接實，砰然輕震中，刮起一陣旋風。

原來，兩人拍出的掌勁潛力，竟然在伯仲之間。

黃十峰吃那掌力一震，躍起的身子，又墜落實地。

那黑衣女卻無力向上升去，左掌一揮，砰然大震中，屋瓦橫飛，屋頂裂開尺許見方的一個洞來。

黃十峰只看得暗暗讚道：「此女武功高強，竟然能用內家掌力破裂了屋面之後，還可提聚真氣，身體不落。」

只聽屋頂上傳下來一聲大喝，道：「下去！」刀光交織，直壓下來。

那黑衣女無法穿出屋面，又被迫落下實地。

黃十峰冷冷說道：「區區已然告訴姑娘，在這荒祠之中，已然布下重重羅網，就算姑娘武技高強，只怕也難破圍而去。」

那黑衣女落在神案之前，肅立不動，也不答黃十峰的問話。

這時，兩個黑衣女婢，已然各從身上拔出了兩支短劍，分握雙手，緩步退到那胸綴銀花的女子身側。

容哥兒解開了紅杏穴道，長劍平胸，緩步向前逼去。

荒祠大廳中火炬高燒，一片通明，但卻是肅然無聲，聽不到點聲息。

只見那胸綴銀花的黑衣女，垂面黑紗拂動，望了左右二婢一眼，冷漠地說道：「你們兩個今宵破圍而出的機會，只怕不多。」

兩個黑衣女婢齊聲應道：「小婢等已存了必死之心，不能破圍，自當血濺荒祠，公主但請放心。」

胸綴銀花的黑衣女道：「你們橫屍氣絕之前，我實在有些放心不下，萬一你們被人擒去，求生不能，求死不成，被人嚴刑逼出口供，如何是好？」

兩個黑衣女婢齊聲應道：「婢子可以先死，但餘下姑娘一個，勢孤力單。」

胸綴銀花的黑衣女子接道：「這個不勞你們費心了，只要你們此刻死去，我就可以衝出重圍了。」

二婢道：「丐幫弟子眾多。」

黑衣女道：「不要緊，就憑丐幫中人，豈能攔得往我。」

容哥兒聽得心中不服，怒聲喝道：「好大的口氣，在下倒是有些不信。」欺身而上，揮劍刺去。

那黑衣女子陡然舉手一揮，袖口中銀虹疾閃，嘡的一聲，架開了容哥兒的長劍。

容哥兒只覺她封開自己長劍的力量，十分強大，心中暗道：「無怪她口氣大，果然有點本領。」

長劍一收，正待攻出，突聞黑衣女子喝道：「住手！」

容哥兒冷冷說道：「姑娘可是怯戰？」
黑衣女道：「容我先行處理了本門中事，再和閣下決一死戰不遲。」
容哥兒道：「你們婦道人家，講話只怕不算數。」
那黑衣女戴著遮面黑紗，使人無法看清楚她臉上的神情變化，但見她身軀微微抖動一下，顯然是心中有著無比的激忿。
只聽她冷笑一聲，一字一句地說道：「一百招，夠不夠？」
容哥兒暗道：「一百招，除非是棋逢對手，一百招足可分出生死。」
當下說道：「夠了，我等姑娘一盞熱茶的工夫。」
黃十峰皺皺眉頭，想待攔阻，但見容哥兒挺胸橫劍而立的雄風氣勢，心中想道：「我如出言阻攔他訂下之約，只怕要惹他心中不悅。」只好忍了下來。
只聽黑衣女子說道：「你們該走了。」
兩個黑衣女婢道：「公主多多保重，小婢們去了。」言罷，突然揚起手中的匕首，刺入心中。閃耀的火炬之下，只見鮮血順著那鋒利的匕首流了下來。
容哥兒呆了一呆，暗道：「我如不和她訂下比試百招之言，一直揮劍逼她，她也無法逼死這兩個女婢，算起來，這兩個丫頭，是死在我的手中了。」
只聽砰砰兩聲，兩個黑衣女婢的屍體倒摔在地上。
那胸綴銀花的黑衣女，猶似不放心般，蹲下身子，伸出雙手，按在二女鼻上，停了一陣，確定了二女已死，才緩緩站起身來，兩道森寒的目光，由遮面黑紗中直射出來，凝注到容哥兒的臉上道：「現在，咱們可以動手了！」

容哥兒道：「最毒婦人心，古人誠不欺我，你為了怕兩人難出重圍，先要她們自絕而死，手段的惡毒，真是未聞未見，可是姑娘卻忘了一件事。」

黑衣女接道：「什麼事？」

容哥兒道：「姑娘逼死二婢，怕她們被擒洩密，可是姑娘沒有死，咱們一樣留有活口。」

黑衣女冷冷說道：「你好像有著一定能夠勝我的信心。」

容哥兒冷冷說道：「在下不和姑娘鬥口，姑娘請亮出兵刃出手吧……」

那黑衣女緩緩從懷中抽出一把金色的短劍，緩緩說道：「你是何人？」

容哥兒心恨她惡毒，長劍一探「毒龍出穴」，寒光閃閃，直向那黑衣女前胸刺去，口中冷冷說道：「和姑娘這等惡毒之人，只有生死之分，不用通名報姓。」

黑衣女金劍一起，燭光下閃起了兩朵金花，噹的一聲，擋開容哥兒的長劍。

容哥兒冷笑一聲，長劍忽然展開快攻，左刺右劈，眨眼間攻出了八劍。

這八劍速度奇快，一氣呵成，劍花閃轉耀目，凌厲無比。但那黑衣女竟然能在原地未動，憑藉著手中短小的金劍，左揮右擋，把八劍一齊封開。

容哥兒長吸了一口氣，道：「姑娘的武功不錯。」緩緩舉起了手中長劍。

那黑衣女蒙面黑紗拂動，望了容哥兒一眼，道：「住手。」

容哥兒道：「姑娘可有什麼遺言嗎？」

黑衣女答非所問，道：「你在丐幫中是何身分？」

容哥兒略一沉吟，道：「在下並非丐幫中人。」

黑衣女道：「你為何臉上蒙著黑紗？」

容哥兒道：「彼此，彼此，姑娘不覺得問得太過冒昧了嗎？」

黑衣女突然一伸手，掀開蒙面黑紗，露出一張青中泛紫的怪臉，道：「我因生得難看，才用面紗掩遮。」

容哥兒瞧了那怪臉一眼，心中暗道：「看她身材，窈窕多姿，聽她聲音，嬌婉動人，想不到竟是生了這樣難看的怪臉。」

只聽那黑衣女道：「為何不取下你蒙面黑紗？」

容哥兒道：「死也讓你死得明白。」

伸手取下面紗，冷冷接道：「姑娘還有什麼拖延時刻的妙計，在下也不願再聽了。」』

黑衣女打量了容哥兒一眼，微微一笑，道：「好俊的一張面孔。」

她這醜怪之臉，不笑也還罷，微微一笑，露出一口細白的牙齒，托襯起那張怪臉，當真是美醜交映，其怪無比。

容哥兒右腕一抬，唰地一劍刺過去，帶起一股輕輕的劍風。

黑衣女金劍揚動，又擋開容哥兒一劍，道：「哪位是丐幫幫主？」

黃十峰大行兩步，道：「區區便是。」

黑衣女道：「我如何能夠信得過你，真是那丐幫幫主？」

黃十峰淡淡一笑，道：「姑娘如何才能相信區區？」

黑衣女道：「你亮出丐幫幫主的信物，我才能夠相信。」

黃十峰略一沉吟，道：「你可知丐幫幫主的信物是什麼？」

黑衣女道：「自然是知道了。」

黃十峰道：「你如能夠說得出來何物，區區自會拿出讓姑娘見識一下。」

黑衣女道：「盤龍飛鳳牌。」

黃十峰怔了一怔，探手從懷中取出一個白玉牌來。

火光下，只見上面盤龍飛鳳、精緻無比。

黃十峰道：「姑娘說得可是此物嗎？」

那黑衣女仔細瞧了一陣，點點頭，道：「正是此物。」

黃十峰收好玉牌，道：「姑娘此刻可以相信區區的身分了嗎？」

黑衣女道：「現在信了。」

突然蹲下身去伸手按在倒臥身側的二婢前胸之上，停了片刻，道：「她們果然死了。」

容哥兒心中暗道：「利劍穿心而過，還有不死的嗎？」

黃十峰雖有著豐富的經驗閱歷，但也被鬧得有些茫然不解，忍不住問道：「姑娘這舉動，倒不似對待敵人，不知是何用心？」

黑衣女道：「你先喝退左右，小女子有要事和幫主商量。」

黃十峰呆了一呆，道：「和我商量，姑娘沒有說錯嗎？」

黑衣女道：「字字句句，都是要說的話，一點不錯。」

黃十峰輕輕咳了一聲道：「留下火燭，你們退出堂外候命。」

四周的丐幫弟子依言放下火燭，退了下去。

黃十峰拱拱手道：「姑娘有何見教？現在可以說了吧！」

黑衣女道：「還有一事，先得幫主答應。」

黃十峰道：「什麼事？」

黑衣女道：「你四周戒備得夠森嚴嗎？」

黃十峰道：「七十個丐幫弟子，布守在荒祠四周，別說人了，就是一隻飛鳥，也難逃過監視。」

黑衣女目光一轉，冷冷說道：「這人爲什麼還站在這裏不動？」

黃十峰轉眼望去，只見那站著不動的人，正是容哥兒，說道：「這人和我是要好之友，姑娘有什麼話，儘管說出來不妨。」

黑衣女道：「不成，只能讓你一人知道。」

容哥兒道：「這丫頭花言巧語，幫主不要上了她的當。」

黑衣女道：「我不會吃了他，他能上我什麼當？」

黃十峰輕輕咳了一聲道：「容兄……」

黑衣女道：「怎麼？他當真不是你們丐幫中人？」

黃十峰道：「這位容公子乃區區好友，我已經再三說明，姑娘不信，那也是沒有法子的事。」

黑衣女緩緩取下了蒙面黑紗，又露出那張醜怪的臉。

只見她舉起細巧的玉手，在臉上一抹，那張醜怪之臉，登時不見，露出了一張宜嗔宜喜的嬌美面容，笑道：「這就是我的真面目了。」

燭火照耀下，只見一張美麗絕倫的面容，帶著微微的笑意，和剛才那張醜怪的臉相差是何止天壤。

黃十峰道：「古人有云，沉魚落雁之容，閉月羞花之貌，姑娘是當之無愧了。」

黑衣女道：「黃幫主過獎了。」

黃十峰輕歎一聲，道：「姑娘既肯以真面目相見，想必有大事指教區區了。」

黑衣女緩緩戴上那張醜怪的人皮面具，答非所問地道：「金鳳門中的那位二姑娘，此刻怎麼樣了？」

黃十峰道：「她神智昏迷，一直未能清醒過來。」

黑衣女探手從懷中摸出一個玉瓶，遞了過去，道：「這瓶中有三粒紅色丹丸，先讓她服用下去一粒，隔日一粒，三日服完。」

黃十峰道：「區區的看法，那二姑娘似是不只是服了迷藥，而且，傷在一種奇奧的武功之下。」

黑衣女道：「黃幫主果然見多識廣，那是一種極高的獨門手法，不解這一種武功之人，本領再大，也是無法解得。」

黃十峰道：「不瞞姑娘說，區區和容公子都曾盡到了最大的心力，但卻無法找出二姑娘傷在何處？」

容哥兒接道：「在下查看二姑娘傷勢，似是在玉枕穴間。」

黑衣女點點頭道：「玉枕穴只是一個部位，這手法一共可在人身一十二處部位施用，如若談到救她，我必得設法見她一面，仔細查過傷勢，才能下手。」

黃十峰道：「姑娘此刻能夠去嗎？」

黑衣女搖搖頭，道：「不成，我沒有多少時間。」

容哥兒道：「姑娘業已棄暗投明，難道還要回去嗎？」

黑衣女道：「雖然棄暗，但尚未投明，不是我故作驚人之言，就目下我們收羅集居在長安附近的實力，一旦全面發動，就算你丐幫盡出精銳，也難對付得了。」

黃十峰道：「其他之事，咱們暫時不談，姑娘有什麼重要消息，先請告訴在下，免得萬一局勢有變，姑娘仍未能遞出消息，那可是一大憾事了。」

黑衣女略一沉吟，道：「說來話長，千頭萬緒，實有著不知從何說起之感。」

黃十峰接道：「這麼吧！在下問一事，姑娘說一件，那就簡單多了。」

黑衣女道：「這樣最好，不過我留在此地的時間不多，幫主要想些重要的問。」

黃十峰道：「那是當然。」

黑衣女急急接道：「還有一件事，得幫主先行答允。」

黃十峰道：「什麼事？」

黑衣女道：「今宵之事，和賤妾回答問題，幫主必得嚴守秘密，不得宣揚於江湖之上，未得賤妾允准之前，亦不得和人談起。」

黃十峰道：「如若事關江湖大劫，非我丐幫一幫之力，能予解決，區區非求助他人，如若不說明內情，只怕難以使人心服。」

黑衣女道：「如若時機未熟，你洩露了今宵賤妾談話之密，不但要害了賤妾之命，而且還將有誤大局，因為據賤妾所知，各大門派，包括你丐幫在內，都已有我方奸細混入，賤妾今宵雖然見了你的『盤龍飛鳳牌』，但和你談話，仍然是冒著死亡之險，也許我方的奸細，就是你丐幫中的長老，或是身側最親近的護衛、弟子。」

黃十峰先是一怔，繼而點點頭應道：「我丐幫中混有奸人，區區早有警覺。」
黑衣女道：「那很好，時機無多，幫主快些問吧。」
黃十峰道：「領導姑娘等的首腦人物是誰?用心何在?」
黑衣女道：「我們稱他爲無極老人，至上師尊，其志在天下武林。」
黃十峰道：「無極老人，從未聽說武林中有此一號人物。」
黑衣女道：「那無極老人是化名，固是不錯，但他真實姓名賤妾亦是不知。」
黃十峰道：「這就是了，姑娘在那裏身分如何?」
黑衣女道：「無極老人第三位義女，號稱三公主。」
黃十峰道：「姑娘的身分，十分尊高了。」
黑衣女道：「如不尊高，怎能知道如此眾多的消息。」
黃十峰道：「那無極老人的形貌如何?」
黑衣女搖頭道：「他真實形貌我也沒有見過，看到的是個紫袍白臉白髯老人。」
黃十峰啊了一聲，道：「那不是他的真面目?」
黑衣女道：「我們三姊妹，七兄弟，都不以真正面目相見，何況至上師尊了。」
黃十峰輕輕咳了一聲，道：「何謂三姊妹，何謂七兄弟?」
那黑衣女道：「三姊妹，就是我和兩個姊姊，也就是那無極老人的另外兩位義女，七兄弟，乃是無極老人收的七位弟子，和我們以兄妹相稱，我們十人應該是他最親近的人，但我們十人相見之時，都戴著人皮面具。」
黃十峰道：「原來如此。」

容哥兒奇道：「在下有一件事，請教姑娘。」

黑衣女道：「你說吧！」

容哥兒道：「你們十兄妹，都未以真正面目見過，那是說彼此互不相識了。」

黑衣女道：「這是樁很奇怪的事，我們雖然都未見過對方的真正面目，但因常年相處一起，對對方的身材高低、習慣、舉動，一一了若指掌，如是別人冒充，一眼間就可以瞧得出來。」

黃十峰道：「照姑娘這麼說，這無極老人，已是存心甚久，要達到霸統江湖之願，目下實力既豐，何以不肯動手？」

黑衣女沉吟一陣，道：「這也是我們十兄妹不解的原因之一，論實力早該發動，但他遲遲不肯出手。」

語聲微頓，又道：「也許他心中有所畏懼，不敢輕易發動。」

黃十峰似是突然間想起了一件事來，問道：「姑娘可知道萬上門嗎？」

黑衣女點點頭，道：「聽說過。」

黃十峰心中原想萬上門和這黑衣女，定是同出一源的人物，哪知聽她口氣，竟不是一條線上人物，當下輕輕咳了一聲，道：「三公主對那萬上門看法如何？」

黑衣女搖搖頭，道：「不要叫我三公主，那是屬下對我的稱呼，幫主稱我楊九妹就是。」

容哥兒道：「姑娘姓楊？」

楊九妹道：「姓楊是一點，但九妹非我之名，十兄妹中，我排第九，他們都以九妹呼我。」

語聲稍頓接道：「關於那萬上門，早已引起那無極老人的注意，這長安城，目下能夠如此平靜，也全是萬上門之力，分出了他一半心力。」

黃十峰道：「這樣說來，萬上門和你們亦是敵對相處了。」

楊九妹道：「正是如此。」

容哥兒道：「這位二姑娘又是怎麼回事呢？」

楊九妹道：「那無極老人知她出身、武功，都非凡俗，有意收她為第四義女，故而用獨門武功傷了她的神經。」

黃十峰道：「這就是了，區區亦早覺出，她是為一種武功所傷，今宵得姑娘證實……」

語聲略停，接道：「但不知姑娘會不會解救之法？」

楊九妹望望天色，道：「只怕時間不夠了。」

黃十峰道：「二姑娘的病情已然十分危險，神智早已不清，實不宜拖延下去。」

楊九妹道：「這麼辦吧！明夜三更時分，你們把她帶來此地，我如能夠抽身，當先在祠堂之中相候，屆時我如未來，那就不能來了。」

語聲甫落，突然一陣叮噹的鈴聲，劃空而過。

楊九妹突然一揮手中金劍道：「兩位請快些亮出兵刃！」

黃十峰亦生警覺，愕然說道：「哪來的劃空鈴聲？」

楊九妹道：「召集鴿鈴，兩位快亮兵刃，我能留得性命，要看兩位武功了。」

黃十峰已然有些明白，雙掌一錯，道：「在下敬候姑娘出手。」

楊九妹道：「最好我一衝出廳堂，幫主能下令發動所有埋伏，攔截於我。」

黃十峰道：「區區當照姑娘吩咐。」
楊九妹嬌叱一聲，金劍出手，唰的一聲，一道金芒，直向容哥兒刺了過來。
容哥兒長劍疾起，銀光暴閃，一陣金鐵交鳴，擋開了楊九妹的劍勢。
黃十峰呼的劈出一掌，口中大聲喝道：「攔住此人。」
靜夜中，黃十峰嘹亮的聲音，傳出老遠。
但見人影閃動，火炬飛揚，眨眼間，暗影中擁出了十幾個丐幫弟子，四、五個手執火炬，七、八個手握兵刃。
楊九妹一伏身，避開了黃十峰的掌力，手中金劍，全力攻向容哥兒，似欲奪門而出。
火光下金芒閃轉，有如流星火花，攻勢急猛無比。
容哥兒施展快劍如疾風驟雨，全身上下，環繞起一層森寒的劍氣。
但聞金鐵交鳴，不絕於耳，楊九妹快速的劍勢，盡為容哥兒長劍擋開。
楊九妹一面揮動金劍搶攻，一面冷冷說道：「你的劍法不錯，我日後非得找你好好的比一次劍不可。」
容哥兒道：「當得奉陪。」
楊九妹道：「但此刻你不能全力阻攔我啊！」
容哥兒一收劍勢，道：「姑娘請過吧！」
但覺金芒一閃，掠面而過，削去一片蒙面黑紗，楊九妹疾如飛鳥般掠身而過。
容哥兒心中大怒，暗暗罵道：「好啊！臭丫頭，竟然藉機施下毒手！」手腕一翻，忽的削出一劍。

這一劍勢道之快，直似閃電下擊，劍光過處，削落了楊九妹一片衣襟。

楊九妹冷哼一聲，道：「好啊！你連一點虧也不吃！」金劍一閃，又向前衝。

兩個手執單刀的丐幫弟子，並肩迎了上來。

楊九妹嬌叱一聲，金劍揮轉，兩個並肩而上的丐幫弟子，突然向後退去，而且一左一右地分了開去。

容哥兒凝目望去，只見兩個丐幫弟子，一個手中沒有了兵刃，一個伸手按在左臂之上。原來，就在這一接觸間，那楊九妹已然快速地攻出四劍，傷了兩個丐幫弟子。

其餘的丐幫弟子，怔了一怔，還未來得及出手攔阻，楊九妹已若飛鳥投林一般，躍上屋面而去。

黃十峰望著楊九妹的背影，輕輕歎息一聲，說道：「除了容兄之外，我丐幫中人，縱然全力出手阻攔於她，只怕也難以攔得住她。」

容哥兒道：「此女武功，實是不弱，想來那三姊妹、七兄弟，只怕無一弱手。」

但聞夜色中傳來的呼喝之聲，逐漸遠去，想是楊九妹已然破圍而去。

容哥兒信步行至兩個女婢屍體所在，搖搖頭說道：「這女人雖有棄暗投明之心，但手段卻是惡毒得很。」

黃十峰道：「形態上親若姊姊，終日在一起形影相見，但彼此之間，卻不肯以真正面目相見，想想看這是何等的境遇？何等的可怕？那也是難怪她們彼此之間，互不信任了。」

十三　不堪回首

黃十峰舉手一招，兩個丐幫弟子行了進來，低聲說道：「把那兩位姑娘的屍體，埋葬起來。」

兩個丐幫弟子應了一聲，抱起屍體而去。

黃十峰目光轉動，掃掠了雲集在院中的丐幫弟子一眼，道：「撤回分舵，未得我令，不許任何人擅離分舵一步。」

二十餘個丐幫子弟，齊齊應了一聲，眨眼間走得蹤影不見。

黃十峰回顧了容哥兒一眼，道：「咱們也該走了。」

容哥兒低聲道：「明晚之約，幫主可已成竹在胸？」

黃十峰點點頭道：「咱們不能全部信任那楊九妹，必得別作一番部署。」

容哥兒道：「在下亦是此意。」

行到荒祠門外，趙天霄、王子方等，早已集齊相候。

黃十峰道：「雨花台。」

群豪施展開輕身飛行術，直返雨花台。

黃十峰招來守護雨花台的丐幫弟子，道：「我等去後，可有夜行人來過此地？」

那名丐幫弟子，揹了兩隻白袋，欠身應道：「有一個身分不明，輕功甚佳的夜行人來過，但經弟子喝問了一聲之後，那人就掉頭而去。」

黃十峰不再多問，揮手說道：「此地已沒有你們的事了，撤除埋伏，直回分舵，待我之命。」

那白袋弟子應了一聲，帶了九名守護雨花台的弟子，急急而去。

黃十峰環顧了群豪，道：「一直隱身在幕後，製造江湖仇恨、分裂的魔頭無極老人，此刻羽翼已豐，即將正式露面，至於他用的什麼方式，目下還很難說，這使區區聯想到兩件事，敝幫的失藥，和王兄的失鏢……」

趙天霄接道：「王兄失去了鏢，已然查明爲萬上門所劫，似是與此事無關。」

黃十峰道：「太巧了，萬上門同時劫取了王兄的暗鏢和敝幫的藥物，如非他們急需此兩物，那就是別有用心了。」

長長吁一口氣接道：「萬上門，昔年從未聽人說過，無極老人之名，今宵我才聽到，立足江湖，講究揚名立萬，但兩人卻同樣的隱身幕後，操縱大局，其間實叫人大費疑猜。」

紅杏突然接口說道：「萬上門金道長，和我家姑娘很熟，如若她能清醒，定可知道萬上門中之秘。」

黃十峰點點頭道：「如若你們姑娘能夠清醒，又何止了解這一點難題。」

容哥兒道：「二姑娘的生死，似乎是決定在那楊九妹的身上了，但願她言而有信，不要失約才好。」

黃十峰突然說道：「容兄，如若你全力出手，可否擋得住那楊九妹？」

容哥兒略一沉吟，道：「我不知那楊九妹是否用出了全力，如以她昨宵身手而言，我要阻攔她，並非難事。」

黃十峰點點頭，道：「那很好，容兄的快劍，實乃區區所見當世高手，極少有的如此快速劍法。」

容哥兒道：「幫主過獎了。」

語聲微微一頓，接道：「不過，在下有一點苦衷，還得幫主原諒。」

黃十峰道：「什麼事？」

容哥兒道：「在下離家之時，家母曾經告誡於我，除了王老前輩之外，不得以真正面目示人，但在下有時卻又忍耐不住，取下蒙面黑紗。」

黃十峰微微一笑，道：「容兄以後，不要中人激將法，就行了。」

容哥兒道：「在下還有一點不情之求。」

黃十峰道：「容兄儘管請說。」

容哥兒道：「在下奉慈母之命而來，旨在爲王英雄追回失鏢，想不到竟然牽入江湖恩怨中，幫主如不要在下置身事外，此事過後，還望相助在下奪回失鏢。」

黃十峰道：「好！就此一言爲定。」

語聲微頓，又道：「如若區區料斷不錯，萬上門劫鏢和劫藥兩件事，絕非巧合。」說話之間，瞥見一個紫臉少年闖了進來。

大廳外站有兩個丐幫弟子，正待出手攔住，王子方已迎了上去，道：「譚兄弟，出了事嗎？」來人正是譚家奇。

譚家奇一抱拳，黯然說道：「那鏢主人失蹤了。」

王子方道：「失蹤了，他不是傷得很重嗎？」

譚家奇道：「傷得很重，昨夜初更時分，他忽然清醒過來，吃了一杯茶後，又睡了過去，今晨就失蹤不見。」

黃十峰道：「是死了，還是不見了？」

譚家奇道：「生不見人，死不見屍。」

王子方道：「可曾在附近找過。」

譚家奇道：「遍尋客棧前後，不見蹤影。」

趙天霄道：「這就有些奇怪了。」

黃十峰突然輕輕歎息一聲，道：「那人受傷之後，你們可曾仔細看過他，確是那投保的客人嗎？」

王子方道：「他傷勢甚重暈迷不醒，只見衣著形貌大致不錯，未曾詳細看過。」

黃十峰道：「不用找了。」

目光轉到王子方的臉上，接道：「那遺失暗鏢之中，究竟是什麼物件？王鏢頭，可曾過目嗎？」

王子方道：「在下未曾看過，不過，據說是一些玉器、書畫。」

黃十峰道：「事有輕重緩急，咱們眼下最爲重要之事，是要先救二姑娘，王兄暫時不要再想那失鏢的事。」

王子方道：「這個，在下知道。」

黃十峰目光環掃群豪一眼，緩緩說道：「眼下二姑娘的傷勢更形惡化，如再拖上三、五日，不知要變成何等模樣？但目下能救助二姑娘，只有那三公主一點希望。」

語聲頓了頓，不聞有人接口，又接道：「但咱們也不能太過信任她，因此，區區之意，先把二姑娘送往一處隱秘的安全所在，由王鏢頭和趙堡主，加上我丐幫中選出的五名高手，保護她的安全，區區和容兒，在荒祠之中，等候那三公主。」

王子方突然回頭對紅杏說道：「翠蓮姑娘的傷勢如何？」

紅杏道：「定然是那假冒張神醫的人弄了手腳，翠蓮姊姊身上的劍傷，雖然好了甚多，但人卻和姑娘一般的昏迷不醒。」

黃十峰道：「區區已經計畫把二姑娘和翠蓮一併運去。」

王子方道：「幫主可曾決定把她們運往何處？」

黃十峰道：「此刻這長安城遍佈強敵眼線，對方的人手之眾，眼線之多，似是尤在我丐幫之上，在下已安排兩個去處，由我丐幫弟子率領，請諸位立刻動身如何？」

舉手一招，守在門口的一個丐幫弟子，立時跑了出去，片刻之後，重又回來，道：「車馬已然停在雨花台外。」

黃十峰道：「好！諸位可以出發了。」

群豪抬起了二姑娘和翠蓮，行出雨花台，果已有三輛篷車，停在門外等候。

容哥兒低聲對岑大虎道：「虎兒，你要緊隨王總鏢頭，聽他之命行事。」

岑大虎道：「咱家一步也不離王總鏢頭就是。」

黃十峰道：「諸位最好一齊上車，也可稍避他人的耳目。」

群豪依言登車，三輛篷車，立時風馳電掣而去。
這時，雨花台中只餘下黃十峰、容哥兒，和一個身揹藍袋的弟子。
黃十峰道：「此刻咱們是寸陰如金，藉此時刻，好好休息一陣吧。」言罷，當先盤膝而坐。
容哥兒想到晚上或將有一場惡戰，也盤膝坐了下去，運氣調息。
那身揹藍袋的丐幫弟子，輕輕帶上了兩扇木門，躍上屋面，替兩人護法。
一日匆匆，轉眼間又是黃昏時分。
黃十峰、容哥兒經過了大半日時光坐息，精神十分飽滿，黃十峰爲人穩重，容哥兒絕口不談身世來歷，黃十峰也不多問。
黃十峰拉開緊閉的木門，笑道：「他們一日時間未找來雨花台，倒是大出意料之外。」
但聞衣袂飄風，那丐幫弟子由屋面躍下，接道：「弟子一直留心著四下景物，未見過可疑人物。」
黃十峰道：「好！你去爲我們取些酒飯。」
那丐幫弟子應了一聲，轉身而去。
大約有半個時辰工夫，那丐幫弟子提著酒飯，匆匆趕到。
容哥兒早覺腹中饑餓，伸手取過一塊大餅，正待食用，卻被黃十峰一把奪下。
容哥兒頓生驚覺，抬頭望了那丐幫弟子一眼。
只見他雙眼發直，呆呆地站著不動，分明是穴道受了奇傷。
容哥兒道：「他受了傷！」

黃十峰道：「又是那種奇妙傷害神經手法！唉！看將起來他們早知道我黃某人在此了，他們知道跟在我身側之人，不宜魚目混珠，只好出手點傷了他，然後在酒飯之中下毒，咱們稍一不慎，食了酒飯，就上了他們的當。」

容哥兒看看天色，低聲說道：「此刻距咱們相約那楊九妹的時刻，還有一段時間，何不將計就計，看看他們耍些什麼花招？」

黃十峰略一沉吟，道：「這辦法很大膽。」

容哥兒道：「不入虎穴，焉得虎子。不知幫主意下如何？」

黃十峰提起酒飯，悄然出廳，倒入花木叢中，裝出吃殘一般，低聲說道：「容兄弟，如果瞧出情形，咱們可以中途下手，不可誤了相約時刻。」

容哥兒：「咱們至多等到二更過後……」

只聽砰然一聲，那站在門口的丐幫弟子，突然倒摔在地上。

黃十峰一皺眉說道：「咱們也倒下去吧！」

容哥兒望了那殘餚剩酒一眼，低聲說道：「如若來人細心一些，就可拆穿咱們的計謀了。」

果然，兩人倒下去不過片刻工夫，突然一陣步履之聲，傳了過來。

容哥兒微啓一目望去，只見一個身披白袋的丐幫弟子，鬼鬼祟祟地走了進去，不禁心頭一震，暗道：「好啊！原來他們混入了丐幫弟子之中，那就無怪我們查不出了。」

黃十峰心中受到的震動，更是千百倍於容哥兒，細看那白袋弟子，竟是長安分舵中人，心中暗道：「看來長安分舵，早已爲人設法混入了，今日如能生擒此人，或可逼出一些內情……」心中念頭轉動，那人已然行到了黃十峰和容哥兒的身側。

只見他伏下身，低聲叫了兩聲幫主。

黃十峰爲人是何等沉穩，任那弟子呼叫，動也未動一下。

那白袋弟子不聞黃十峰相應，突然舉手一拍，道：「兩個人都中了毒，你們可以進來了。」

但聞步履聲響，又有一個人走了進來。

容哥兒微啓目光一瞧，只見來人身揹藍色袋子，竟然也是丐幫中人，不禁心頭大震，暗道：「看起來，丐幫早被人混入，整個丐幫弟子，眾達數千人，不知混入了多少奸細。」

只聽那身揹藍袋的丐幫弟子，說道：「你可仔細瞧過了嗎？他們當真中了毒？」

那身揹白袋弟子應道：「看過了。」

那藍袋弟子爲人十分陰沉細心，望了黃十峰和容哥兒一眼，道：「你去點了他們的穴道！」

那白袋弟子微微一笑，大步行近容哥兒，舉手一指點向容哥兒左肩的中府穴。

容哥兒暗裏運氣，未作掙動。

原來，他心中早有準備，如是那白袋弟子下手點的要害大穴，勢難不理，那就躍起身來，出手還擊，如是自己能夠暗中運氣衝解之穴，那就不作掙扎。

只見那白袋弟子轉向黃十峰，一伸手點了他臂上中泉穴。

大約是黃十峰也有著容哥兒一般思想，竟然也沒有掙動，任他點中穴道。

那藍袋弟子一直留心觀察黃十峰的舉動，眼看兩人穴道被點，仍是未作掙動，不禁微微一笑，低聲對那白袋弟子說道：「非是在下不肯信任你兄弟，實因那黃十峰為人沉著狡猾，很難上當。」

容哥兒穴道雖然被點，但神智清明，心中暗道：「好啊！那黃幫主聽到幫中弟子，這樣罵他，心中不知是何滋味？」

只聽那白袋弟子說道：「在下奉到密令，只負責把他們毒倒，以後的事，該由你們負責。」

那藍袋弟子道：「這個自然不敢再勞駕了。」說完話，舉手一拍，又有兩個身揹白袋弟子進來。這兩人手中，各拿著一個很厚的麻布袋子。

容哥兒半側身子而臥，借衣擱遮，可以啓動一目瞧去，室中人物變化，始終都未逃過他的監視。

只聽當先手拿麻袋的弟子說道：「這小子，不知是何等人物，怎麼會得黃十峰如此器重，和他行坐不離。」說話之時，張開麻袋，把容哥兒裝了進去。

另一個執麻袋的弟子，也把黃十峰裝入袋內。

容哥兒感覺到被人扛在肩上，向前行去。

那麻袋厚密，無法看到外面景物，只覺被人扛著走約半里之遙，被放在一面軟墊上面。耳際間，響起轆轆輪聲，顯然是身在車中。

容哥兒已無法再忍耐下去，暗中運氣，衝開左肩穴道，暗中運勁，一指穿過麻袋，向外望去，只覺四周篷布密垂，除了那裝著黃十峰的麻袋之外，車中再無別人，立時運氣衝開袋口，探出頭來，施展傳音之術，叫道：「幫主好嗎？」

黃十峰也施展傳音之術，道：「我很好。」

容哥兒道：「此刻咱們要如何辦呢？」

黃十峰道：「此刻時光還早，容兄弟如是希望冒險，咱們就讓他們帶入巢穴瞧瞧，如是不喜冒險，此刻就可以下手了。」談話間，那奔行的馬車，突然停了下來。

容哥兒急快地縮入袋內，露出一目，向外望去。

垂簾起處，伸入一個頭來，打量了一陣，說道：「兩個人都還好好的躺在袋中，可以進去了。」說完之後，那探入的一顆腦袋，突然又縮了回去。

容哥兒心中暗忖道：「糟糕，我把袋口衝開，捆紮袋口的索繩已斷，勢必要被他們發覺，怎生想個法子，把袋口紮住才是。」

忖思之間，馬車又向前馳去，但很快又停了下來。

只聽車外傳過來一個女子聲音，道：「送來的什麼人？」

一個男子聲音應道：「丐幫的幫生。」

那女子道：「好啊！如若真是丐幫幫主，這一件功勞，可算不小，定然要受到很厚的賞賜。」

那男子笑道：「黃金、珠寶，皆非我所好。」

那女子聲音接道：「可以請求我家姑娘傳你幾招武功。」

那男子長歎一聲，道：「我投身至此，豈只是爲了想學幾招武功嗎？」

女子聲音道：「那你是爲什麼？」

男子聲音道：「為了你啊！我要請求二公主把你賞賜於我。」
兩人這一番對答之言，只聽得黃十峰感慨萬千，暗道：「女色誤人！」
車簾起處，一道強烈的燈光，射入車中。
容哥兒心中暗急道：「他們若發現袋口已開，必然要動疑心，豈不是壞了大事。」
只聽一個女子道：「二公主已然在廳上等候，解開麻袋，把他們帶上廳去。」
只聽有人高應一聲，刀光一閃，挑去了黃十峰袋口繩子。
容哥兒心中一動，暗中伸手，捏緊袋口。
那人粗心大意，回刀一挑容哥兒的袋口，容哥兒及時一鬆，袋口自張。
兩個大漢，跳上車來，退下麻袋，一人一個抱起黃十峰和容哥兒，直向大廳中行去。
那黃十峰久歷江湖，經過無數的凶險風浪，是以十分沉得住氣！容哥兒卻不停地微啓兩目偷看，只見那大漢把自己扛入了一座大廳之中。
這座廳中的燭火，並不十分明亮，只點著兩支紅色的細燭。
兩個大漢，似是對廳中之人，有著很深的畏懼，行入廳中之後，舉動十分小心，緩緩把人放在地上，悄悄而退。
容哥兒雖無江湖閱歷，但他為人聰慧無比，那大漢放他之時，他已藉機微微一側身子，用衣袖把眼睛遮了起來。大廳中除了兩支高燒細燭之外，不見人影。
容哥兒心中奇道：「這是怎麼回事呢?那女子明明說廳中有人相候，怎會不見人影?」
忖思之間，突聞一個清冷的女子聲音，傳了過來道：「點他們四肢穴道，讓他們服下解藥。」

容哥兒心中一動，暗道：「如是四肢穴道被點，形同廢人，哪裏還有和人抗拒之能，看來是不能忍受了。」他心中念頭輪轉，但卻又拿不定主意。

只見一個女子聲音應道：「小婢遵命。」一個青衣美貌女子，大步走了過來。

容哥兒心中暗道：「最好先對付黃幫主，我也好照樣畫葫蘆。」

但那青衣女卻一直對他走了過來。

只見那青衣女子右手一抬，纖指直向容哥兒右臂點去。

在危急一瞬，容哥兒決定了奮起抗拒，只待那纖指將要點中右臂時，突然一躍而起，反腕一抄，抓住那青衣少女的右腕。

那少女做夢也未料到，一個服過迷藥之人，還有拒敵之能，驟不及防之下，被容哥兒一把抓住右腕，不禁駭然失色，容哥兒暗運功力，五指一緊，那女子一條右臂，頓時麻木難抬，全身的勁力，一齊失卻。燭火之下，只見她柳眉鳳目，生得十分嬌俏。

那女子脈穴受制，無法反抗，望著容哥兒道：「你是誰？」

容哥兒道：「這話似是該在下問姑娘了，咱們井水不犯河水，你爲什麼要把在下送來此地？」

那女子經這一陣時光，人已冷靜下來，高聲叫道：「姑娘，這兩人沒暈迷。」

容哥兒心中暗道：「打蛇打七寸，擒賊先擒王，正要那主人出來。」是以並未阻止，任她囂叫。

只聽一個清冷之聲應道：「我已經瞧到了。」

容哥兒早已暗中瞧過了大廳中的景物，不見人影，但那清冷的女子聲音，卻明明從大廳中傳了出來。

只聽那青衣女婢叫道：「小婢不知他們裝作中毒模樣，驟不及防，被他扣住了脈穴。」

那清冷的女子聲音道：「我現在沒有工夫救你，如是他們能夠等一會兒再殺你，那就來得及了。」

容哥兒心中暗道：「這是什麼話？豈不是告訴我殺了這青衣女婢也不要緊嗎？」

黃十峰眼看容哥兒已經出手，裝作也是無用，也挺身站了起來，回手關上了大廳木門，緩緩說道：「區區黃十峰，姑娘既派人把我等押解來此地，何以不肯出面相見？」

口中說話，兩道鋒利的目光，卻不停地四面搜尋。

只聽一陣格格嬌笑傳出，道：「我們知道你是鼎鼎大名的丐幫幫主，但我現在沒有工夫，你如是一定想見我，那就勞駕等一會兒啦。」

黃十峰聽那聲音，由大廳一角傳了出來，似是這座大廳中，有著機關佈置，默算和那楊九妹會面時限，已然無多，何不給她來一個莫測高深，當下哈哈一笑，道：「姑娘既是不願相見，區區自是不便勉強，咱們就此別過了。」

目光一轉，望著容哥兒，道：「咱們走吧！」

容哥兒手中仍然抓著那青衣女婢，說道：「這丫頭如何處理？」

黃十峰道：「點了她的穴道。」

容哥兒應聲出手，點了青衣女婢幾處大穴，一鬆右手，那女婢砰然一聲，倒在地上。

黃十峰凝神靜立片刻，不見動靜，伸手拉開木門，低聲對容哥兒道：「咱們走啦，記著奪取一件兵刃。」兩個人連袂出了大廳。

但見屋宇連綿，這座宅院，似是很大，但卻一片黑暗，除了那座大廳之外，不見燈光，事情竟然是又出了兩人意外，兩人一直走出宅院，不見有人攔阻。

兩人施展開輕身功夫，連袂奔行，不多工夫，已經到了荒祠外面。

容哥兒正待舉步而入，卻聞黃十峰道：「不要慌，咱們先瞧瞧是否還有埋伏再說。」

容哥兒心中暗道：「好啊！薑是老的辣，果然不錯。」

隨在黃十峰的身後，繞著荒祠轉了一周，未見可疑之處，才直入荒祠正廳。正廳中一片黑暗，伸手不見五指。

容哥兒忽然疾行兩步，搶在黃十峰的前面，衝入廳中。

黃十峰暗暗點頭道：「此人初見之時，驕氣橫生，想不到熟識之後，竟是一位很懂事，又具俠氣的少年。」

容哥兒衝入廳中之後，故意咳了一聲，道：「有人在嗎？」

廳角處傳過一聲輕微的嬌笑，道：「好大膽子。」

隨著那輕微的笑聲，響起了細碎的步履聲，直對容哥兒行了過來。

容哥兒一面暗中運功戒備，一面運足目力望去。

他內功精深，目力過人，雖在夜暗之中，仍然看得十分清楚。

只見一個勁裝的少女，緩移蓮步地走了過來，低聲說道：「只有你一個人嗎？」

原來黃十峰眼看容哥兒急步衝入廳中，心中忽然一動，暗道：「如是那楊九妹在廳中設有埋伏，我們兩人一齊衝了進去，豈不是全都中了人的詭計，我守在廳門口處，亦好接應於他。」

聽得那楊九妹的問話，立時接口說道：「區區在此等候。」舉步入廳。

楊九妹一笑，道：「可是怕我在廳中設埋伏，暗中算計你們嗎？」

黃十峰道：「江湖上險詐百出，區區不得不防，還望姑娘不要見怪才好。」

楊九妹道：「那二姑娘現在何處？賤妾的時間不多，五更之前，必得返回。」

黃十峰道：「在下為姑娘帶路。」

楊九妹道：「事不宜遲，咱們立刻動身。」

三條人影，連袂而起，風馳電掣一般，奔向正南方位。

楊九妹看去路，不似回到長安去，不禁一皺眉頭道：「二姑娘不在長安城了。」

黃十峰道：「區區已把她送往一處十分隱秘的所在，既可保護二姑娘的安全，亦可方便姑娘出入為她療治傷勢。」

楊九妹不再多問，緊隨黃十峰而行。行約半個時辰左右，到了一個農莊前面。

楊九妹低聲說道：「你認識植花老農？」

黃十峰吃了一驚，暗道：「一個年輕的女娃兒，見識如此博廣，實是少見得很。」

鎮靜了一下心神，道：「姑娘也認識他嗎？」

楊九妹搖搖頭，道：「不認識，我只是聽人說過。」

說話間，人已行到籬門前面。伸手一推，籬門呀然而開。

這座小莊，占地雖大，但四周都用竹籬環圍，毫無戒備。

進得籬門，花香撲鼻，夜色中雖然無法瞧出花色，但卻隱隱可見那滿園羅列花畦。

黃十峰似是很熟，回手關上籬門，帶著容哥兒和楊九妹，直行到一座竹子搭建的雅室門外。

黃十峰伸手敲了三下，室門立時大開，王子方當門而立，低聲說道：「幫主嗎？」

黃十峰道：「正是區區，那二姑娘的傷勢如何？」

王子方道：「情況很壞，幫主如再不回來，只怕她很難再撐下去。」

楊九妹目光轉動，只見雅室中有很多帶著兵刃的大漢，悄然肅立，問道：「那位二姑娘現在何處？快帶我去瞧瞧。」

王子方道：「在下帶路。」

行至雅室一角，伸手揭開一個木板，燈光隱隱，透射上來。敢情這竹屋之下，還有一個暗室。

王子方帶路行入地下暗室，只見滿室奇花中，搭著一座木榻，榻上並臥著兩個年輕少女。

楊九妹四顧一眼，直趨榻前，伸出纖纖玉手，抓起右面少女的左腕，道：「是這一位嗎？」

黃十峰心中暗道：「看起來，她是早已認識了。」

口中應道：「不錯。」

容哥兒道：「據在下以真氣過脈之法，查看二姑娘的傷勢，似是傷在腦後玉枕穴上。」

楊九妹道：「不會錯嗎？」

容哥兒道：「在下查看如此，姑娘如是不信，那就不妨再檢查一下。」

楊九妹仔細瞧過了二姑娘腦後幾處要穴，點頭應道：「不錯，傷在玉枕穴。」

黃十峰道：「姑娘看她傷勢，可有復元之望？」

楊九妹道：「我先解開她受制神經，如若傷勢沒有變化，以她深厚內功基礎，養息上三、五日，就可以復元了。」

說完話，緩緩伸出右掌，按在二姑娘玉枕穴上，緩緩閉起了雙目。

大約過有一盞熱茶工夫，耳際間突然響起楊九妹的嬌喘之聲，燭光下，只見一串串的汗珠兒，滴了下來。

她臉戴著面具，無法瞧出她的神情，但聞那不停的喘息之聲，和那滴落的汗水，必然極耗真力。只聽那嬌喘之聲，越來越重，那滴落的汗珠兒，更是如雨而下。

黃十峰正待出手助她一臂之力，楊九妹突然停下手來，長長吁一口氣，緩緩坐了下去，道：「你們如想殺我，此刻可以下手，我連一點反抗之力也沒有。」

說完閉上雙目，盤膝而坐。

黃十峰一拉容哥兒，輕步退到室門口處，低聲說道：「咱們守在這裏替她們護法，和觀看二姑娘的傷勢變化。」

容哥兒點點頭，未再接口，這時，室中一片寂靜，靜得聽不到一點聲息。

過了一頓飯的時光，忽聽那二姑娘長長吁一口氣，挺身坐了起來。

黃十峰輕輕推了容哥兒一把，道：「兄弟，你過去瞧瞧那二姑娘怎麼樣了？」

容哥兒應了一聲，大步走了過去，低聲道：「二姑娘傷勢好些嗎？」

水盈盈緩緩轉過臉來，望了容哥兒，茫然問道：「你是誰？」

容哥兒一皺眉頭，道：「在下姓容。」

但聞楊九妹的聲音，冷冷說道：「別讓她多講話。」緩緩站起身子。

水盈盈回顧了楊九妹一眼，只見她生得奇醜無比，但聲音卻嬌甜清柔，分明是女子口音，原來，那楊九妹在進入這植花山莊時，才戴上這一幅醜怪面具。

水盈盈雙目凝在楊九妹的臉上，瞧了一陣，道：「你是誰？」

楊九妹還未來得及答話，容哥兒已搶先說道：「這位是楊姑娘，特地來此爲二姑娘療治傷勢。」

水盈盈輕輕歎息一聲，正待答話，楊九妹又冷冷接道：「你如是想早些復元，那就乖乖地躺下休息。」

水盈盈怔了一怔，依言躺了下去。

容哥兒望了楊九妹一眼，低聲說道：「楊姑娘，二姑娘的病勢，完全好了嗎？」

楊九妹道：「讓她靜靜地躺上兩個時辰，就可以起坐說話了，有什麼話，再和她談不遲。」

語聲微微一頓，接道：「此刻時光不早，我要走了。」舉步向外行去。

容哥兒一側身子，讓開路。

黃十峰擋在門口，低聲說道：「楊姑娘，可要給那二姑娘留下一點藥物嗎？」

楊九妹道：「不用了，她沒有病，何用服藥？只要她好好的養息幾日，就可以復元了。」身子一側，出門而去。

但聞鼻息之聲傳了過來，那二姑娘似是睡得十分香甜。

黃十峰道：「容兒，你在這裏守著她，不論何人，都不許進來驚擾著她，我出去瞧瞧。」

容哥兒想待推辭，那黃十峰已然轉身而去，幽靜的藏花室中，只餘下容哥兒一人，和那靜臥在木榻上的二姑娘。

黃十峰去如黃鶴，足足有半個時辰，仍未歸來。容哥兒正自等得心急，突聞那躺在木榻上的二姑娘，低聲道：「拿些水來，我好渴啊！」

容哥兒流目四顧，只見那木榻旁側放著茶壺、茶杯，當下走了過去，倒了一杯茶道：「二姑娘，茶來了。」

水盈盈緩緩坐起身子，啟口就杯，一口氣把一杯茶盡皆喝下，睜開雙目，凝注容哥兒的臉上，瞧了一陣，道：「你是誰……」

容哥兒道：「在下姓容。」

水盈盈凝目沉思，似在想從回憶中找出往事。

容哥兒也不驚擾，靜靜地站在一側。

足足過了一盞熱茶工夫，水盈盈突然微微一笑，道：「我記起來了，咱們比過劍，我敗在你的手中。」

容哥兒道：「你沒有敗，咱們是未分勝負。」

水盈盈似是突然想起了什麼傷感之事，顰起柳眉，又緩緩躺了下去，道：「你可是叫作容哥兒。」

容哥兒道：「不錯啊！」

水盈盈道：「可是我不是叫水盈盈。」

容哥兒道：「你混跡煙花院中，自然是不用真名字了。」

水盈盈道：「我姓江。」

容哥兒道：「原來是江姑娘。」

水盈盈歎息一聲，道：「不過，我不準備姓江了，這一生就用水盈盈作名字算了。」

容哥兒道：「父親之姓，豈可隨便改的嗎？」

水盈盈歎息一聲，道：「我不配再姓江了，唉！你救了我，固是一片好心，可是我無法抹去心中的記憶，活著還不如死去的好。」

容哥兒奇道：「什麼事啊？」

水盈盈臉上泛現出一片羞紅，不再答話，閉上雙目。

容哥兒忽然想到，孤男寡女，相處一室，有甚多不便之處，當下說道：「姑娘的傷勢已然大好，在下去招呼那紅杏姑娘一聲。」

水盈盈急急叫道：「不用了。」

容哥兒奇道：「爲什麼？」

水盈盈突然一挺身子，躍下木榻，道：「我不要見她們，我要走了。」

容哥兒說道：「那黃幫主費盡了心機，療治好姑娘的病勢，希望姑娘能助他一臂之力。」

水盈盈淒涼的一笑，道：「黃幫主和容兄的好意，賤妾只有心領，但諸位之情，賤妾必有一報，賤妾修書一封，留下信物一件，請容兄把書信連同信物，一併送到五台山金鳳谷中，求見我那母親，必報償諸位之情。」

容哥兒道：「姑娘一定要走，在下也不便強行攔阻，但請見過那黃幫主之後，再走不遲。」

水盈盈道：「不用見了。」

探手從懷中取出一枚鳳頭金釵，道：「這枚鳳頭金釵，容兄先請收下，明日午時，請到那慈恩寺中，以鳳頭金釵為憑，求見掌門方丈，取我書信，賤妾當在信中畫出金鳳谷中形勢，容兄以圖索驥，不難找上金鳳谷去。」

容哥兒望著那鳳頭金釵，搖搖頭道：「這個在下不敢作主，姑娘請等片刻，在下立刻去請那黃幫主來。」轉身向外奔去。

水盈盈心中大急，突然一伸手，點中了容哥兒的穴道。

容哥兒驟不及防，那水盈盈出手又快，身子搖了兩搖，向下倒去。

水盈盈迅快地伸出手去，抱住了容哥兒，歎息一聲，道：「容兄請多原諒，賤妾實有不得已的苦衷，委屈你躺一會兒。」

抱起容哥兒的身子，把他平放在木榻之上，順手把鳳頭金釵，放在容哥兒的懷中，低聲說道：「容兄，記住到慈恩寺去，求見那掌門方丈，出示這鳳頭金釵，取我書信。」

她長長吁一口氣，接道：「替我送上一封家書，也給那黃幫主幫上一次大忙。」

容哥兒心中明白，瞪著一對圓圓的大眼睛，卻講不出一句話來。

水盈盈緩緩從懷中取出一塊素帕，蓋在容哥兒的臉上，道：「容兄保重，賤妾去了。」

容哥兒被她用手帕掩去了雙目，又被點了啞穴，有口難言，有目難睹，空自心中焦急。

大約過了一盞熱茶工夫之久，耳際傳過來黃十峰的聲音，道：「容兄，那二姑娘傷勢如何？」

容哥兒雖是聽得清清楚楚，但卻口不能言，身不能動。

黃十峰久走江湖，警覺之心甚高，不聞容哥兒相應之聲，已知有變，大步行到木榻前面，伸手取去掩在容哥兒臉上素帕，望了容哥兒一眼，拍解他身上穴道。

他爲人穩健多智，一看情勢，已知大概，並未再追問二姑娘的下落，低聲慰道：「容兒，傷勢如何？」

容哥兒輕歎一聲，道：「我料不到她竟突然下手，點了我的穴道。」語聲微微一頓，才道：「幫主可一直守在廳中嗎？」

黃十峰道：「出去片刻，但那王總鏢頭、趙堡主等，一直守在廳中。」

容哥兒道：「如若這藏花室別無出路，也許那二姑娘還未混出廳去。」

黃十峰略一沉吟，道：「以她武功而言，如若她傷勢全部復元，不難混出此地，夜暗無月，廳中又無點燃燈火，更是增了不少方便，只要傷勢痊癒，走或不走，都非大事。」

容哥兒道：「就在下所見情形，傷勢已好。」

黃十峰道：「這就是了，不知她臨去之時，可曾和你說些什麼？」

容哥兒緩緩從懷中摸出一枚鳳頭金釵，道：「她留下一枚金釵，要我去慈恩寺求見方丈，取她留下的書信，送往五台山金鳳谷去。」

黃十峰道：「指名要你一個人去嗎？」

容哥兒道：「這個她倒未曾提過，只說此行既可爲她送回一封家書，亦可幫幫主一大忙。」

黃十峰道：「只有這些嗎？」

容哥兒道：「她似是有著難言的隱痛，不願再和家人見面。」

黃十峰道：「唉！一個任性倔強的女孩兒。」

望著容哥兒接道：「容兄準備如何？」

容哥兒道：「在下頗覺爲難，不知如何才好？還望幫主指教。」

黃十峰道：「如依區區之意，容兄最好到慈恩寺中瞧瞧再說，如若情勢必要，區區奉陪你到五台山金鳳谷中一行。」

容哥兒略一沉吟，道：「好吧！我先到慈恩寺去，見過那方丈後，再作主意。」

黃十峰道：「明日正午時分，區區當在慈恩寺外暗中接應容兄。」

容哥兒道：「幫主盛情感激不盡，不過那二姑娘……」

黃十峰笑接道：「你怕她暗中監視，是嗎？」

容哥兒道：「只要多一人前去，萬一被她發覺了，只怕她臨時變卦。」

黃十峰道：「我丐幫中易容之術，佳妙無比，這個兄弟但請放心。」

容哥兒道：「此刻時光尚早，在下想藉此坐息一陣，再去不遲。」

黃十峰道：「那植花老農，雖然答允我把此地借作二姑娘藏身之用，但他本人卻藉故出遊，避不和我見面。」

語聲微微一頓，又道：「細想起來，這也不能怪他，他數十年的清靜生活，一旦被我攪亂，內心之中自然痛苦得很，區區雖然知道他心中不樂，但又想不出其他藏身之處，只好強其所難。如今二姑娘傷勢既癒，咱們也不用在此停留了，容兄弟在此坐息，區區去和他們約定一處見面之地。」

容哥兒道：「還有位身受重傷的翠蓮姑娘呢？」

黃十峰道：「我已把她安排在別處，要紅杏先去照顧著她，過了明天，再作計較。」
容哥兒點點頭，道：「眼下也只有暫時如此了。」
黃十峰大步出了藏花室，大約有頓飯工夫，重又回來，道：「眾豪皆去，眼下這植花山莊中，只有我們兩個人了。」
兩人相對而坐，運氣調息，直待天色大亮，一起離開植花山莊。

容哥兒進入長安城，找了一家酒樓，進點食用之物，直奔城南慈恩寺去。
天近午時，香客甚少，寺中一片肅然、靜寂。
容哥兒直進寺門，既無知客僧人招呼，亦無僧人攔住於他，心中好生奇怪，暗道：「這慈恩寺規模甚大，怎的連個招呼客人的知客僧人也沒有……」
心念轉動間，突聞一個沉重的聲音傳來，道：「阿彌陀佛！施主可是姓容嗎？」
容哥兒回頭望去，只見一個身著灰色袈裟的和尚，雙手合十，肅容而立。
當下欠身還了一禮，道：「在下容哥兒，大師父有何見教？」
灰衣僧人道：「敝寺方丈候駕已久，容施主請隨老僧來吧。」
容哥兒道：「有勞大師父帶路了。」
隨在那僧人之後，穿過兩重庭院，繞過大雄寶殿，到了一座幽靜的跨院之中。
一個唇紅齒白的小沙彌，合掌走了上來，低聲問那灰衣和尚道：「這位可是容施主？」
灰衣僧人道：「不錯。」轉身離去。
容哥兒還了一禮，緩緩走入靜室。只見一個白眉老僧，盤膝閉目坐在一張蒲團之上，身前放置一玉鼎，鼎中香煙嫋嫋，滿室清香撲鼻。

容哥兒只覺那白眉老僧寶相莊嚴，令人肅然起敬，急急抱拳一禮，道：「在下容哥兒，見過老方丈。」

那白眉老僧啓動雙目，打量了容哥兒一眼，道：「容施主請坐。」

容哥兒四下打量了一眼，只見一個蒲團，放在玉鼎旁側，依言坐了下去。

那白眉老僧輕輕歎息一聲，道：「容施主認識那位二姑娘嗎？」

容哥兒道：「不錯。」

探手從懷中摸出鳳頭金釵遞了過去，接道：「二姑娘曾經告訴在下，憑這鳳頭金釵，取她留下的書信。」

白眉老僧接過鳳頭金釵，仔細瞧了一陣，道：「容施主可知二姑娘何處去了嗎？」

容哥兒搖搖頭，道：「這個在下不知，那二姑娘只告訴在下，來此拜見老方丈，取她留下的書信。」

白眉老僧道：「不錯，適才二姑娘來見老衲，留下一封書信，告訴老衲，以鳳頭金釵爲憑，交換她的書信。匆匆數言，即行離去，唉！容施主如能早來上半個時辰，就可以見到她。」

容哥兒略一沉吟，道：「她要我在午時趕到，不能早到，想來已經算好時間了。」

白眉老僧雙目微一眨動，立時閃起一片神芒。

容哥兒心中暗道：「這老和尚眼神如此強烈，分明是一位內功精深的高僧。」

只見那白眉者僧左手伸入寬大的右袖之中，取出一封書簡，連同那鳳頭金釵，一併交到容哥兒的手中，道：「容施主可有要事趕辦嗎？」

容哥兒搖搖頭，道：「老師父如肯賜教禪機，晚輩洗耳恭聽。」

白眉老僧道：「容施主如有要事，老衲自是不敢擔誤，如有餘暇，不妨多留片刻，老衲想和容施主閒話幾句。」

容哥兒道：「晚輩聆教。」

白眉老僧道：「言重了……」

微微一歎，接道：「十幾年前，老衲在武林，亦是小有名聲之人，江湖上提起了老衲昔年混名，只怕都有些頭疼，大約二十年前吧，老衲在一次搏鬥中，受了重傷，但又不得不強忍傷疼，奮力苦戰，正當不支之時，江夫人適巧趕到，逐退群寇，救了老衲……」

他似是不願把昔年往事，說得太過詳細，長長吁一口氣，接道：「老衲受了那次大挫之後，洗手退出江湖，那時，我的一位師兄主持慈恩寺，老衲投奔於此，日日聽他講說佛法，不過半年，就剃度出家。五年之後，我那師兄西行天竺，把方丈之位授於老衲，老衲自知德能淺薄，堅持不受，但我那師兄卻說只要我代行方丈職務，待他天竺歸來，再行還位於他。」

他望了容哥兒一眼，看他正在凝神靜聽，接口說道：「我那師兄西行天竺，一去十年未返，老衲就代了方丈。」

容哥兒心中暗道：「看他此刻氣度，頗有得道高僧的風采，而且眼神充足，分明是內外兼修的高手，昔年在江湖定然是大有名望的人物。」

心念轉動，口中卻問道：「老師父昔年出入江湖時，不知如何稱呼？」

白眉老僧笑道：「孽海回頭，往事如煙，不提也罷。」

語聲微頓，又道：「老衲提起往事，旨在讓容施主了解那二姑娘和老衲之間的恩怨往事，唉！老衲雖然已火氣全消，不再過問江湖中事，但對昔年所受的恩情，卻是難以忘懷，二姑娘如有需得老衲之處，雖然赴湯蹈火，亦是在所不辭。」

容哥兒道：「二姑娘和在下亦是初交，對二姑娘的身世，在下所知有限。」

白眉老僧接道：「老衲之意，是想知道二姑娘目下際遇，是否需老衲相助一臂之力，午前她匆匆來去，但老衲已然看出她心事重重，滿懷愁腸。」

容哥兒心中暗道：「這二姑娘目前際遇，我雖是知道一些，但其錯綜複雜，實難說得清楚。」

沉吟了一陣，道：「這個在下雖然略知端倪，但不過是耳聞所及，是否正確，還難預料。」

白眉老僧道：「近來這長安城中，風雲際會，老衲雖不問江湖中事，但冷眼旁觀，已看出醞釀著一次重大事件，無數神秘人物，武林高手，都正在暗中鬥法。」

老僧歎息一聲，接道：「話說得太遠了，如若容施主能夠信得過老衲，就請把二姑娘目下遇上的爲難之事，告訴老衲。」

容哥兒暗道：「二姑娘既然肯托他把信轉交我，這老和尚想必是可以信託之人。」

當下把二姑娘受傷之事，說了一遍。

只見那白眉老僧臉然大變，雙目圓睜，似是陡然間看到什麼觸目驚心之事。

容哥兒把經過之情說完，那白眉老僧仍然是癡癡呆呆地端坐不動。

禪室突然靜寂下來，靜得落針可聞。

大約過有頓飯工夫之久，那老僧才長長吁一口氣道：「果然發生了，果然發生了。」

容哥兒只聽得丈二金剛，摸不出點頭緒，忍不住問道：「老禪師，什麼事啊？」

那白眉老僧仰起頭來，長長吁一口氣，道：「老衲雖然跳出三界外，也不忍眼看武林中掀起這一場血雨腥風。」

容哥兒道：「老禪師，可否說清楚一點，晚輩愚拙，實難解老師父話中禪機。」

白眉老僧緩緩把眼光移注到容哥兒的臉上，道：「如是老衲猜得不錯，這該是一場悲慘大劫的開始……」

只聽禪室外面傳入來那小沙彌的聲音，道：「施主要找哪一位？」他似是有意的讓那白眉老僧和容哥兒聽到，聲音說得很高。

那白眉老僧抬頭望著室外高聲說道：「佛門廣大，普渡眾生，到得此地總是緣，施主何不請入禪室一敘。」

容哥兒這些時日中，連番遇上怪異之事，早已提高了驚覺，這人不早不晚的趕來此地，只怕並不是碰巧而已。

心念轉動，迅快地把手中書簡和鳳頭金釵，藏入懷中，暗中運氣戒備，如若發現來人有所舉動，立可出手。

只聽室外一個老邁的聲音，應道：「大師如此好客，小老兒卻之不恭了。」

隨著那老邁的聲音，木門呀然而開，一個白鬚白髮的老人，一身土布衣著，芒履策杖，緩步走了進來。

這老人來得突然，別說容哥兒心中懷疑，就是那白眉老僧亦是疑心甚重。

兩個人四道目光盯注在那人的臉上打量，希望能瞧出一些化妝的痕跡。

因爲這老人不但鬢髮皆白，而且老態龍鍾，枯弱瘦小，實不像一個身負武功的人。

是以，容哥兒和那白眉老僧，一見那老人，心中同時感覺到這老人是經過一番巧妙化妝，掩去了本來的面目。

只見那老人扶杖緩行，直逼到兩人身側才停下來，道：「大師父召喚小老兒，有何指教？」

白眉老僧道：「老施主年邁蒼蒼，雅興不淺。」

那老人歎口氣道：「佛門廣大，哪來的老幼之分，阿彌陀佛。」

白眉老僧一皺眉頭，道：「看來老施主，倒是頗精佛法。」

那老人道：「小老兒雖未剃度，皈依三寶，但數十年來一直是我佛信徒。」

白眉老僧淡然一笑，道：「如是在十幾年前，老衲決然不會有此耐心。」

容哥兒突然站起身子，道：「老前輩年邁力衰，請坐下談話如何？」

那老人緩緩轉過臉來，瞧了容哥兒一眼，點頭說道：「孺子可教。」緩緩坐了下去。

容哥兒臉色一變，想待發作，但卻強自忍了下去。

白眉老僧道：「老施主由何處來？」

那老人道：「正門而入。」

白眉老僧道：「何以未見知客帶路？」

那老人淡淡一笑，道：「老夫策杖而入，連過數重庭院，除了適才那小沙彌喝問老夫一句之外，一直無人過問。」

白眉老僧道：「本寺知客一向守份，絕無不在之理。」

那老人微微一笑，道：「那只怪他們有眼無珠，瞧不見老夫了。」

白眉老僧已有些沉不住氣，臉色一寒，道：「閣下究係何人？」

那老人雙目凝注在白眉老僧臉上瞧了一陣，緩緩道：「追魂金刀……」

白眉老僧臉色一變，突然伸手抓住那老人竹杖，冷冷說道：「老衲已十餘年來未出過慈恩寺一步，閣下究是何人？竟敢來戲弄老衲。」

那老人哈哈一笑，道：「大師方外之人，怎的還有如此大的火氣。」

白眉老僧怒道：「老衲雖入佛門，但也不甘受人戲弄，閣下如不說出姓名，休怪老僧無禮了。」

那老人搖搖頭，道：「我老人家一向是吃軟不吃硬，你如好好求我，咱們還有商量。」

那白眉老僧似是難再忍耐，右手突然一揚，迎胸劈出。

那老人想要閃避，但卻又閃避不及，砰然一聲，正中前胸，身子一陣搖動，迎面倒了下去。

十四　盜寶奇謀

容哥兒對這老人言詞舉動，早就動了懷疑，心中暗想：「好啊，這人還會裝死。」伸手摸去，只覺他心脈靜止，氣息已絕，竟然被那白眉和尚一掌給活活打死。

白眉和尚一掌劈出震倒那老人之後，左手也同時放開了握住老人的竹杖，眼看容哥兒面色有異，忍不住問道：「他傷得很重嗎？」

容哥兒道：「死了！」

白眉和尚吃了一驚，道：「死了！」

容哥兒道：「心脈靜止，氣息已絕，不是死了是什麼？」

白眉和尚搖頭，道：「老衲這一掌，蓄力並不很重，就算是一個普通之人，也不會承受不起，何以竟會被一掌打死？」

容哥兒道：「唉！這人如若不會武功，這般年紀，早已氣力衰退，大師一掌，自然要他的老命了。」

白眉和尚似是仍然不信，伸出手去，按在他前胸之上，果覺心脈已止，心中暗道：「就算是武家上乘龜息之法，也不能使人心脈全息，看來他真的被我打死了。」

他昔年在江湖上走動，名噪一時，殺人無算，但這十幾年來佛門靜修，卻是從未傷過生靈，眼看這老人竟被自己一掌活活劈死，內心之中惶愧萬分，呆呆地望著那老人的屍體，黯然歎道：「老施主既非武林中人，何以要做江湖人物的灑脫神秘，致使貧僧失手，老施主陰靈有知，貧僧爲你法事七日，超渡亡魂，然後面壁一年。」

容哥兒看那白眉和尚悲痛之情，接口道：「大師也不用自責過深，這老人來得太過突然，而言語之間，又若武林中人，大師不肯出手，在下亦要出手，他雖死得冤枉，但卻是自己找的。」

白眉和尚黯然歎道：「這老施主雖有不對，但老衲莽撞出手，實也罪不該恕。」

舉手一招，一個小沙彌急急跑了進來，合掌說道：「見過掌門方丈。」

白眉和尚道：「你傳我口諭，要他們備一口好的棺材。」

那小沙彌望了躺在地上的老人一眼，匆匆退了出去。

容哥兒起身說道：「晚輩告辭了。」

白眉和尚道：「如若施主可以留駕，還望多留片刻，待收殮了這位老施主的屍體，老衲還要和施主談談二姑娘的事。」

容哥兒心中暗道：「那黃十峰和丐幫弟子，要來慈恩寺外等我，我如留此過久，只怕又要引起誤會。」

心念一轉，抱拳說道：「晚輩還有要事，先得離此一行，老禪師如有教言，晚輩明日再來領教。」

白眉和尚道：「容施主今夜有空嗎？」

容哥兒心中暗道：「我只要出去瞧瞧那黃幫主，不讓他惹出是非，如是今夜能和這老和尚見過，明天亦可去那金鳳谷了，那二姑娘如此看重於我，這封信，無論如何應該把它送到。」

心念轉動，口中微笑道：「在下深夜入寺，不知方不方便？」

白眉和尚道：「三更時分，老衲在大雄寶殿候駕。」

容哥兒一抱拳道：「在下準時而來。」

白眉和尚道：「施主好走，老衲不送了。」

容哥兒道：「不敢有勞。」轉身大步出寺。

流目四顧，只見遊人稀落，一個賣麵攤子，擺在寺外四、五丈外一株大楊樹下，一個賣麵的老人，站在麵攤旁側，一個收破爛的大漢，正在吃麵。

容哥兒瞧過了四下一陣，不見黃十峰和丐幫中人，轉身向東行去。

行約二里左右，突聞身後一陣急促的步履聲傳了過來。

容哥兒停下腳步，回頭望去，只見一個大漢，擔著一擔破爛，急急追了上來，直行到容哥兒的身側，說道：「閣下是容公子嗎？」

容哥兒道：「不錯，在下容哥兒。」

那大漢道：「兄弟乃丐幫中人，敝幫主已然候駕甚久，容公子請隨我來。」

容哥兒隨在大漢身後，行到一處荒林前面，說道：「敝幫主就在這林中一座小廟之內。」當先而入。

穿入樹林，果有一座小廟，只見五個身著灰衣的年輕漢子，圍坐在廟門前面。

他們衣著雖然和丐幫弟子一般，乾淨灰色衣服上，打了很多補丁，奇怪的是，每人兩臂之下，都突起了一個高高的布包，不知藏的什麼？

那帶路大漢，放下擔子，道：「容公子請！」容哥兒也不推讓，當先舉步而入。

這是一個很小的土地廟，只不過有一間房子大小，廟中景物，一眼間清晰可見。

只見黃十峰閉目盤坐，似正在運氣調息。

容哥兒低聲對那大漢說道：「不要驚擾了他，在下在此等他一會兒。」

那大漢應了一聲，垂手肅立門內，不肯退出。

容哥兒心知他對自己，還有些不太信任，站在一側為幫主護法，也就不再多言。

片刻工夫，黃十峰運息已畢，啓動雙目，望著容哥兒微微一笑，道：「容兄來了很久嗎？」

容哥兒道：「不一會兒。」

黃十峰道：「容兄可曾見到了那慈恩寺中方丈？」

容哥兒道：「見過了，也取得那二姑娘的留書。」

黃十峰道：「好！咱們立刻動身到五台山金鳳谷中一行。」

容哥兒搖搖頭，道：「不能立刻動身。」

黃十峰奇道：「為什麼？」

容哥兒道：「我已經答允那慈恩寺方丈，今夜三更重入慈恩寺，和他相晤。」

黃十峰道：「容兒在慈恩寺中時間不短，縱然有什麼話，也該談完了。」

容哥兒道：「這其間另有波折，還鬧出一條人命。」

黃十峰吃了一驚，道：「什麼事？」

容哥兒歎道：「一言難盡。」當下把經過情形，很仔細地說了一遍。

黃十峰凝目沉思了良久，道：「容兄，你認爲那老人當真的死了嗎？」

容哥兒道：「他心脈靜止，氣息已絕，自然當真的死了。」

黃十峰道：「區區的看法，則又不然。」

容哥兒道：「願聞高見。」

黃十峰道：「那老人能夠巧妙地避開知客僧，而且直入方丈靜修之地，那是他早已熟悉了寺中的情形。」

容哥兒呆了呆，道：「這個在下倒未想到。」

黃十峰接道：「他臨危不亂，言笑如常，而且能一口呼出寺中方丈昔年江湖上的混號『追魂金刀』，豈是普通人物？」

容哥兒心頭一震，道：「不錯，可惜在下竟然未能想出。」

黃十峰突然站起身子，道：「咱們去吧！」

容哥兒訝然道：「到哪裏去！」

黃十峰道：「慈恩寺去！」

容哥兒道：「此時不太早嗎？在下和那寺中方丈約好今夜三更。」

黃十峰道：「你瞧不出來，但那『追魂金刀』心中早已明白，他遣你離寺，訂下三更之約，是想獨力對付那怪老人。」

容哥兒舉手一拍腦袋，道：「這個，在下也該想到才是。」

站起身子接道：「好！咱們立刻就去。」

行了兩步，突然又停了下來，道：「你說那慈恩寺中方丈，昔年在江湖人稱『追魂金刀』……」

黃十峰接道：「不錯，他天生兩道白眉。」

容哥兒道：「那『追魂金刀』昔年在江湖上走動，是好人還是壞人？」

黃十峰道：「介於正邪之間，他武功高強，獨來獨往，從不與武林人物搭訕。」

容哥兒道：「那『追魂金刀』息隱了十餘年，都無人找上那慈恩寺去，二姑娘上午留下書信，中午就有人找上門去，只怕不是他昔年個人結下的恩怨。」

黃十峰道：「正是如此，咱們才該趕去瞧瞧。」

大步出了廟門，低聲對廟門外面五個灰衣年輕丐幫弟子吩咐幾句，和容哥兒連袂趕回慈恩寺。

兩人進了寺門，立時有兩個中年僧人迎了上來，攔住了去路，道：「兩位施主，可是進香的嗎？」

容哥兒細看兩個知客僧人，並無適才接見自己的知客僧人，立時說道：「有勞兩位大師稟告方丈一聲，就說容哥兒求見方丈。」

兩個人相互對望了一眼道：「這位是……」

黃十峰接道：「區區姓黃。」

兩個僧人說道：「兩位請稍候片刻。」左側一僧轉身向後行去，右側一僧卻在原地陪著兩人。

大約過了一盞熱茶工夫，那僧人匆匆來道：「敝方丈有請兩位貴賓。」

黃十峰、容哥兒隨在那僧人身後，穿過大雄寶殿，到了方丈靜修的跨院之中。

只見白眉和尙大步迎了出來道：「容施主去而復返，必有教言。」

容哥兒道：「在下爲大師引見一位高人。」

白眉和尙道：「好！咱們進禪室再談。」當先帶路，引兩人進入禪室。

容哥兒目光流轉，只見室中陳設依舊，只是不見了那怪老人的屍體。

白眉和尙不待容哥兒引見，合掌對黃十峰一禮，道：「如若老衲猜得不錯，施主當是名震江湖的丐幫幫主。」

黃十峰一抱拳道：「不錯，正是區區。」

容哥兒接道：「二姑娘的事，這黃幫主比在下還要清楚，因此不揣冒昧，未得大師同意，就請了黃幫主。」

白眉和尙道：「老衲慕名已久，今日有幸一會。」

黃十峰道：「大師言重了。」目光轉動，四下瞧著。

容哥兒知他不願冒昧相問，立時接口說道：「適才經過之情，在下已告訴了這位黃幫主。」

白眉和尙道：「兩位可是指那老人的事？」

容哥兒道：「不錯，不知那老人此刻如何？」

白眉和尙道：「已被老衲收殮入棺木之中。」

黃十峰接口道：「區區聽得容兄弟說了經過之情，心中十分懷疑……」

白眉和尚接道：「老衲也十分懷疑，但他確實已氣絕而逝。」
黃十峰道：「那棺木現停在何處？」
白眉和尚道：「停在後殿之中。」
黃十峰道：「不知可否帶在下去瞧瞧？」
白眉和尚略一沉吟，道：「好！兩位請隨老衲來吧。」轉身向前行去。
黃十峰、容哥兒，緊隨在那白眉和尚身後，離開禪室，直向後殿行去。
穿過了兩重庭院，到了後殿。白眉和尚推開殿門，當先向內行去。
抬頭看去，只見一個朱漆棺材，放在大殿一角。
白眉和尚指著那一具朱漆棺木，緩緩說道：「那老人屍體就在棺木之中。」
黃十峰大步行到棺木前面，伸出右手，按在棺木之上，緩緩說道：「閣下詐死之術，當真高明得很，但區區決不相信閣下，是真的死去。」
說話之間，右手暗用功力，一股暗勁，直向棺木之內逼去。
在黃十峰想像之中，那棺木中詐死之人，經自己揭穿之後，又被內力攻入棺內，定然有所舉動，哪知棺中之人，竟然是沉著得很，黃十峰內功衝入棺中，竟然是毫無反應。
白眉和尚道：「老衲曾經親手摸過他的心脈，確已氣絕而逝。」
黃十峰道：「大師，區區想啓棺查看一下，不知大師意下如何？」
白眉和尚道：「阿彌陀佛！入棺爲安，老衲之意，不用再驚擾於他了。」
黃十峰歎道：「如若大師允許區區啓棺查看，區區願以性命打賭……」
白眉和尚接道：「唉！不用了，幫主定要查看，老衲也不便堅持了。」

黃十峰道：「多謝大師。」右手運力向上一推，棺蓋陡然錯開。

低頭看時，只見一個鬢髮蒼然的老人，緊閉雙目，靜靜地躺在棺木之中，一條竹杖，平放那老人屍體旁側。

黃十峰伸出手去，按在那老人前胸之上，良久不言。

白眉和尚道：「黃幫主還有懷疑嗎？」

黃十峰道：「在下之意，還是認爲他是詐死。」雙手用力一托，把那老人的屍體，抱了起來，平放在地上。

白眉和尚駭然說道：「老衲失手傷他，已然心中不安，如若黃幫主毀了他的屍體，老衲更是難安了。」

黃十峰面色肅然，一語不發地伸手抓住了那老人右腕，冷冷說道：「閣下還要裝死，別怪我黃某不客氣了。」

那怪老人仍然靜靜地躺著，除了一具屍體之外，任何一個活人，絕難以有此種忍受之力。

容哥兒本來被那黃十峰說得充滿信心而來，覺得這怪老人定然是在裝死，但見此刻情勢，信心大爲動搖，蹲下身去，抓住那怪老人一隻左手，只覺他掌指冰冷，怎麼摸，也不像一個活人。

不禁一皺眉頭低聲道：「黃幫主，這老人只怕是真的死了。」

黃十峰五指暗加勁力，緊扣那老人脈穴，沉聲說道：「老兄的裝死工夫，可算得當今武林第一高人，實叫我黃某人佩服得很。」

那白眉和尚長歎一聲說道：「幫主請看在老衲份上，不用再擺佈一具屍體了，阿彌陀佛！」

黃十峰回顧那白眉和尚一眼，暗道：「此刻我如施下毒手，只怕要招怒這個和尚，他如出言干涉，雙方必將鬧得不歡而散，唯一之策，就是暫時住手，先說服這和尚再說。」

心念一轉，緩解鬆開那老人右腕，把屍體移入棺中，合上棺蓋，四下打量一眼，只見這座後殿供奉著一座高大的金佛像，一側黃綾環繞，掩蓋著兩具棺木。

黃十峰心如細髮，細看那棺木之上，積塵甚厚，不知放了多少時間，這高聳的後殿內，有著一股使人毛髮悚然的陰森，但也似包藏著一種使人無法言喻的神秘。

白眉和尚合掌說道：「兩位請入禪室坐吧。」

黃十峰輕輕咳了一聲道：「大師，這座後殿，貴寺弟子，他們很少來嗎？」

白眉和尚道：「每月初一、十五，打開殿門，打掃一次，平常之時，殿門落鎖，不許擅入。」

黃十峰道：「區區如若問錯了話，還望大師不要見怪。」

白眉和尚道：「不妨事。」

黃十峰道：「那黃綾環繞的兩具棺木，不知是何人的法體？」

白眉和尚道：「那兩具棺木，放此已不知多少年了，據說，是捐助修建本寺兩位大施主的遺體。」

黃十峰道：「這麼說來，那是在數十年前了？」

白眉和尚道：「也許更久一些。」

容哥兒心中暗道：「咱們為查明這怪老人生死而來，既知這老人確已死去，那也不用多留於此，縱然留此，也該談談那二姑娘的事情，怎麼盡說些不相干的事？」
只見那黃十峰舉步而行，直對那黃綾環繞的兩具棺木行去。
黃十峰行近那黃綾環繞的兩具棺木旁側，只見棺木上積塵甚厚，心中忽然一動，暗暗忖道：「他明明告訴我，半個月打掃一次，何以這棺木上有如此多的積塵。」
緩緩伸出手去，還未觸及棺木，突聞那白眉和尚叫道：「黃幫主，咱們到禪室中談談吧。」
黃十峰轉眼望去，只見那白眉和尚圓睜著雙目，盯注在自己臉上，中途改變了心意，收回右手，道：「好！」轉身出了後殿。
容哥兒緊隨在黃十峰的身後，那白眉和尚走在最後，隨手關上殿門，鎖了起來。
黃十峰看那鐵鎖，乃頭號大鎖，重量至少在十五斤以上，心中更是懷疑，但卻隱忍未問。
三人行入方丈室中，小沙彌獻上香茗後悄然退去。
黃十峰當先舉起茶杯，喝了一口，道：「大師，區區還想說幾句話，如有失言之處，大師儘管糾正。」
白眉和尚道：「不敢當，幫主儘管請說吧，老衲是知無不言。」
黃十峰道：「那座後殿，好像是貴寺中很機密的所在？」
白眉和尚道：「我那師兄西行天竺之時，曾經告訴我一切事務均要按寺中成規處理，禁閉後殿的規戒，乃沿傳而下的成規，老衲自是應予遵守。」
黃十峰道：「那麼後殿大鎖的鑰匙，可是大師保管嗎？」
白眉和尚道：「師兄臨去時，留下了兩件東西，交由在下親自保管，一件是後殿鐵鎖鑰匙，一件是敝寺中一座鎮寺金佛。」

黃十峰道：「那金佛想必是佛門中珍貴之物，由大師保管，那也罷了，後殿鐵鑰，也由一寺之尊的方丈親自保管，未免是有些奇怪，大師對此看法如何？」兩道目光凝注在那白眉和尚的身上，看他反應。

那白眉和尚，神情平靜地微微一歎道：「寺中遺下的規法如此，老衲也只好墨守成規了。」

黃十峰心中暗道：「看來他確實不知內情。」

只聽白眉和尚接道：「黃幫主細問此事，想必有所懷疑了？」

黃十峰道：「在下只不過隨便問問罷了！」

輕輕咳了一聲，接道：「有反常情者，必有內因，區區覺得貴寺規法中，由方丈親自保管後殿鐵鑰，大出常情。」

白眉和尚道：「此事難怪幫主懷疑，就是老衲原來也曾有過懷疑之心，曾經仔細查過那後殿，卻未曾發覺到有何可疑之處，老衲那師兄，西行天竺之際，只說明要老衲暫代方丈之位，主持寺務，他如今日歸來，老衲就今日交出方丈之職，自是不便查問寺中往事。」

黃十峰道：「大師對那兩具棺木，可曾動過疑心嗎？」

白眉和尚道：「老衲曾經問過寺中一位老年僧侶，那兩具棺木來歷，據那老僧所言，那兩具棺木源遠流長，早在我那師兄接掌門戶之前，就已經存放在寺中，數十年來，一直相安無事，老衲接他方丈之位，亦十幾年光陰，亦未有什麼怪異發生。」

黃十峰道：「如是那老僧所言不錯，那兩具棺木，自無可疑之外……」

他取過香茗喝了一口，長長吁一口氣，道：「我黃十峰，未來長安之前，自信不是多疑善慮之人，但這月際遇之奇，遇上的高人甚多，實是區區生平未曾有過的事，因此，對人對事，不得不多存一份疑慮之心，如有失禮之處，還望大師多多原諒。」

白眉和尚合掌當胸，道：「阿彌陀佛，這個叫老衲如何敢當。」

容哥兒突然接口說道：「我等懷疑那怪老人，故意裝死，才匆匆趕來了此地，如今既知他確實死去，自是不用再談了，大師還有何指教之言，就請借此機會說了，在下也不用再來寺中打擾大師了。」

白眉和尚道：「老衲約請容施主，是關於那金鳳門中二姑娘之事……」

容哥兒道：「她怎麼樣？」

白眉和尚沉吟了一陣，道：「二姑娘留居長安的事，老衲確然是一點不知，月前，老衲突然收到了一封密函……」

容哥兒道：「什麼人的密函？」

白眉和尚道：「二姑娘的母親。」

容哥兒道：「那函裏說什麼？」

白眉和尚道：「要老衲幫忙尋訪那二姑娘的下落。但老衲早已和武林同道絕緣，已非昔日的靈敏耳目，又不便派遣寺中僧侶出去訪查，但對方乃老衲救命恩人，又不能不盡心力，只好於夜晚之間，改裝外出，查訪那姑娘的下落。」

黃十峰道：「大師可曾查出她混入雨花台中嗎？」

白眉和尚搖搖頭，道：「一則老衲不去那等地方，二則老衲做夢也想不到，二姑娘竟會混跡於風塵之中……」

語聲微微一頓，接道：「昨天她突然來此見我，留下一信要老衲轉給容施主……」

容哥兒道：「老禪師，這些事在下都告訴黃幫主了。」

白眉和尚淡淡一笑，道：「那二姑娘臨去之際，雖然勉強裝出鎮靜，但老衲察顏觀色，卻瞧出她內心中有著無比的痛苦，臨行之際告訴老衲，如若她母親找來此地，要老衲轉告一句話。」

黃十峰接道：「什麼話？」

白眉和尚沉聲說道：「花殘陽春，月沉香江，八個字。」

容哥兒低聲誦吟道：「花殘陽春，月沉香江……這不是好事呀！」

白眉和尚道：「她和老衲談說這兩句話時，神色出奇的平靜，和初見老衲時那裝作之情，大不相同，當時老衲也未用心想它，事後想來，越來越覺不對。」

容哥兒道：「不用去想，一聽就知道不對了。」

白眉和尚苦笑一下，接道：「這些年，老衲面壁拜佛，早已想把江湖上的恩怨忘去，事事都向仁慈之處想，一時被她蒙住，事後想來，心中甚是不安，本想易裝離寺，追尋於她，卻又要等待容施主轉交她留下的書信，老衲雖已遁身空門，皈依我佛，但六根未淨，仍然念念難忘那救命之恩。」

黃十峰一直靜靜地聽著，此刻卻突然接口說道：「那二姑娘留下這兩句話，是要借你之口，和她母親訣別了。」

白眉和尚還未來得及接口，容哥兒卻搶先說道：「花殘陽春，那是說含苞時節，已受摧殘，月沉香江，是一句慰藉母親之言，她將很安靜地死去。」
白眉和尙歎道：「不錯，老衲也是這般想法。」
黃十峰回目望著窗外，道：「自她清醒，似是就已動了必死之心，天涯這等遼闊，咱們何處去追覓芳蹤呢？」
白眉和尙道：「我佛慈悲，但願能保佑那二姑娘平安無事。」
容哥兒歎息一聲，道：「可憐她小小年紀，身懷絕世武功，竟因一點心靈上的負擔，自棄自絕。」
原來容哥兒和二姑娘一場比劍之後，心中對她劍術上的成就，暗自生了敬慕之心。
白眉和尙道：「老衲要告訴容施主的，就是這些了，容施主到達金鳳谷後，見著那江夫人，就說老衲已去追尋那二姑娘，三年之內，不論尋著與否，都當趕往金鳳谷中負荆請罪。」
黃十峰道：「大師不失昔日豪雄之氣，但錯不在你，大師自是不用自責過深。」
白眉和尙道：「十幾年面壁苦修，早已看破名利二字，唯獨對恩情二字，未能擺脫。」
黃十峰忽然站起身子，低聲說道：「大師，二姑娘的事，晚上片刻再談不遲，咱先到後殿瞧瞧如何？」
容哥兒道：「瞧什麼？」
黃十峰道：「那裝死的怪老人。」
容哥兒道：「我瞧他是真的死了，不用再浪費時光。」
黃十峰微微一笑，道：「兩位請再聽我黃某一次，如若咱們這次去後，仍然未發現什麼，那就算他死了。」

容哥兒當先站起，道：「黃幫主這般堅持，必有見地，大師再去一次如何？」

白眉和尙點點頭站起身子，大步向外行去。

黃十峰低聲說道：「大師，那座後殿，除了殿門之外，還有可通之路嗎？」

白眉和尙道：「再無可通之路。」

黃十峰不再言語，搶先出了禪室，容哥兒居中，白眉和尙走在最後。

將近後殿時，黃十峰突然停下了腳步，道：「兩位步履輕一些。」悄然行近殿門。

容哥兒和白眉和尙，看他如此小心，只好提氣而行。

側耳聽去，果聞那大殿之中，似有物品移動之聲。

白眉和尙一皺眉頭，探手從懷中摸出鐵鑰，卻被黃十峰伸手阻止，低聲說道：「咱們再候片刻。」

過了約一盞熱茶工夫，突聞砰然一聲大震，傳了出來。

這次，響聲甚劇，似是重物落地，三人都聽得十分清晰，白眉和尙難再忍耐，挺身而起，打開鐵鎖。

推開殿門望去，只見那盛裝怪老人的木棺，棺蓋早已打開。

白眉和尙急奔棺前，低頭望去，棺中哪裏還有怪老人的蹤影，只急得白眉聳動，頓足歎一聲，道：「老衲竟然被他騙過。」

黃十峰流目打量了一眼，低聲說道：「容兄，關上殿門，守在門口。」

黃十峰目注那座高大的金身佛，道：「閣下能閉氣裝死，瞞過兩大行家，足見高明，自非無名之人，如今行藏自露，何不出面相見，黃某這裏恭候了。」

哪知過了片刻，竟不聞回應之聲。
白眉和尚沉聲說道：「如若他還在這大殿之中，不難搜查得到。」
黃十峰道：「不在那金身佛像之後，就在那黃綾圍繞的棺木之後。」
白眉和尚略一沉吟，道：「縱然要揭開那兩具棺木搜尋，也是在所不惜。」
只聽一陣清亮的笑聲，傳了出來，道：「不用搜查了。」
黃綾啓處，緩步走出一個面目清瘦、白髯垂胸的青衣老人來。
白眉和尚雙目中神光暴射，冷冷說道：「閣下的裝死之術果然高明。」
青衣老人淡淡一笑，道：「可是瞞不過丐幫中的黃幫主。」
黃十峰道：「請恕區區眼拙，不識老丈。」
那老人哈哈一笑，道：「老朽名不見經傳，縱然說出姓名來，只怕黃幫主也不認識。」
黃十峰道：「黃某見識寡陋，不知老丈那裝死之術，是不是盛傳於武林的龜息之法？」
青衣老人笑道：「黃幫主果然是富有心機的人物，想從武功之上，問出老朽的來歷？」
黃十峰暗道：「此人好生精明。」
當下說道：「老丈言重了！」
語聲微微一頓，又道：「老丈既不願說出姓名、來歷，區區等也不便再多追問，但老丈不惜裝死，混入此地，想必有所用心？」
青衣老人微微一笑，道：「這話似是不該你黃幫主問。」
白眉和尚道：「老衲和黃幫主交非泛泛，他問和我問都是一樣。」
青衣老人緩步行到那具空的棺木之前，笑道：「幾位一定要知道嗎？」

白眉和尚道：「不錯。」

青衣老人抬頭望了那高大的金身佛像一眼，道：「在這座高大的金佛之內，藏有著一件無價的寶藏，老朽就是為那佛中藏寶而來。」

白眉和尚不自覺地轉顧那金身佛像一眼，道：「這個老衲……」

那老人接口道：「你從未聽說過，是嗎？」

白眉和尚道：「如若那金佛身內真有寶藏，老衲豈有不知之理。」

青衣老人道：「老朽說得句句實言，諸位不信，那也是沒有法子的事了。」

黃十峰回顧了那黃綾環繞的棺木一眼，道：「如若老丈能取出寶藏，我等相信。」

青衣老人道：「此事容易，不過，會毀去這尊高大的金身佛像。」

目光一探白眉和尚，接道：「如是大師同意，老朽就立刻動手。」

黃十峰明知那青衣老人施的詐言，但卻無法代作主意。

只見那白眉和尚低頭沉思了一陣之後，說道：「一定要毀去這尊佛像？」

青衣老人道：「是的，除此之外，老夫還想不出什麼辦法。」

白眉和尚縱聲而笑道：「毀損我佛法像，雖是罪大惡極的事，但為了那無價寶藏，老衲只好擔待下了。」

青衣老人道：「好！」緩緩舉起右掌。

白眉和尚道：「且慢動手。」

青衣老人垂下右掌道：「怎麼？大師可是有些後悔了，不過，時猶未晚。」

白眉和尚道：「如果這座金佛被你毀去，但卻不見寶藏，那又該將如何？」

青衣老人淡淡一笑道：「老夫說有，自然是有了。」
黃十峰冷冷說道：「如是這佛像之中，確有藏寶，那就用不著毀去這座佛像，那藏寶之人，在塑造此像時，定會留下取寶之門。」
青衣老人微微一笑道：「黃幫主能夠統領丐幫，果是非常之才，不錯，這佛身就該有取寶之門，只是老夫瞧它不出。」
黃十峰道：「區區之見，如有藏寶，只怕也在兩棺木之中。」
容哥兒高聲道：「不錯，這座後殿，沒有藏寶便罷，如有藏寶，定在兩具棺木之中。」
那青衣老人兩道冷峻的目光，緩緩由兩人臉上掃過，道：「兩位可是見老夫由那黃綾環繞的棺木之間走了出來，就認定那藏寶在棺木中嗎？」
黃十峰道：「還有一件重要事情，閣下忘記說了。」
青衣老人道：「什麼事？」
黃十峰道：「咱們對閣下的話，不願信任。」
青衣老人哈哈一笑，道：「諸位既不願信任老朽，何不打開棺木瞧瞧？」
這句話又是大出了黃十峰等意料之外，一時間相顧無言。
看那青衣老人相貌生得十分樸實，但卻是有著浩瀚如海的智慧，他輕描淡寫兩句話，常使三人有著無法回答之感。
毀去佛像、開啓棺木，都是慈恩寺的大事，黃十峰、容哥兒，都無法作得主意，只好三緘其口，不再作聲。
白眉和尚凝目沉思了良久，道：「老衲自入佛門以來，早已忘去殺劫二字，老施主苦苦相逼，那是逼老衲忘去佛門中的身分，恢復我『追魂金刀』之名。」

那青衣老人神態安閒，微微一笑道：「老夫說那藏寶在佛像之中，諸位不肯相信，硬要說藏寶在兩具棺木之中。」

白眉和尙接道：「如果依你之意毀去這座佛像，仍然不見藏寶，當該如何？」

青衣老人道：「大師之意呢？」

白眉和尙道：「老衲之意，老施主要付出毀去這座佛像的代價。」

青衣老人笑道：「好！老夫出資重塑金身，造一座佛像就是。」

白眉和尙道：「這未免太便宜了。」

青衣老人道：「那就請大師開價過來。」

白眉和尙緩緩說道：「我要老施主身上鮮血，洗刷毀去佛像之罪。」

青衣老人避重就輕地說道：「如是這座佛像確有藏寶，大師又當如何？」

白眉和尙微微一呆，半晌答不出。

黃十峰輕輕咳了一聲，接道：「那要看藏寶爲何了？如是佛門之物，自然應當歸慈恩寺中所有，如是金銀珠寶之類，那就爲你所有。」

青衣老人笑道：「如若是爾等無法辨識之物，或是武功秘笈之類，那又該如何分配？」

他神態從容，使人無法從他神情上猜測出一點端倪，連那久走江湖，極善察言觀色的黃十鋒，也有些茫然無措，不知如何才對。望了白眉和尙一眼，愕然無語。

白眉和尙抬頭望了那高大金佛一眼，道：「這座佛像自老衲入寺以來，一直是這般形勢，那兩具棺木，也在老衲入寺之前，就存放此地，不論是那佛像或棺木所有之物，都爲我慈恩寺中所有。」

黃十峰暗道：「好啊！這和尚倒是貪心得很。」

但聞那青衣老人哈哈一笑，道：「這和尚這般小氣，老夫也不用和你談了。」轉身向外行去。

容哥兒守在殿門外，只覺他走得正大光明，一時間竟然不知是否該出手阻攔於他。

黃十峰道：「攔住他。」

容哥兒應聲拔劍，唰的一聲，長劍出鞘，右手揮動，長劍打閃，幻起一片劍花，攔住那青衣老人的去路，冷冷說道：「在下希望老丈不要以血肉之軀，試擋百煉精鋼，只怕就不好裝死了。」

那青衣老人眉頭一聳，冷冷說道：「怎麼？幾位可是瞧老夫太過善良嗎？」

黃十峰道：「老丈來去匆匆，不覺太慌張一些嗎？」

青衣老人裝瘋賣傻地說道：「如若取出藏寶，他們也不肯分給老夫，老夫留此作甚？」

黃十峰道：「老丈取走了重要之物，留下的不要也罷。」

那青衣老人臉色一變，道：「黃十峰，丐幫雖然在江湖上實力龐大，但老夫不害怕，你這般污蔑老夫，是何用心？」

黃十峰看他動了怒火，反而鎮靜下來，淡淡一笑，道：「在下只不過隨口一言，老丈何須動火，如是老丈未取寺中藏寶，就算我搜查一下，也是無妨。」

青衣老人沉吟了片刻，又恢復冷靜神情，目光凝注黃十峰的臉上，道：「閣下一定要搜查嗎？」

黃十峰道：「如果搜查不出什麼，也好證明老前輩的清白。」

青衣老人淡淡一笑，道：「老夫一生之中最是不願吃虧，搜出藏寶，老夫甘願認罪，如是搜不出來，你當如何？」

黃十峰道：「在下向老丈請罪。」

青衣老人搖搖頭，道：「太籠統了，最好事先講個清清楚楚，免得事到臨頭，糾纏不清。」

黃十峰道：「老丈之意呢？」

青衣老人道：「你既指老夫偷了寺中藏寶，那是血口噴人，存心栽贓，搜不出藏寶，老夫割了你的舌頭，挖了你的眼睛，禍從口出，豈不是很公平嗎？」

黃十峰長長吁了一口氣，道：「如是我等在老丈身上搜出寶藏，老丈當該如何？」

青前老人哈哈一笑，道：「老命一條，凡是老夫身上所有之物，你們儘管取去就是。」

黃十峰心中暗道：「我丐幫在武林之中，處處受人敬重，如若幫主示弱於人，傳揚出去，豈不要留人話柄。」

心念一轉，緩緩說道：「就依老丈之意，區區如若搜不出老丈身上藏寶，任憑處置就是。」

青衣老人突然一頓手中竹杖，杖頭深入紅磚地中三寸之深，高高舉起雙手，道：「幫主請來搜過。」

黃十峰臉色嚴肅，緩步行到那青衣老人身側，仔細地搜查起來。

白眉和尚和容哥兒亦是滿臉嚴肅神色，望著那黃十峰移動的雙手。

只見黃十峰雙手由那青衣老人的胸前，移到雙腿，仍是未搜出藏寶。
黃十峰緩緩向後退了一步，道：「老丈動手吧！」閉上雙目，挺胸而立。
青衣老人道：「可要老夫脫去衣服，你再仔細的搜查一遍。」
黃十峰道：「不用了。」
青衣老人笑道：「堂堂的丐幫幫主，今後要變成雙目失明，有口難言的盲啞之人了。」
黃十峰道：「我丐幫人才濟濟，少了我一個黃某，也算不了什麼！」
青衣老人望了容哥兒一眼，道：「小娃兒，打開殿門。」
容哥兒想到黃十峰即將雙目被挖，心中好生代他難過，正想找個緣故，和這老人打上一架，卻不料他竟找上頭來，當下冷笑道：「你在給哪個講話？」
青衣老人笑道：「和你呀！」
容哥兒道：「在下有名有姓，小娃兒可也是你叫的嗎？」
青衣老人笑道：「年輕人，你可是想救那黃十峰嗎？」
黃十峰道：「老丈有何吩咐？告訴區區就是。」
青衣老人道：「我要他打開殿門，老夫挖去雙目之後，亦可及時逃出大殿，要不然這位大師父和小娃兒，必然為你報挖目割舌之仇，老夫如是也被挖去雙目，割了舌頭，豈不是不太划算的事。」
黃十峰目光轉望容哥兒，道：「容兒，打開殿門！」
容哥兒怔了一怔，緩緩開了殿門。
青衣老人緩緩對黃十峰道：「黃幫主你沒輸，老夫確實偷了大殿中一件寶物，只是你沒有搜得罷了，咱們平分秋色，誰也不欠誰。」突然一長身，疾如電光石火一閃而沒。

白眉和尙望著殿門，喃喃自語道：「好快迅的身法。」

容哥兒道：「不錯，我想拔劍阻攔於他，已自無及。」

黃十峰道：「還好你未來得及阻攔他，如是你及時的拔劍攻出，那就糟了。」

容哥兒道：「為什麼？」

黃十峰道：「此人的護身罡氣，已到了刀劍難傷之境，你如是刺中了他一劍，必將引起強烈的反震之力，那時……」

白眉和尙道：「護身罡氣，當今之世，有此成就者，只不過一、二人而已，而且大都已經息隱甚久了。」

黃十峰道：「奇怪的也就在此了，他暗運罡氣護身，那無疑暗中示警，我雙手雖然在他全身搜查，其實是虛應故事，適可而止，但卻被我瞧出他戴著精巧的人皮面具。」

白眉和尙凝目沉思了一陣，道：「使老衲想不通的是，他為何要混入慈恩寺中，而且不早不晚，就在那二姑娘來後不久。」

黃十峰目光轉動，掃掠了那金佛和黃綾環繞的棺木的一眼，道：「也許他說得不錯，那金佛或棺木中，確有藏物。」

容哥兒道：「在下亦聽家母說過，罡氣乃玄門中至高的一種武功，和佛門中般若禪功，同謂絕世古學，修習此武功之人，不但要一段極長的時間，而且還得生具慧質，質資、師承，缺一不可。」

黃十峰道：「不錯，玄門罡氣確極深奧，但因威力太過強大，因此有很多人練它，有傾一生無成，亦有稍入門徑，但像適才青衣老人那等境界，實是少之又少……」
他長長吁一口氣道：「不敢相欺兩位，爲我覺出他護身罡氣時，亦曾暗運內功，施展大鷹爪力，試他內力如何，但卻被他的反震之力，震得我內臟中氣血翻動，他心中想已知道，適可而止。」
容哥兒道：「原來你們暗中已經較量過一次武功，我怎麼一點都不知道呢？」
黃十峰道：「他似是無意炫耀，只在暗中示警，區區也只好強忍下，盡量不讓他形諸於外，唉！如若兩位有一人瞧出當時情景，只怕此刻局面絕難有如此平靜了。」
白眉和尙突然接口說道：「咱們瞧瞧那兩具棺木。」當先向前行去。
黃十峰望了容哥兒一眼，緊隨在白眉和尙身後，行入那黃綾圍繞之中。
凝目望去，那兩具棺蓋上的積塵，已然有甚多被人拭去。
白眉和尙道：「看將起來，這棺木已經被人開過了。」
容哥兒道：「不錯，棺蓋上拭去積塵的指痕猶新。」
白眉和尙伸手搭在左面一具棺木蓋上，目注黃十峰道：「如是那藏寶已確知爲他帶走，咱們自是不用再打開這棺蓋瞧了。」
黃十峰道：「這個由大師作主。」
白眉和尙沉吟了一陣，突然伸手，推開棺蓋。
在白眉和尙心念之中，這兩具棺木中屍體，早已腐爛不見，只餘下一具白骨。
哪知情勢變化，竟然大出意外，棺木中哪裏有什麼屍體，只見一條厚厚的褥子，鋪在那棺底之上，褥子上放著一個素花枕頭，和一條錦被。

這哪似盛著死人之處，直似女孩子深閨的臥榻。

白眉和尙呆了一呆，自言自語說道：「這是怎樣回事呢？」

黃十峰瞧了一眼，也爲之一呆。

他雖然心中早想到這棺木中，不是屍體，但卻未料竟是一套臥具。

伸手摸去，餘溫猶存，似是不久之前，還有人在棺中睡覺。

這一驚更是非同小可，幾乎要失聲而叫，但他卻強自忍了下來。

白眉和尙輕輕歎息一聲，道：「老衲早該打開這兩具棺木瞧瞧才是。」

隨手合上棺蓋，緩緩轉過身去，按在另一具棺蓋之上。這次也不再猶豫，右手一伸，推開了棺蓋。

凝目望去，只見棺中放著兩個小箱，和幾個玉瓶。

白眉和尙一皺眉頭，道：「黃幫主，這又是怎麼回事？」

黃十峰沉吟了一陣，道：「那兩個小箱和幾只玉瓶，似都是存放的藥物。」

白眉和尙道：「不錯，可要打開瞧瞧嗎？」

黃十峰道：「這個由大師作主了。」

白眉和尙伸手取出一了一個小箱，放在棺蓋之上，正待伸手揭開箱蓋，黃十峰卻急急說道：「大師且慢。」

白眉和尙停下手，道：「什麼事？」

黃十峰道：「這棺木中的情景實是奇妙異常，不可思議，大師得小心一些才是。」

白眉和尙道：「黃幫主說得是。」

容哥兒右手一抬，唰的一聲，長劍出鞘，說道：「大師請退後一步，在下用長劍挑開木箱。」

白眉和尚應了一聲，向後退了兩步。

容哥兒長劍探出，寒芒一閃，疾向木箱上面挑去。

那木箱上原有一把鐵鎖鎖著，但卻不很堅牢，吃容哥兒長劍一挑，立時砰然而開。

凝目望去，只見那木箱之中，放置著一個全身如墨的鐵人之外，別無其他之物。

容哥兒緩緩伸出手去，取過鐵人，在手中掂了一掂，覺得十分沉重，不禁一皺眉頭，道：「生鐵所鑄？」

黃十峰接在手中，道：「鐵沒有如此沉重。」

白眉和尚道：「重過生鐵，那是黃金所鑄了。」

黃十峰一皺眉頭，道：「如若這小木箱中，放的黃金鑄成的小人，那就不足以珍視了。」

白眉和尚道：「幫主高見，奇怪的是這座人像代表著什麼呢？」

黃十峰道：「這就不是咱們能夠解得的了。」

容哥兒道：「用兵刃劈開瞧瞧如何？」

黃十峰搖搖頭道：「不可造次，也許這鐵人代表一種隱秘，在未能了解真相之前，不可隨便出手毀去。」

容哥兒道：「不知何人才能解得個中之秘。」

黃十峰道：「這要慢慢等了，何人能夠解得，那就無法預料了。」

容哥兒道：「縱有什麼隱秘，也在這鐵人之內，在下的想法，就是設法打開這座鐵人瞧瞧。」

白眉和尚道：「那棺木之中，還有一個木箱，我們已經打開了一個，何不一齊打開瞧瞧呢？」

說著，手已伸入了棺木之中，把上了鐵鎖的木箱，伸手一扭，啪的一聲，鐵鎖應聲而斷。打開箱蓋看，只見一隻白色玉蛙在箱裏鋪著的棉花中放著，一對血紅的眼睛，隱隱射出紅光。

容哥兒一眼之下，就覺得那白玉蛙可愛無比，忍不住伸手抓去，只覺入手冰冷，有如抓住一團雪球冰塊，幾乎失手丟棄。

黃十峰道：「怎麼了？」

容哥兒道：「好涼啊！好涼。」

黃十峰伸手在那玉蛙背上，摸了一下，果然覺得一片冰冷，忍不住說道：「據聞世間有一種極珍貴的寒玉，大概就是此物了。」

白眉和尚道：「這玉蛙上的一對眼睛，不知是何物做成？」

容哥兒愛不釋手的捧著玉蛙，搖了一下，突然兩聲低微微的格格叫聲，不禁微微一呆，道：「好啊！這玉蛙還會叫呢。」

黃十峰仔細瞧去，只見那玉蛙下唇仍在微微張動，不禁一歎，道：「名匠聖手，巧奪天工，歎爲觀止了。」

原來，這玉蛙下唇可以啓動，腹內中空，搖動之下，蛙口即開，格格之聲，就從蛙腹之中發出。

白眉和尚道：「在蛙腹之中，必然裝有機關。」

容哥兒道：「這玉蛙雕刻栩栩如生，千萬不能毀壞，必得好好珍惜才行。」

黃十峰看他目光中流露無比的愛意，心中暗道：「他如此喜愛此物，怎生想個法子，要這和尚送他才行。」

心中念轉，口裏說道：「這鐵人、玉蛙，大師做何處理？」

白眉和尚道：「老衲的師兄臨去所說，這兩具棺木中，分存著兩具屍體，想不到竟是存放這等珍貴之物。」

黃十峰道：「區區之見，不至如此，這鐵人、玉蛙，必然別有妙用。」

白眉和尚道：「這麼辦吧！那鐵人暫時留在此地，老衲妥爲收存起來，至於那玉蛙，兩位如若到金鳳谷去，不妨帶它前去。」

黃十峰回顧了容哥兒一眼，暗道：「容哥兒對那玉蛙，心中實是喜愛無比，不論它是否另有妙用價值，單是那精緻的雕刻，就使人愛不釋手，但想到其物原爲別人所有，一時間倒難作主意。」

沉吟了一陣，道：「這等名貴之物，咱們帶在身邊，萬一有了閃失，如何向大師交代呢？」

白眉和尚道：「不要緊，這玉蛙如若只是一件名貴的珍玩，老衲貪念早消，收藏亦是無用，如若是別有妙用，老衲又不能解它妙用何在，留之何益？據老衲所知，那金鳳門大小姐，才慧卓絕，或可解得這玉蛙妙用，兩位只管帶去就是。」

黃十峰道：「好吧！大師既然如此說，咱們就帶著走吧！」

取過那收藏玉蛙的木箱，接道：「大師多多珍重，我等去了。」

白眉和尚道：「兩位一路順風，見著那老夫人時，代老衲問候一聲。」

容哥兒道：「如若這玉蛙別有妙用，在下等定當原物奉還貴寺。」隨在黃十峰身後大步出了殿門。

黃十峰一抱拳道：「打擾大師清修，區區等就此別過了。」

白眉和尚道：「兩位上路之後，老衲亦將就道，追尋二姑娘的下落。」直送兩人出寺，互道珍重而別。

容哥兒四顧一眼，低聲對黃十峰道：「幫主可當真要和在下，同往五台山金鳳谷中一行嗎？」

黃十峰道：「不錯。」

容哥兒道：「貴幫中甚多高手，都已集中長安，幫主去後，豈不是群龍無首了嗎？如若楊九妹說得不錯，目下貴幫似是已成了無極老人第一對頭，萬一有了衝突，幫主離此，豈不是無人主持大局。」

黃十峰微微一笑，道：「這倒不勞費心，區區早已有了安排，我已調遣本幫神機堂主，兼程趕來此地，代我主持大局。」

他仰起臉來，長長吁了一口氣，道：「如論本幫那神機堂主的才慧，不但在區區之上，我丐幫之中無與匹敵之人，放眼當今武林，也很少有人能夠和他一較長短，只因鋒芒過露，區區一直不曾派遣他獨當一面，這番情勢所迫，只有調他來此，主持大局了。」

容哥兒心中大爲奇怪，忍不住問道：「貴幫中既有這等人才，幫主何以不肯重用？」

黃十峰道：「只因他殺孽過重，如若獨當一面，必然爲我丐幫召來無限麻煩。因此才派他掌理神機堂，爲繁重的瑣碎事務困擾，以分他心神。」

容哥兒道：「那不是有屈其才，太過可惜了嗎？」

黃十峰道：「話雖如此，但掌理神機堂，爲我丐幫創立天下武林人物，動態形勢記錄圖，非他之才，別人亦難辦到。」

容哥兒突然停下腳步，道：「在下想到了一件事。」

黃十峰道：「容兄可是想到了隨行的虎兒嗎？」

容哥兒道：「正是，其人有些渾氣，如不帶他同行，留他在此，只怕難免闖禍。」

黃十峰笑道：「那金鳳門中規戒甚嚴，如若帶那虎兒同行，只怕有甚多不便，因此，在下已代容兄作主，把虎兒連同眾豪，一併請入丐幫分舵之中，既可增強實力，亦可免去滋生誤會的困擾。」

容哥兒道：「那就好了。」兩人放腿趕路，兼程而進，一路上曉行夜宿。

這日中午時分，已進入五台山中。

那五台山綿達千里，金鳳谷深在群山之中，一時之間想找到，自是不易。

兩人中午入山，直行到日落西山，翻越了一十二座山巔，仍然未能找到那金鳳谷。

請續看《雙鳳旗》之二

臥龍生武俠經典珍藏版 33

雙鳳旗（一）

作者：臥龍生
發行人：陳曉林
出版所：風雲時代出版股份有限公司
地址：10576台北市民生東路五段178號7樓之3
電話：(02) 2756-0949
傳真：(02) 2765-3799
執行主編：劉宇青
美術設計：許惠芳
業務總監：張瑋鳳
出版日期：臥龍生60週年珍藏版 2023年4月
ISBN ：978-986-5589-74-5
風雲書網：http://www.eastbooks.com.tw
官方部落格：http://eastbooks.pixnet.net/blog
Facebook：http://www.facebook.com/h7560949
E-mail：h7560949@ms15.hinet.net
劃撥帳號：12043291
戶名：風雲時代出版股份有限公司

風雲發行所：33373桃園市龜山區公西村2鄰復興街304巷96號
電話：(03) 318-1378　　傳真：(03) 318-1378
法律顧問：永然法律事務所 李永然律師
　　　　　北辰著作權事務所 蕭雄淋律師

行政院新聞局局版台業字第3595號 營利事業統一編號22759935

定價：320元　

國家圖書館出版品預行編目資料

雙鳳旗／臥龍生 著. -- 臺北市：風雲時代出版股份有限公司，2021.06- 冊；公分（臥龍生武俠經典珍藏版）

ISBN：978-986-5589-74-5（第1冊：平裝）
ISBN：978-986-5589-75-2（第2冊：平裝）
ISBN：978-986-5589-76-9（第3冊：平裝）
ISBN：978-986-5589-77-6（第4冊：平裝）

863.57　　110007331